THE ASCENT OF MONEY

A Financial History of the World

货币崛起

[英] 尼尔·弗格森◎著
高诚◎译

中信出版集团 | 北京

图书在版编目（CIP）数据

货币崛起／（英）弗格森著；高诚译．—2 版．—北京：
中信出版社，2012.6（2024．5 重印）
书名原文：The Ascent of Money: A Financial History of the World
ISBN 978–7–5086–3317–6

I. 货…　II. ① 弗…　②高…　III. ① 货币史－世界　② 金融－经济史－世界
IV. ① F821.9　② F831.9

中国版本图书馆 CIP 数据核字（2012）第 061382 号

The Ascent of Money by Niall Ferguson

货币崛起
HUOBI JUEQI

著　　者：[英]尼尔 · 弗格森
译　　者：高　诚
出版发行：中信出版集团股份有限公司（北京市朝阳区东三环北路27号嘉铭中心　邮编　100020）
承 印 者：北京通州皇家印刷厂
开　　本：787mm × 1092mm　1/16　　**印　　张**：21.25　　**字　　数**：255千字
版　　次：2012年6月第2版　　**印　　次**：2024年5月第10次印刷
京权图字：01–2008–4782
书　　号：ISBN 978–7–5086–3317–6 /F · 2612
定　　价：68.00元

THE ASCENT OF MONEY

专家媒体热评

《纽约时报》 在弗格森的新作中，他带领我们踏上了一次极富启发性的旅程，关于伟大历史事件背后往往由金钱支撑的观点，他给我们上了重要的一课。

《西雅图时报》 本书把今天的经济危机放到历史背景中检视，揭示了在全球化世界中，人类本性的反复无常如何导致资本的快速流动。

《经济学人》 从现在的金融混乱中吸取教训的方法之一是回顾过去。这个世界需要一本把今天的形势放到历史背景中诠释的书。当危机结束时，清算的时刻也已来临。历史的课程将告诉我们，什么是必须改变的。

《每日电讯报》 弗格森的金融传记充满热情与洞察力，深刻地关注我们目前面临的困境。

《卫报》 弗格森写了一本无与伦比的书，非常引人入胜。

《洛杉矶时报》 | 弗格森为每一个现代事件找到了一个历史上的先例。

《华夏时报》 | 透过弗格森的专业视角，许多为人熟知的历史事件经过他的解读，被赋予新的意义，更清晰地成为金融史上的一座座里程碑。作者将现在投影到过去，在整个历史的轨迹中寻求二者的联系。

《南方周末》 | 《货币崛起》和《货币战争》代表着不同的意识形态。这两种不同的意识形态，在金融全球化的时代很可能会以不同的方式影响我们的决策。

台湾《联合报》 | 历史是当下的借镜。全球金融危机导致人心惶惶，美国哈佛大学经济史学家尼尔·弗格森的新书则从4 000年货币发展史中寻找突围脱困的智慧灵药。

香港《明报》 | 哈佛大学经济史学家弗格森的《货币崛起》，仿佛就是从货币发展史透视当前的金融困局。达尔文主义正是弗格森演绎说理的重要依据，金融体系不断随环境改变更新，它的演化有赖于灭绝和新生。

豆瓣网 | 虽然金融发展史这个主题看似有些深奥，但善于将历史说得通俗易懂的弗格森通过大量娓娓道来的生动事例，使得它对每一个哪怕是对金融一无所知的人也都变得通俗易懂。

THE ASCENT OF MONEY

目录

何妨以历史之名解读货币

解读经济学作品，大致有三个维度：历史、逻辑和数据。历史是相似的，因此以历史为鉴，可见人心；逻辑是一致的，给予逻辑的支点，能够产生撬动地球的力量；数据如果是真实的，也许挖掘数据，能够解开“无形之手”的奥秘。这本著作，就是哈佛大学历史学教授从历史的角度去解读货币的成果。目前次贷危机阴影尚未消褪，可能许多读者认为，货币崩溃、华尔街败局、金融赌局之类更能反映当下情形，而本书多少显得有些另类。奇文共赏，疑义与析，何妨以历史之名解读货币？

虽然已有心理准备，但阅读没有公式、数据、图表和冗繁注解、语言浅白的这本书，仍然让我相当不适应，如同高一脚低一脚地崎岖惯了，反而不适应坦途。读完此书后，我必须承认这是一本举重若轻的著作，给金融专业人员以一种新的视角。也让我更深地理解，所有的历史可能都是虚假的，除了“历史”这两个字；所有的小说都是真实的，除了“小说”这两个字。

对于货币，解读是如此之多，有的说“货币天然不是金银，金银天然是货币”，有的说“货币就是货币的职能（money is what money does)”，有的说金本位才可靠，信用本位不可靠，有的则说要建立超主权国家的货币，凡此种种。本书给予了我们一个隐含的答案：货币是基于国家能力的信用竞争选择。因此，金银天然是货币，因为金银昂贵，无用，易于分割而难以复制，这对早期竞相追逐货币的政府和个人是严厉而现实的制约。但世易时移，在凯恩斯那里，黄金变成了“一截短短的、野蛮的金属崇拜的尾巴”。真正的欧元之父罗伯特·特里芬则尖锐地讽刺说：“人们走遍天涯海角寻找和开采黄金，竟然是为了把它们埋入更为壁垒森严的地窖！”看起来，如果某种货币当下最流行，那么就暗示着该货币背后的国家实力在全球信用竞争中胜出，但这种竞争优势不是天然和永久的。如果市场经济的一个维度是信用合作秩序的自发扩展，那么货币崛起就是顺理成章的事情。

本书从银行、债券、股市、保险一直讨论到房地产，看起来更像是从金融机构的类型，而不是从金融体系的功能去讨论问题，或者说这种安排多少有些听其名，而不是观其行。关于银行的起源，我宁愿相信弗格森的说法，即银行和高利贷者相关，也不愿意相信银行起源于替公众储藏管理黄金的金匠，或者起源于早期威尼斯、热那亚、佛罗伦萨的货币汇兑者（money exchanger）的说法。如果读者有兴趣，不难发现，从管仲、吕不韦直到山西票号的传奇，中国金融业的发展并不逊色于西方。

中国民众对罗斯柴尔德家族的了解，可能起源于中信出版社出版的《货币战争》，历史上的确存在，并且仍然存在着这个神秘而骄傲的家族，但在我看来，他们被卡通化了。读者如有兴趣，可能更容易发现，作为“金融波拿巴”的罗斯柴尔德家族，其更为广泛流传的是遗产继承方面的铁血戒律，只能表亲内结婚、绝不允许透露家族财产、违者失去家族财产继承权等森严规定，显示了早期欧洲金融世家的骄傲或恐惧。

在作者讨论股市部分的内容时，多少讨论到了华尔街，这个充满光环和失落、贪婪和丑闻的场所。对于华尔街的争议，近百年来从未曾停歇，到底是美国制造业的“主街”引领了“华尔街”，还是相反？犹太人的投资银行和新教精神的投资银行有什么异同？美国是个充斥着英雄史观的国度，华尔街尤其如此，因此华尔街的英雄们除非已经死去，否则，要么成为神龛中的偶像，要么沦落为茶余饭后的谈资。次贷危机之后，独立投行制度暂时消失了，但从历史维度，我宁愿相信：商业银行的幸存，也许在于其能吸收公众存款不断补充流动性；投资银行的不幸，在于在承销和经纪业务之外做了太多的自营业务。因此，也许次贷危机并不表示华尔街的失败或者银行业的胜出，甚至在不太遥远的将来，投资银行会再度卷土重来。

本书还讨论了保险，历史学家可以纵横捭阖，而金融研究人员很少有兼通银行、证券、保险等诸多领域的，因此对作者讨论保险的部分，我不发表意见。我只是担心如果保险费率不足以抵补风险，而需要通过保险基金的运用才能获得收益，那么保险机构所承受的市场风险和系统性风险是非常沉重的。弗格森还介绍了房地产问题，有趣的是，我更愿意相信，次贷危机不仅仅是金融危机，也是联邦政府和美国家庭的财政危机。从联邦政府的层面看，从里根开始延续至今的减税思潮，弱化了联邦政府的税收汲取能力，削弱了美国社会保障体系，并导致财政赤字堆积如山。“供给学派”这个餐桌上的经济学也许害苦了美国联邦政府。从美国家庭的层面看，过去30年，美国家庭成员的实际工资收入增长并不显著，倒是双亲工作家庭不断增加；股市和房地产的“财产性收入”不断增加，掩盖了美国家庭的财政困难。次贷危机暴露了华尔街的困厄，在其背后，实质上是联邦政府和美国家庭的财政困难。由此看来，美国信用消费的黄金时期已经逝去，节俭时代悄然降临了。

弗格森乐观地认为，美国和中国在未来全球货币崛起的时代有很重要的地位，G7代表性不足，已经过时了，G20说多做少还不是主角，作为G2的“中美国”可能登堂入室。这样的陈述当然令人激动，但现实中的中国仍然是一个中等收入国家，还有大量的社会经济问题亟待解决，从金融和经济规模上看，中国赶上日本还有待时日，更遑论美国！本书给我们一个清晰的结论，回到金本位或者商品本位是困难的，类似哈耶克的货币非国家化（denationalization）可能也很渺茫，未来的货币崛起，是一场大国实力竞争在全球或者区域的表层浮现。货币的地位是海面上的冰山，而国家能力则坚硬地在海面之下沉默着。

我们在见证一个纷扰的时代，货币是其中的强音；我们也在见证一个民族的复兴，这就是中国。有幸生活在这个华彩和凋弊交织的年代，进行观察、阅读和思考，是我们最大的幸运。

钟　伟

北京师范大学金融研究中心教授

THE ASCENT OF MONEY

导言

金钱、现金、支票、资本、财富、非法收入……不管怎么称呼，这些都和货币有关。对货币的贪婪追逐被基督徒视为万恶之源，被将军视为战争的原动力，被革命者视为劳工的枷锁。那么，货币究竟指什么？是当年西班牙征服者曾经想象中的银山吗？或者只是满足人们需要的泥版和钞票印刷纸？大多数货币已经从我们的视线里消失了，在这样的世界，我们如何生存？货币从哪里来？又都到哪里去了？

2007年，美国人均年收入还不到3.4万美元，充其量同比只增长了5%，而由于生活费用上涨了4.1%，实际收入仅增长了0.9%。如果考虑到通货膨胀因素，美国中等家庭收入在自1990年以来的18年里仅仅增长了7%，实际上几乎没有变化。现在，我们把普通美国人收入状况与投资银行高盛公司首席执行官劳埃德·布兰克费恩的收入作一个比较。2007年，布兰克费恩的收入（包括工资、奖金和股票奖励在内）达到6 850万美元，较上年增长了25%。同年，高盛公司净收入达到460亿美元，超过了100多个国家的国内生产总值，其中包括克罗地亚、塞尔维亚、斯洛文尼亚、玻利维亚、厄瓜多尔、危地马拉、安哥拉、叙利亚和突尼斯等。高盛公司的总资产首次突破了1万亿美元大关。不过，劳埃德·布兰克费恩并不是金融界头号收入大户。老到的对冲基金管理人乔治·索罗斯收入囊中的是29亿美元。与上述两家对冲基金的领导人一样，城堡投资集团总裁肯·格里芬拿到手的也远不止20亿美元。然而与此同时，全世界还有近10亿人每天仅仅赚得1美元以维持生计。

我们为这个世界是如此不公平而生气？为有钱有势的资本家和拥有上亿美元红利的银行家而感到愤怒？为富人、穷人和巨富之间不断扩大的鸿沟而沮丧？这种想法并非只你一个人有。在西方文明发展的整个历史进程中，对金融和金融家经常性的敌意始终存在。这种敌意源于一种根深蒂固的观念：金融家借助放贷维持生计，是千方百计依附于农业与制造业这两种“真实”经济活动的寄生虫。这种敌意源于三个原因：一是债务人的数量往往超过债权人，而且前者对后者很少抱有好感；二是频繁发生的金融危机和金融丑闻，足以使人们把金融视为造成贫穷而非繁荣的非稳定原因之一；三是全世界各国的金融服务几百年来往往被少数族群所掌控，即使他们不再拥有土地和公职，但他们在血缘、信任基础上建立起严密的网络组织，享受着来自金融方面的成功喜悦。

我在本书中要提出的建议是，尽管我们对“不义之财”存在根深蒂固的成见，但货币是人类进步的根源。套用雅各布·布朗诺夫斯基[①]（我曾在上学期间如饥似渴地观看过他那部优秀的电视纪录片《科学进化史》）的话来说，货币的发展始终是人类进步的必要条件。正如今天许多人都明白的，与

① 雅各布·布朗诺夫斯基（Jacob Bronowski）是20世纪著名的数学家、诗人、历史学家，美国加利福尼亚大学教授，著有《科学进化史》，这是一部科学发展的全景史书，书中历数不同时期人类的重大发明，对每一重大思想理论，均予以深刻评价。——译者注

那些要榨干负债累累的家庭的最后一滴生命之血，或者拿孤儿寡母所有储蓄去投机的吸血鬼不同，金融创新始终是人类进步（从物质极度匮乏到今天令人眼花缭乱的物质高度繁荣）绝对不可或缺的因素。在文明兴起的进程中，从古巴比伦到今天的中国香港，信贷的发展与所有其他技术革新都是同等重要的。银行与债券市场为意大利文艺复兴的辉煌奠定了物质基础。公司融资成为荷兰和大英帝国立足所必需的基石，就如同美国20世纪所取得的成就离不开保险、抵押融资和消费信贷的发展一样。或许，只有金融危机才能预示美国全球领导地位的衰落。

每一次重大历史现象背后都隐藏着金融秘密，本书要展开阐述其中最重要的内容。我认为，文艺复兴标志着艺术与建筑市场的繁荣，原因就在于意大利商业银行家采用了东方数学，即阿拉伯数字；荷兰共和国的崛起，意味着在衰落的哈布斯堡帝国基础上成立的首家现代股票市场的成功；法国大革命是苏格兰杀人犯所操纵的股票市场泡沫破灭而引发的间接结果。可以说，是内森·罗斯柴尔德与威灵顿公爵联手在滑铁卢打败了拿破仑。阿根廷由于在金融方面犯下了愚不可及的错误，使这个19世纪80年代世界第六大富有的国家沦为20世纪80年代到处充斥着通货膨胀而毫无生机的国家。

每一次重大历史现象背后都隐藏着金融秘密。

阅读本书，你会懂得那些居住在世界上最安全国家的人们也最有保障的缘由。你会发现，英语民族是在什么时候，又是出于什么原因解决了他们买卖房屋的难题。也许最重要的是，你会看到，在其他种种现象之外，金融全球化如何使发达市场与新兴市场之间那条熟悉的界限变得模糊不清，让债权人中国如何成为债务人美国的财东。这是具有划时代意义的变化。

有时，货币的崛起似乎已不可阻挡。2006年，全球经济总量在47万亿美元左右，而全球股票市场总市值是51万亿美元，超过其10%；各国国内与国际债券总值达到68万亿美元，超过其50%；全球金融衍生品规模达到473万亿美元，超过其10倍还要多。我们所处的这个金融的星球正在开始使土地星球相形见绌。金融星球旋转的速度似乎也更快。每天外汇市场上的交易额达到2万亿美元。每月全球股票市场成交额达7万亿美元。每周、每天、每时、每刻，总有一些人在一些地方交易。新兴的金融模式一直在演进。例如，2006年，杠杆收购（通过借贷为公司提供并购资金）总量飙升至7 530亿美元。"证券化"爆炸式的增长，个人债务如住房抵押贷款被"分级"然后捆绑，并重新包装出售，使得住房抵押贷款证券、资产支持证券和担保债权凭证全年保险高达3万亿美元以上。金融衍生品的数量——来自证券如利率互换或信用违约掉期的合约增长得更快。到2007年年底，所有"场外交易"的金融衍生品（不包括那些公开的交易）的名义值近600万亿美元，而在20世纪80年代前，这些金融衍生品几乎无人知晓。新的机构也在不断增加。第一家对冲基金成立于20世纪40年代，到1990年，已经有610家对冲基金，管理的资金达380亿美元。今天全球对冲基金数量已超过7 000多家，管理资产规模达1.9万亿美元。与被视为真正的影子银行体系的"管道"（conduits）和结构性投资工具（SIVs）一样，私募股权也在不断扩张。如果说过去的4 000年见证了思想家的进步，那么我们现在则似乎是要在见证金融家的进步。如果说过去的4 000年目睹了人类向思想家攀升，那么我们现在似乎正经历人类向金融家迈进。

1947年，美国金融部门总产值仅占美国国内生产总值的2.3%，而到2005年已经占到7.7%。换句话说，为美国雇员所支付的工资里，每13美元中就有大约1美元是为从事金融工作的雇员提供的。金融领域已经成为世界上最吸引人才的地方。追溯到1970年，我的母校哈佛大学仅有5%左右的男生从事金融工作。而到了1990年，这一数字上升到15%[①]。到2007年比例更高。根据《红色哈佛》的说法，2007届毕业生中，有超过20%的男生和10%的女生期盼他们的第一份工作是去银行。谁会责备他们呢？近几年，从事金融工作的毕业生所获得的综合收入，几乎是那些毕业于常春藤学校在其他经济部门工作的学生收入的3倍。

在2007届学生毕业的时候，全球金融增长势不可当——对纽约和伦敦的恐怖袭击阻挡不了，中东的战争阻挡不了，当然更不用提全球气候变化了。尽管美国世贸中心遭到毁坏，阿富汗和伊拉克燃起战火，还发生了一系列极端气候变化，但从2001年晚些时候一直到2007年中期的这段时间，金融的持续扩张表现突出。确切地说，2001年9月11日发生的“9 · 11”事件最直接的影响，就是道 · 琼斯工业平均指数下降了14%，然而在随后仅仅两个多月的时间里，它又恢复到“9 · 11”恐怖袭击事件之前的水平。而且，尽管2002年是美国股票投资者失望的一年，然而市场的高涨随后在2006年秋季就超越了先前的顶峰时期（也就是网络狂热的高潮时期）。截至2007年10月初，道 · 琼斯工业平均指数在经过5年的经济低迷期之后，上涨近一倍。事实上，美国股票市场的表现并非异常。在2007年7月31日之前的5年里，全球证券市场年度回报率都达到了两位数（只有两家例外）。新兴市场证券涨势强劲，特别是英语国家和地区的不动产增值显著。无论是投资于商品、艺术品、陈年佳酿，还是狂热的资产支持证券，投资者都有利可图。

① 从事金融工作的女性的比例从2.3%增加到3.4%。男性数量仍然多于女性。

如何解释这些奇迹？按照某家学派的说法，最新的金融创新，为全球资本市场效率带来了根本性的改进——允许风险分摊到那些最有承受力的市场主体上。鼓吹者热衷于谈论“周期灭亡”。飘飘然的银行家们举办了诸如“卓越的演进”之类的主题会议。2006 年 11 月，我在巴哈马群岛来佛礁这个别具特色的豪华商务场所就参加了一次此类会议，我的演讲主题是，流动性的急剧下降很快会到来，随后通过全球金融体系传递下去，我们对那种期待美好时光永远持续下去的观点应持谨慎态度。我的听众显然对我的论点无动于衷，我被视为一个“危言耸听者”。其中一位参加那次会议的投资者竟然建议组织者明年不要请外来的演讲者。之后是放映电影《欢乐满人间》，它唤醒了我童年的回忆。茱莉 · 安德鲁斯的影迷们可能记得，这部拍摄于 20 世纪 60 年代的长盛不衰的歌舞剧，剧情是围绕金融事件展开的，讲述的是自 1866 年以来从未在伦敦发生过的金融挤兑事件。

在影片中，非常巧合的是雇用保姆玛丽 · 波萍斯的家庭的男主人名字叫班克斯①。班克斯先生是一个银行家，是富达信托银行的高级雇员。在班克斯先生的坚持下，新保姆带着班克斯的孩子去参观他所在的银行。在那里，班克斯逼着小儿子迈克尔从口袋里掏出两便士零用钱，在银行开了个账户，为的是要教导他责任的意义、投资的重要性。不幸的是，迈克尔却更喜欢花钱买东西去喂银行外面的鸽子，因此他对爸爸喊道：“把钱还给我！把钱还给我！”更不幸的是，一些银行客户无意中听到了迈克尔的喊声，其结果是他们开始从银行提款。大规模的储户挤兑风暴很快出现，迫使银行停止付款。班克斯先生的孩子无意中的童言童语最终导致银行破产。班克斯本人

① 班克斯（Banks），在英语中是银行的意思。——译者注

被银行解雇，并发出了“世事无常”的凄凉感叹。英国北岩银行[①]前首席执行官亚当·阿普尔加思也曾发出同样的感慨，他在2007年9月目睹了顾客在银行各分支机构排队提取现金的类似情景，而北岩银行此前宣布向英格兰银行要求获得“流动性支持便利”。

2007年夏秋发生的冲击西方世界的金融危机为我们发出了信号，揭示出了金融历史中一条颠扑不灭的真理——每一个泡沫迟早都要破灭。看跌者迟早都要多于看涨者。贪婪迟早都要转向恐惧。在我2008年最初几个月撰写本书的时候，美国经济出现衰退的可能性已经很明显。是因为美国公司在研发新产品方面更糟糕了吗？还是因为技术革新的步伐突然放缓？都不是。2008年经济不确定性的近因源于金融，准确地说，是源于一种被委婉地称为“次级抵押贷款”的债务违约激增而造成的信贷危机突然爆发。全球金融体系变得如此错综复杂，以致从亚拉巴马州到威斯康星州的贫困家庭都能通过贷款买房子。纽约和伦敦等地银行把这些同类贷款打包并重新包装，变为担保债权凭证，出售给德国地方银行和挪威市政部门——他们因而成为有效的抵押债权人。这些担保债权凭证由于已被分割成“片和块”，所以有可能向最初的借款人进一步索取利息支付，并因而成为10年期美国国债利息的可靠收入来源，因此值得被给予AAA评级。这就把金融炼金术提升到了新的高端水平，使铅变成了黄金。

金融历史中一条颠扑不灭的真理——每一个泡沫迟早都要破灭。看跌者迟早都要多于看涨者。贪婪迟早都要转向恐惧。

然而，当一年或两年的“诱惑”期满，原来的抵押贷款利率重置，借款

① 又译为“诺森罗克银行”。——编者注

人负担加重，开始拖欠。这暗示着美国房地产泡沫开始破灭，并引发了房价自20世纪30年代以来的最大跌幅。接下来，就是缓慢而最终呈爆炸性的连锁反应。各类资产支持证券价值暴跌，其中包括许多事实上并非次级抵押贷款类的担保工具。由银行所创设的在银行资产负债表之外持有证券的金融工具，像管道和结构投资工具等面临严重困难。银行由于涉足证券，资本和债务比率下降到监管值的底线。美国与欧洲中央银行为了尽快减轻银行的困难，降低了利率，并借助特殊的“定期拍卖工具”提供资金。然而，在撰写本书时（也就是2008年5月），无论是通过发行商业票据、出售债券还是银行间相互拆借，银行贷款利率仍然大大高于美国经济中官方联邦基金目标利率和最低贷款基准利率。私募股权原本打算为公司并购提供融资的贷款，如今也在以高额折扣寻找落脚点。更严格的信贷条件对股票价格形成了压力，持有大量“长期”股权头寸的对冲基金不得不承受这种痛苦的后果，使用借入资金。与此同时，许多著名的美国和欧洲银行在蒙受巨大损失之后，不得不既向西方中央银行寻求短期援助以重建其储备，同时又要求亚洲和中东主权财富基金“注入”资金，以重建其资本金基础。

所有这一切对一些读者来说，似乎有些不可思议。银行资本负债率的增长虽然听起来像是由市场内部因素如投机等引起的，但其实这是美国银行系统“伟大的收缩”。这种“伟大的收缩”由于现代历史上最严重的经济灾难（也就是1929~1933年的大萧条）的爆发和蔓延而一直备受责难。如果美国银行由于次贷危机与信贷紧缩造成的损失超过它们迄今已承认的2 550亿美元，那么真正的危险就在于，银行由于资金下降，相应地要缩小其资产负债，信贷收缩有必要更大（也许是10倍大）。如果债务证券化的“影子银行体系”和资产负债表外的机构受到这场危机冲击，信贷收缩可能更严重。

这意味着这场危机不仅影响美国，而且影响整个世界，因为欧洲特别是亚洲经济体的出口仍严重依赖美国市场。欧洲经济似乎注定要衰退，特别是那些出现与美国类似的房地产泡沫的国家，如英国和西班牙。亚洲在多大程度上能够摆脱美国经济衰退的影响，和美国摆脱亚洲 1997~1998 年经济衰退的情况相似，具有不确定性。针对美国银行系统中的流动性，美联储所作的降低利息从而减轻信贷紧缩的努力，加大了美元贬值的压力。与 20 世纪 70 年代甚至 40 年代相比较，美元的贬值与亚洲工业持续增长的巧合导致商品价格不断飙升。无须多言，我们在 2008 年年中，目睹了一场通货膨胀的世界战争。

欧洲经济似乎注定要衰退，特别是那些出现与美国类似的房地产泡沫的国家，如英国和西班牙。

如果任何一位读者在阅读上述段落时没有感到忧虑，那么几乎可以肯定是因为他的金融历史知识太贫乏。因此，这本书的目的有一部分是为了启蒙教育。英语世界有相当高比例的一般公众对金融知识一无所知，这是确凿的事实。根据 2007 年的一项调查，美国信用卡持有人中，每 10 人就有 4 人对他们最经常使用的信用卡没有足额缴纳每月应缴款项，尽管信用卡公司要收取惩罚性高利率。将近 1/3（29%）的人表示，他们不知道信用卡收取利息，还有 30% 的人声称信用卡利息低于 10%，而实际上，绝大多数信用卡公司的收费大大超过 10%。超过一半的受访者表示，他们在学校学到的金融知识“不太多”或“根本没有”。2008 年的调查显示，2/3 的美国人不明白复利是怎么计算的。在布法罗大学管理学院研究人员进行的一次调查中，一群有代表性的高中学生中，仅仅有 52% 在回答一组有关个人理财和经济问题时得分；只有 14% 的被调查者知道，在过去 18 年多的时间里，从事股市投资要比购买美国政府债券获得更高的回报；不到 23% 的被调查者知道，如果储蓄账户持有人的收入足够高，所得税征收利息要从储蓄账户扣除；59%的人根本不清楚公司养老金、社会保障和401（k）计划[①]之间的差别。这种现象并非美国独有。2006年，英国金融服务管理局进行的一项公众金融知识调查结果表明，5个人中就有一个不知道通货膨胀率为5%、利息为3%将对储户的购买力产生什么影响。1/10的人不知道一台最初售价为250英镑的电视，折扣为30英镑与折扣为10%哪一个更优惠。在上述事例中，这些调查提出的问题是最基本的。由此我们可以合理地假设，只有少数受访者才有能力解释“看跌期权”和“看涨期权”之间的差异，只有很少人能清楚债务担保凭证和信用违约掉期之间的区别。

政治家、中央银行家和商人经常哀叹公众对金钱一无所知——他们有充足的理由。一个社会如果期待大多数人承担管理自己的支出和税后收入的责任（即期待大多数成年人拥有自己的住房，并确定有多少储蓄以备退休之用、是否领取医疗保险），无疑是在为未来制造麻烦，因为其公民可能没有能力作出明智的财务决策。

我认为，理解现代金融机构和金融术语复杂性的第一步是找出它们来自何方。只有理解金融机构或金融工具的起源，你才更容易理解它目前的作用。因此，我决心就货币和金融历史提出一系列简单的历史问题，并对现代金融体系的关键部分予以介绍。本书的第一章追溯了货币与信贷的起源，第二章讲述了债券市场，第三章讲述了股票市场，第四章讲述了保险，第五章讲述了房地产，第六章讲述了国际金融的兴衰。每一章都会提出一个重要的

---

① 指1980年推出的一种固定缴款退休计划形式，员工可以选择将其部分工资或薪水存入401（k）账户，然后选择将资金投在何处。除了少数例外，缴款和投资收益免税，只在领取时征税。——编者注

历史问题。什么时候货币不再是金属，并变异成纸币，然后完全消失？难道真的是债券市场通过制定长期利率控制着世界吗？中央银行在股市泡沫和萧条中发挥了什么样的作用？为什么保险不一定是保护自己远离风险最好的方式？人们夸大了投资房地产的好处吗？中美两国相互依存的经济是维系全球金融市场稳定的关键之一吗？或者仅仅是幻想？

在试图把来自古代美索不达米亚到现代小额信贷的金融历史阐述得很透彻时，我发现这无疑在为自己制定一项不可能完成的任务。然而，如果能够吸引普通读者更多地关注现代金融体系，这些似乎值得尝试。当然，许多情节出于简洁明了的目的而必须省略。

我在本书的撰写过程中学到了很多知识，有三点认识尤其突出。首先，贫穷不是贪婪的金融家剥削穷人的结果，它与金融机构缺乏，也就是与银行缺乏（而不是它们存在）有关，这是因为只有当借款人有机会获得有效的信贷网络时，他们才能够逃脱高利贷的魔掌，而且只有当储户把他们的积蓄存在可靠的银行时，他们的钱才可以从有闲阶层流向需用钱者。这一点不仅仅适用于穷国的世界，可以说在理论上也适用于发达国家内部最贫穷的地区。就如我的出生地格拉斯哥，那里的一些人每天只挣可怜的 6 英镑，但当地高利贷利息一年可高达百分之一千一百万。

世界金融市场的一体化越强，生活在其中的金融知识丰富的人机会越大，而金融文盲趋于贫困的风险更大。

我的第二个重要的认识同平等和缺乏平等有关。金融体系存在的缺陷，正是对我们人性不足的反映和放大。我们从不断累积的行为金融学领域的大量研究资料中了解到，货币放大了我们人类过度反应的倾向——从良性循环中的极度兴奋转向恶性发展时的过度沮丧。从根源上来讲，繁荣与衰败是我们情绪波动的产品，而金融增大了人与人之间的差异，让幸运者和聪明人富有，使倒霉蛋与平庸者贫困。金融全球化意味着在经过300多年的发展之后，世界再也不能被清晰地划分成富裕的发达国家和贫困的欠发达国家。世界金融市场的一体化越强，生活在其中的金融知识丰富的人机会越大，而金融文盲趋于贫困的风险更大。要特别强调的是，在整体收入分配方面不再强调“世界是平等的”，因为相对于非熟练和半熟练劳动力的回报而言，资本回报率一直在飙升。这种回报前所未有的庞大，使那些金融知识匮乏的人受到了强烈的冲击。

最后，我开始认识到，要准确预测金融危机爆发的时间和规模远比其他事情艰难，因为金融系统如此复杂，其中非线性的，甚至混乱的关系如此之多。货币的崛起从未平稳，每次新的挑战都会引起银行家新的反应。正如安第斯山脉一样，金融历史不是一条笔直上升的曲线，而是经历了一系列的锯齿形不规则的高峰低谷。用另外一个比喻来说，在比自然界进化更严格的时间框架内，金融历史看起来就像行动演化的典型事件。“就像自然界一些物种灭绝一样，”美国助理财政部部长安东尼·瑞恩于2007年9月在美国国会指出，“一些新的融资工具相比之下可能最终会被证明是不太成功的。”这种达尔文式的语言看起来显然是贴切的。

金融机构的伟大死亡也是我们应该担心的一种假想，因为一场人为灾害正在缓慢而痛苦地通过全球金融体系来酝酿发生。

难道我们正处于金融世界中“伟大的死亡”边缘？大规模的物种灭绝几乎定期发生在地球生命演化历史中，像寒武纪末大灭绝造成90%的地球物种消失，或白垩纪第三纪的灾难造成恐龙灭绝。这是许多生物学家们有理由担心的一个设想，因为人为的气候变化破坏了全球的自然环境。而金融机构的伟大死亡也是我们应该担心的一种假想，因为一场人为灾害正在缓慢而痛苦地通过全球金融体系来酝酿发生。

基于上述这些理由，无论你是正在努力维持生计还是妄图要成为世界的主宰，今天要比以往任何时候都更有必要了解货币的发展。如果本书有助于消除读者在金融知识和其他知识方面的障碍，那么我付出的辛苦就值得了。

第一章

货币与信贷：贪婪之梦

THE ASCENT OF
MONEY
A Financial History of the World

货币什么时候不再是金属？
它何时变异成纸币？
银行是何时诞生的？

THE ASCENT OF MONEY

导读[1]

货币是什么？货币是怎样产生的？没有货币的世界会怎样？当我们每天交换、计算和储藏货币时，是否想到，它究竟是幸福的来源，还是魔咒般生活的开始？

殖民者在疯狂掠夺贵金属的过程中，或许没有想到，在一个封闭社会，黄金的增加表面让人更加富有，但并不会使社会变得富裕。因为货币多了，只会使物价走高。而今天的重商主义者或许也没有想到，消耗巨大的本国资源和劳动换来的外汇储备，其实也是一堆随时可以贬值的纸。

莎士比亚剧中的放高利贷者、意大利板凳上的货币兑换者推动了信贷的发展。也正是他们，为现代金融市场和金融衍生品的发明奠定了基础，为现代人实现贪婪之梦创造了工具。

货币进化的重要标志是商业银行的诞生，而中央银行的出现则意味着现代金融体系的形成。贯穿金融发展历史的一个重要话题是：银行储备和货币流通之间的关系应是怎样？金本位制到底是币值稳定的基础，还是如凯恩斯所言为“野蛮的残余”？同样，贫穷的根源到底是源于金融家的贪婪，还是金融机构的缺失？信用与信贷是不是经济增长的基石？透过货币崛起的足迹，我们或许能够找到这些问题的答案。

---

① 本书每章导读由《中华工商时报》副总编辑刘杉先生撰写。——编者注

没有货币的世界

让我们想象一下一个没有货币的世界会是什么样子。在过去 100 多年的时间里，无政府主义者，甚至那些极端的保守分子、宗教原教旨主义者和嬉皮士，他们曾经梦想拥有这样的一个世界。按照马克思与恩格斯的说法，货币仅仅是资本家剥削的工具，取代了所有的人与人之间的关系，即使连传统充满温情的家庭关系，也变成了冷酷无情的“现金交易”。正如马克思后来在《资本论》一书中所设法证明的那样，货币是商品化的劳动，剩余价值是雇用工人创造的被资本家无偿占有的以满足其对剩余价值积累的贪得无厌的追求。这种观念依然在发挥着影响力。在 20 世纪 70 年代，欧洲一些共产党人仍然渴望一个没有货币的世界。

几年前，哥伦比亚奴卡克 · 马库原住民民族意外地走出哥伦比亚瓜维亚雷河畔圣何塞的亚马孙热带雨林。他们是一个为时代所遗忘的部落，此前与世隔绝，生活主要靠捕猎和采摘野果。他们没有货币的概念，也没有未来的概念，在居住于城市附近的那些日子里，他们依靠国家的救济品生存。当被问及他们是否怀念丛林时，他们笑了。令这些曾经习惯于在单调乏味的奔波中寻找食物的原住民感到惊讶的是，那些完美的陌生人给他们提供他们所需要的一切，并未要求他们予以回报。

然而人类学家的研究表明，与奴卡克·马库人相比，许多存活到近代的游牧狩猎部落并不平静。例如，居住在厄瓜多尔的希瓦罗人，近60%的男性死于暴力；巴西雅诺马马人的死亡数字将近40%。当两个原始部落群体偶然相遇的时候，他们为争夺稀缺资源（比如粮食和育龄妇女）发生冲突的可能性更大，而不是从事商业交换。游牧狩猎式的社会没有贸易，他们往往采取突袭。他们也没有储存食物的习惯，一旦找到食物他们就会吃掉。因此，他们不需要货币。

超越贪婪的梦想

事实上，也有比奴卡克·马库人更高级的社会没有货币。印加帝国——500年前南美洲存在的最先进的社会就没有货币，印加人是以欣赏的眼光来看待稀有金属的。他们认为黄金是“太阳的汗水”，白银是“月亮的眼泪”。在印加帝国，劳动被视为价值单位。此外，印加经济往往依赖的是严酷的中央计划和强迫劳动。然而，1532年，与哥伦布一样，一个去寻找新世界和可以货币化的贵金属的男子颠覆了印加帝国[①]。

弗朗西斯科·皮萨罗是一名曾在1502年左右跨过大西洋去寻宝的西班牙上校的私生子。皮萨罗领导的三次探险之旅，第一次是在1524年到秘鲁，

① 西班牙征服者前往寻找的既有黄金，也有白银。哥伦布建立的第一个据点——伊斯帕尼奥拉岛的伊莎贝拉（即现在的多米尼加共和国所在地），建立的目的是开发当地的金矿。他还认为他已经发现了白银，但唯一遗留下的痕迹后来被证明是哥伦布和他的部下由西班牙带去的矿石样品。

这使皮萨罗成为首批穿过巴拿马地峡到达太平洋的欧洲人。他们到达的地区是不毛之地，粮食匮乏，所遇到的原住民对他们充满敌意。不过第二次探险中他们在通贝斯地区受到了欢迎，那里的居民把他们看做“太阳之子”，极力劝说他们留下来。皮萨罗在返回西班牙后，他“拓宽卡斯提尔帝国疆域”[①]、“担任秘鲁总督”的计划获得了西班牙王室的批准，于是，他拼凑了三艘船，组织了27匹马和180名士兵，配备了当时欧洲最新式的武器装备火枪和机械弩。第三次探险于1530年12月27日从巴拿马起航。征服者花了将近两年的时间才实现他们的目标：与刚去世的印加皇帝瓦伊纳·卡帕克两个不和的儿子之一阿塔雅尔帕见面。阿塔雅尔帕贸然拒绝了瓦尔韦德要他皈依基督教的建议，并把《圣经》扔在地上。此后，他所能做的就是眼睁睁地看着西班牙人利用印加人对他们马匹的恐惧去消灭他的军队（印加人并不认识这种动物）。鉴于印加人的军队在数量上远多于征服者，这实际上是一场非常令人吃惊的政变。阿塔雅尔帕不久就认识到皮萨罗真正在寻求的是什么，因此他设法通过黄金和白银赎回自己的人身自由。印加人在随后的几个月上缴了13 420磅重的黄金和26 000磅重的纯银，但皮萨罗仍然决心处死他的俘虏，并于1533年8月公开将阿塔雅尔帕绞死。随着库斯科的陷落，印加帝国在西班牙人的掠夺狂欢中四分五裂，摇摇欲坠。尽管1536年发生了曾被视为傀儡的曼科·卡帕克领导的起义，但以新首都利马的建造为标志，西班牙的统治已稳步建立起来了。1572年，印加帝国正式解体。

皮萨罗本人生于暴力，也死于暴力。1541年，他在与其同伙争吵之后，在利马遇刺身亡。但是，他留给西班牙王室的遗产甚至超出了他自己的梦

① 从1474年费迪南德和伊莎贝拉结婚一直到18世纪，我们所称呼的西班牙实际上是阿拉贡和卡斯提尔两个王国的联盟。

想。这个征服者一直受到埃尔多拉多传说的蛊惑——印第安在传说中被称为黄金之地。在皮萨罗的士兵称为上秘鲁的地方，只有荒凉的山地与雾气，那些不习惯于高海拔地区生活的人，呼吸极为困难，但他们所发现的一切都极为宝贵。最高峰海拔 4 824 米的赛罗里科山——字面意思是“富山”的发现，成为关于货币的所有想法的最高体现：一个银矿山区。1545 年，当一个名为狄耶哥 · 瓦帕的印第安人发现白银储量丰富的银矿之后，他改变了世界经济史。

印加人无法理解那些欧洲人对黄金和白银贪得无厌的欲望。“即使把安第斯山脉所有的积雪都变成黄金，他们仍然不满足。”曼科 · 卡帕克抱怨道。印加人无法明白的是，对皮萨罗和他的部下来说，白银不仅仅是闪闪发光的金属装饰物，它可以铸为货币，可以作为计算的单位，具有贮藏价值，也就是具有便捷的购买力。

▲波托西的赛罗里科山：西班牙帝国的富山

为了开矿，西班牙人首先雇用附近村庄的居民。但是由于环境非常恶劣，从 16 世纪后期开始，西班牙人不得不引入强迫劳动制度，即从 16 个高地省份征召年龄在 18 至 50 岁的男子，每人一年要工作 17 周。矿工的死亡率极高，这不仅仅是因为不断接触到在提炼过程中产生的汞废气（即地面银矿被加工成汞合金化合物，经过水洗，然后通过加热燃烧还原出银）。矿井中的空气也有毒（现在依旧有毒）。矿工要下降到700英尺深的竖井中，经过长时间的挖掘，把装在麻袋里的矿石绑在背上，爬上爬下。因岩石的坠落砸死和致残达数百人。波托西山被称为“地狱之口，每年有众多矿工掉进去，为满足西班牙人的贪婪欲望而丧生”。有人把这些矿山称为“该死的地狱”，并指出“如果21个健康的印第安人星期一走进去，到星期六可能只有半数能一瘸一拐地出来”。1638年，奥古斯丁派修道士弗赖·安东尼·卡兰查写道：“每个在波托西铸造的比索，都有相应的10个印第安人死于矿山深处。”由于当地劳动力资源的枯竭，成千上万非洲奴隶被贩运到那里充当“人骡”（human mules）。即使在今天，赛罗里科山仍然有一些可怕的，令人窒息的竖井和隧道。

波托西成为被强迫去那里工作的矿工的死亡之地，也是西班牙突然暴富的地方。1556~1783年间，从“富山”提取的纯银达4.5万吨，随后这些纯银进入造币厂变成货币，并被运到塞维利亚。波托西尽管空气稀薄、气候恶劣，但迅速成为西班牙帝国的主要城市之一，其人口在顶峰时期达到16万~20万人（大大高于同期欧洲其他城市）。皮萨罗的征服让西班牙王室更为富有，这早已超越了贪婪的梦想。

贵金属的价值

按照传统的说法，货币是一种交换媒介，其好处在于消除低效率的易货交易；货币是一种计价单位，有利于估价和计算；货币具有贮藏价值，使经济贸易得以长期进行并超越地理距离。为了优化所有这些职能，货币的理想形式应该是有价值、负担得起、耐用、可兑换、便携和可靠的。金属如金、银和铜，由于符合这些标准的绝大部分，数千年来被视为货币的理想材料。已知的最早货币可以追溯到公元前600年，是考古学家在埃斐索斯的阿耳忒弥斯神庙发现的（在现在的土耳其伊兹密尔附近）。这些由小亚细亚的吕底亚人铸造的货币由金银混合而成，铸有狮子的头像，是雅典四德拉克马银币的前身。标准的银币背面铸有雅典娜女神的头像，正面铸有猫头鹰（是智慧女神雅典娜的原型）。到罗马时代，有三种由不同金属材质制作的硬币：奥里斯（金）、第纳里（银）和悉斯特提由斯（铜）——按照涉及到的金属的相对稀缺程度排列顺序；所有的货币都要一面铸有执政者的头像，另一面铸有传说中的罗马奠基人罗莫路和勒莫。这些硬币不是古代地中海唯一的货币，但它们显然是首次出现的货币之一。到公元前221年，中国的秦始皇开始统一铸造标准化的青铜钱币，这些圆形方孔的货币通常标明自身的重量(例如半两，大约是半盎司)。

罗马的铸币制度要比罗马帝国本身延续的时间长。当时，罗马仍然用法兰克国王（768~814年）查理大帝时代的第纳里银币估价。困难的是，到800年查理曼加冕为神圣罗马帝国皇帝时，西欧白银长期短缺。伊斯兰帝国统治的南地中海以及近东地区更发达的商业中心对货币的需求更大。因此，落后的欧洲贵金属流失严重。查理大帝时代的第纳里银币极为稀缺，24个第纳里银币就可以购买加洛林王朝的一头牛。在欧洲一些地方，胡椒和松鼠皮代替了货币；动产意味着土地，而不是货币。对于这个问题，欧洲人寻求两种方法去解决。他们可以出口劳动和货物，用奴隶和木材换取巴格达白银，或从非洲换回科尔多瓦和开罗的黄金；也可以通过对穆斯林世界发动战争，掠夺贵金属。十字军东征像随后的征服活动一样，是为了使异教徒改信基督教，也是为了缓解许多欧洲国家的货币短缺情况。

十字军东征花费昂贵，回报却不大。为了解决货币的困难，中世纪和早期的现代政府均未能找到解决经济学家们所谓的“小钱中的大问题”的途径，难点在于如何在不同金属制成的货币之间建立稳定的关系，这也就意味着更小面额的货币经常会短缺，也面临着币值贬值和品质降低的情况。在波托西和新世界的其他地方，征服者们发现了丰富的白银（尤其是在墨西哥的萨卡特卡斯），西班牙征服者似乎因此已经打破了百年历史的制约。最初的受益人当然是赞助此次征服活动的卡斯提尔国王。这支船队曾经达到 100 艘船的规模，每年要跨越大西洋运载 170 吨的白银，然后停靠在西班牙的塞维利亚。所有收入的 1/5 归王室，在 16 世纪后期占王室高峰期总支出的 44%。西班牙的新财富刺激了整个欧洲大陆。西班牙的古银币“八里尔银币”(piece of eight）成为世界上第一种真正的全球性货币，不仅资助了旷日持久的西班牙在欧洲的战争，而且还迅速扩大了欧洲与亚洲的贸易。

然而，新世界所有的白银并不能平息荷兰共和国的叛逆，不能使英格兰从西班牙王室获得安全保证，也无法把西班牙从不可阻挡的经济衰退和帝国衰落中挽救出来。和点石成金的麦达斯国王、16 世纪西班牙国王查尔斯五世和菲利普二世一样，发现充沛的贵金属与其说是上天的恩赐，不如说更像是上天的惩罚。原因何在？他们采掘如此多的白银来支付其征服战争的费用，导致金属本身价值急剧贬值，也就是说白银的购买力降低了。这场所谓的“价格革命”，从 16 世纪 40 年代到 17 世纪 40 年代，影响范围覆盖整个欧洲。300 年没有表现出持续上升趋势的粮食费用显著上升。英国（我们拥有这个国家最全面的价格数据）的生活费用在此期间增长了 7 倍。虽然按照今天的标准（每年平均约为 2%）来看，通货膨胀率并不高，但根据中世纪的标准而言，面包的价格发生了革命性的增长。在西班牙，充足的白银也充当了“资源诅咒”的角色，和今天拥有丰富石油的沙特阿拉伯、尼日利亚、伊朗、俄罗斯和委内瑞拉一样，缺少生产性经营活动动力，同时加强了独裁者的“寻租”，而牺牲了民主制度。

西班牙人一直未理解的是，贵金属的价值不是绝对的。货币是别人愿意给你的唯一的价值。货币供给的增加尽管可以让垄断货币发行的政府富有，但并不会使一个社会更富裕。在同等条件下，它只会使物价走高。

事实上，除了历史的偶然性，货币在西方人的思维中长期等同于金属并没有任何理由。大约在 5 000 年前，古代美索不达米亚的人们用泥版记录交易，涉及大麦、羊毛或白银等金属。当然，银制的银环、银块或银片充当了货币（如同粮食），但泥版在充当货币角色时与其一样重要，而且有可能更重要。如今留存的许多泥版提醒我们，当人类第一次开始书面记录他们的活动时，他们这样做不是在写历史、诗歌或哲学，而是在做生意。对这种古老的金融工具，我们无法不怀以敬畏之情。虽然这些泥版是泥土制成的，但它们要比在波托西铸币厂铸造的银币历经岁月冲刷的时间更长。其中一块保存完好的泥版（出土于今天的伊拉克），可以追溯到阿米蒂塔纳国王统治时期（公元前 1683 年至公元前 1647 年），它指出了持票人在收获季节应领取的具体粮食数额。另一块泥版记载了阿米萨杜克国王的命令，要求在结束旅程之后给予持票人一定数量的白银。

货币供给的增加尽管可以让垄断货币发行的政府富有，但并不会使一个社会更富裕。

我们也许很熟悉这些基本的概念，因为现代纸币发挥着同样的功能，只不过纸币是纸做的，而不是泥土。英格兰银行发行的任何一张 10 英镑的纸币上都印着那句神奇的话——“兹承诺付总额为……（英镑）给持有人”。钞票（起源于7世纪的中国）是一张张没有内在价值的纸，它们只是承诺支付（因此最初在西方被指定为“本票”），就像4 000年前古巴比伦的泥版。10美元的背面印有“我们信仰上帝”，但是，当你接受这些付款时，你要相信的那个人是钞票正面这名男子（美国第一任财政部长亚历山大·汉密尔顿）的继任者——在编写本书时恰好是前高盛首席执行官亨利·保尔森。当美国人以自己的货物或劳动来赚取美元时，他实际上是相信保尔森（以及暗中的美联储主席伯南克）不会再犯西班牙人的错误，而不是仅仅印刷更多的钞票。

今天，尽管美元的购买力在过去50年里已经下降了很多，我们仍然或多或少满足于纸币，更不用提几乎都是由垃圾铸成的货币。这些货币都不具有储存价值。更令人惊讶的是，我们很满足于我们甚至不能看到的货币。今天的电子货币没有物理化，它可以从我们的雇主，流向我们的银行账户，再转向我们最喜欢的零售商店。正是这种“虚拟”货币主导了经济学家所谓的货币供给。普通美国人手头持有的现金仅占货币量

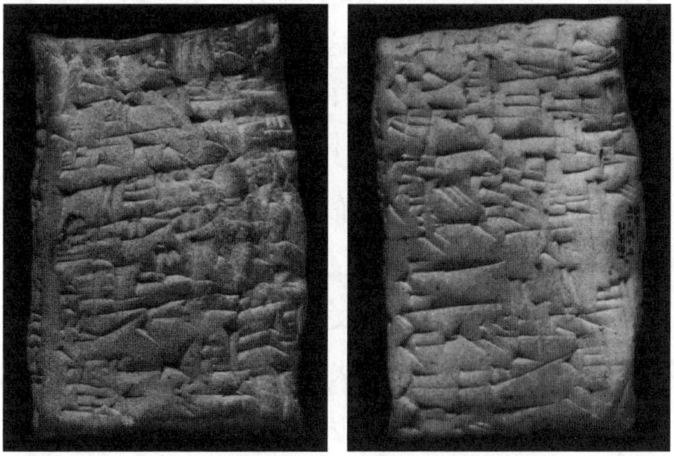

▲公元前二世纪的美索不达米亚泥版（正面与背面），泥版上所刻的文字说，埃米尔·米拉在收获季节将支付泥版的持有者330斤大麦

度，也就是被称为M_2货币的11%。今天大多数货币无形化的特点，也许是货币真实本质的最好证明。那些西班牙征服者不明白的是，货币实际上就是一个信任问题，甚至是一种信仰：信任体现于为我们支付薪水上，信任体现于货币的发行中，即个人使用或者机构兑现支票或转让支票。货币不是金属，而是一种记名信托。无论是以白银或者泥版作为货币，还是纸币，或出现在液晶显示器上的虚拟货币，都没有多大的问题。从马尔代夫的贝壳到太平洋雅普岛圆盘巨石，什么都可以充当货币。现在看来，在这个电子时代，没有任何东西不可以充当货币。

货币明确了贷款人与借款人之间的关系。让我们再次审视这些美索不达米亚泥版。这些泥版显然是贷款人保留下来的（通常是在一个密封的陶土容器中），每一次交易都被记录在册，以记录借款人还款数额和还款日期。古巴比伦的贷款制度显然相当复杂。债务可以转让（“付给持票人”，而不是指定债权人），泥版收据或汇票签给在皇宫或庙宇存入粮食或其他商品的人；借款人要支付利息（这个概念可能起源于畜群的自然增长），利率往往高达20%。从汉谟拉比时代（公元前1792年至公元前1750年）起，数学的应用预示着复利这类工具有可能应用于长期贷款。但所有这一切都建立在借款人还款承诺的根本信誉基础之上（并非巧合的是，英语中的“信用”一词就来源于拉丁美洲的“我相信”）。债务人可能获得一定期限延缓偿还，正如《汉谟拉比法典》条文规定，债务每隔3年可以得到减免，但这似乎并不能阻止私人和公众贷款人通过活动把债权追讨回来。与此相反，从长期发展趋势来看，古代美索不达米亚的私人金融业务在扩大。到公元前6世纪，巴比伦的埃吉布家族已成为强势的地主和贷款人，其商业活动远至乌鲁克南部和波斯以东。那一时期留存下来的成千上万泥版表明，当时有为数众多的人曾向埃吉布家族借款。埃吉布家族5代人的繁荣史表明他们通常靠收债为生。

倘若说古代美索不达米亚已发明信用，这并不十分确切。大多数巴比伦人贷款很简单，他们只是从王室或宗教寺院借贷，后面讨论的现代意义上的信贷并未建立起来。然而，这是一个重要的开端。没有借贷的基础，我们这个世界的经济几乎就不能腾飞。没有日益扩张的债权人和债务人的关系网，当今的全球经济将停滞不前。有首著名的歌曲写道，货币并不能使地球旋转，恰恰相反，货币令人吃惊地让人员、货物和服务融入世界各地。

货币的崛起场面始终蓬勃壮观，而引人注意的是扎根于这个世界的信贷观念是多么落伍，多么不合时宜。

高利贷的后果

13世纪早期，意大利北部地区处于四分五裂状态，多个城邦彼此争斗不休。数字体系（i，ii，iii，iv……）是已不复存在的罗马帝国的众多遗迹之一。它不适合复杂的数学计算，更不用说满足商业的需要。这一难题在比萨更显突出，那里的商人不得不对7种不同形式的流通货币进行烦琐的计算。相比之下，与过去查理大帝时代一样，无论是阿巴斯哈里发帝国还是中国宋代，东方世界的经济生活更为先进。为了开发现代金融，欧洲需要改变现状。在这方面，被人称为“比萨的列昂纳多”的年轻数学家斐波那契起了关键作用。

年轻的斐波那契是总部设在如今的阿尔及利亚贝贾亚的比萨海关官员的儿子，他自己沉浸于所谓的结合了印度和阿拉伯方法的数学“印度法”

研究。他引入的这些方法使得欧洲人的计算方式发生了革命性的变化。如今，斐波那契最广为人知的是斐波那契数列[①]（0，1，1，2，3，5，8，13，21……），这个数列从第三项开始，每一项都等于前两项之和。随着数列项数的增加，前一项与后一项之比越来越逼近“黄金分割”。这种模式反映了在自然世界中发现的某些重复现象（例如蕨类植物和海洋贝壳的分形几何学）。1202年，斐波那契撰写了《珠算原理》一书。在这本开创性的著作中，斐波那契数列只是他引入欧洲的众多东方数学思想中的一部分，读者可以在书中找到分数的解释以及现值的概念（未来收入流的贴现值）。最重要的是，斐波那契引入了阿拉伯数字。他不仅把十进制介绍到欧洲，使得各种计算远比用罗马数字容易得多，他还指明如何把它应用于商业记账、货币兑换，尤为重要的是应用在利息计算方面。值得注意的是，《珠算原理》中的许多例子借助一些商品如皮革、辣椒、奶酪、油和香料等来表达，因而显得更生动。这使数学开始应用在赚钱方面，特别是应用在贷款方面。一个典型的例子就是：一人贷款给某商家100英镑，每月每英镑收取利息4第纳里，他每年获得回报30英镑。我们必须计算本金的减少及上述30英镑的利润。我们要知道需要多少年、多少月、多少天和多长时间把钱收回……

意大利商业中心（诸如斐波那契的家乡比萨、佛罗伦萨及周边地区）是滋生金融种子的肥沃土壤，而威尼斯比其他地方更容易受到东方的影响，因而成为欧洲的伟大贷款实验室。西方文学中描述的最有名的放贷事件发生在威尼斯并非偶然。《威尼斯商人》的故事精辟地阐明了数百年来妨碍斐波那契数列理论转化为有效的金融实践的障碍。这些障碍不是经济，亦非政治，

① 斐波那契数列出现在《达·芬奇密码》中，这可能是为什么大多数人听说过它的原因。不过，它的名称首次出现是在梵文学者平加拉的著作中。—译者注

这些障碍是文化。

莎士比亚的《威尼斯商人》是根据14世纪意大利一本名为《笨蛋》的小说改编成的（这本书收集了许多故事和逸事，是作家乔万尼·菲奥伦蒂诺于1378年写的），讲述了一个嫁给正直的青年绅士的富家女儿的故事。威尼斯商人安东尼奥为了帮助好友巴萨尼奥成婚，向犹太人夏洛克借了3 000金币高利贷。夏洛克因为安东尼奥借给别人钱不要利息，影响了他的生意，又侮辱过他，所以借机报复，在借约上声称3个月期满还不上钱，就从安东尼奥身上割下一磅肉抵债。安东尼奥因船失事，不能如期还钱，夏洛克就提起公诉，要安东尼奥履行借约。正如夏洛克所言，安东尼奥是一个“好”人，意思并不是特指品质方面，而是指他有“足够”的信用。夏洛克指出，借钱给商人（或他们的朋友）是有风险的。安东尼奥的船只散布在世界各地，但他的财产还有些问题：那些船只不过是几块木板钉起来的，水手也不过是些血肉之躯，岸上有老鼠，水里有老鼠，陆上有强盗，海上有海盗，还有风浪、礁石各种危险。

正因为如此，任何放贷者借钱给商人，比如航海远行一段时间的商人，都需要得到应有的补偿。我们通常会要求补偿“利息”，即偿还贷款的总额要超出所借款项或“本金”。如果金融家放贷给商人，不能通过某种方式为其资金获得风险回报，仰仗于海外贸易的威尼斯就不可能发生这样的故事。

但是，如果安东尼奥不能履行其还债义务，夏洛克真的从他身上割下“一磅肉”，这样做事实上会造成安东尼奥的死亡。为什么夏洛克会变成这样一个恶棍？其实，夏洛克只是历史上众多放债者之一，而放债这一行当又往往被少数族裔所把持。在莎士比亚的时代，犹太人在威尼斯已提供商业信贷近一个世纪。他们坐在桌子后面的长凳上，开展业务。但是，他们不得不生活在远离城市中心的被隔离的犹太居民区。

威尼斯商人如果想借钱的话，为什么不得不找犹太人？因为对基督徒来说，通过放贷去收取利息是一种罪过。1179年，拉特兰第三届大公会议规定，高利贷者，也就是借钱生息者要被逐出教会。1311~1312年间，即使探讨高利贷是不是一种罪过，也会被维也纳大公会议视为异端邪说而受到谴责。基督教高利贷者只有给教会补偿才能埋在圣地。这些高利贷者尤其为成立于1206年和1216年（数学家斐波那契的拉丁文代表著作《珠算原理》刚出版）的方济各会与多明尼教派所憎恨。我们不应低估这种禁忌的影响力，尽管它在莎士比亚的时代无疑已经受到削弱。

在佛罗伦萨的大教堂，有一幅米开朗琪罗创作的壁画《但丁和“神曲”》，描述的是佛罗伦萨伟大的诗人但丁举着他的新书《神曲》。但丁在他光彩夺目的杰作中，专有一部分描写高利贷者。但丁把他们放在了第七层地狱：

> 他们的双眼迸发出他们的痛楚，
> 他们用双手扑打这里，扑打那里，
> 时而抵挡烈焰，时而抵挡灼热的沙地。
> 夏日里的狗儿所做的动作也与他们不差分毫，
> 一旦被跳蚤或苍蝇或牛虻所叮咬，
> 狗儿也会这样抵挡，时而用嘴，时而用脚。
> 尽管我把目光投向某些人的面孔，
> 却辨认不出任何人，
> 因为酷毒的火雨在纷纷落下，烧灼他们，

但我发现：每个人都有一个钱袋挂在脖颈，

每个钱袋都有某种颜色和某种花纹，

他们似乎都在把各自的钱袋一味地看个不停。

犹太人也不允许放贷收取利息，但在《旧约圣经 · 申命记》中有一个便利的回避条款："借给外邦人可以获利，只是借给你弟兄不可取利"。换句话说，犹太人可以合法地放贷给基督徒，而不能放贷给犹太人，但这样做的代价就是遭到社会排斥。

1492 年，犹太人被逐出西班牙。根据 1497 年的一项法令，犹太人不是被迫皈依基督教，就是逃往奥斯曼帝国去寻求避难。他们随后在君士坦丁堡和其他奥斯曼港口与威尼斯建立了贸易关系。犹太人出现在威尼斯的时间可以追溯到 1509 年，当时生活在梅斯特的犹太人为了逃离康布雷联盟战争而来到那里。最初，威尼斯市政府不愿意接受难民，但它很快就发现，这些犹太人是有效的资金和金融服务的来源，因为可以向他们征税以及借款。1516 年，威尼斯政府要求所有犹太人必须到一个指定区域内居住，这个区域位于一家老铸铁厂，这就是后来人们熟悉的犹太居民区。这些犹太人每天晚上以及在基督教节日时只能待在那里。那些在威尼斯居住有两个多星期的犹太人，要穿背部印有"O"的黄色衣服或者戴黄色（后来是大红）的帽子或头巾。居住仅限于许可的规定期限内，每 5 年要重续许可。1541 年，威尼斯政府与一些来自罗马尼亚的犹太人达成类似协议，这些犹太人被安排在另一块聚居区。到 1590 年，威尼斯大约有 2 500 名犹太人。犹太聚居区的建筑物有七层楼高，目的是为新来者提供住宿。

在整个 16 世纪，威尼斯犹太人的地位仍然是卑微的、脆弱的。1537 年，当威尼斯和奥斯曼帝国之间的战争爆发时，威尼斯参议院下令扣押“土耳其人、犹太人和其他土耳其臣民”的财产。1570~1573 年之间的另一场战争导致所有犹太人被捕，他们的财产被没收，但后来战争结束以后，这些犹太人被释放，其资产被返还。为了避免这种经历再出现，犹太人请求威尼斯政府，在未来的任何战争中允许他们是自由的。幸运的是，他们的谈判代表丹尼尔 · 罗德里奥，一个具有西班牙血统的犹太商人，被证明是一个非常有能力的谈判家。1589 年，他成功地获得许可，所有的犹太人被准许获得威尼斯臣民的地位，允许他们从事地中海东部的贸易活动，并允许他们公开进行宗教活动。然而，一些重要的限制依然存在。犹太人不准加入同业公会或从事零售贸易。此后对他们从事金融活动也进行了限制，而对他们的许可在公布 18 个月后被撤销。当时，犹太人作为公民要比威尼斯法院的夏洛克拥有更多的成功机会。例如，1623 年，莱昂 · 沃尔特拉起诉安东尼奥 · 达拉 · 多纳，因为此前一名骑士曾向沃尔特拉借了某些物品并由多纳担保，然后这名骑士“消失”了。1636~1637 年间，一桩涉及贿赂法官的丑闻牵涉到一些犹太人，犹太人似乎再次面临被驱逐出境的威胁。

夏洛克的故事尽管是虚构的，但并未完全脱离威尼斯的现实生活。事实上，莎士比亚的剧本相当准确地描绘出早期信贷的三个关键要点：在处于萌芽阶段的信贷市场，放贷人索取过高利率的权利；法院在解决金融争端时不诉诸暴力的重要性；人数较少的债权人在面对人数居多的充满敌意的债务人的强烈反击时，往往处于劣势地位。当然，夏洛克最终失败了。虽然法院确认他有权坚持索取那一磅肉的权利，但法律禁止他从安东尼奥身上割肉时流出一滴血（合约上只写了一磅肉，却没有答应给夏洛克任何一滴血）。而且，因为夏洛克是犹太人，法律规定如果造成货物损失和基督徒的死亡，就要用他的性命及财产来补偿。夏洛克只好答应，并遵依判决，改信基督教。故事中每个人都过着幸福的生活，除了夏洛克。

《威尼斯商人》就经济学以及反犹太主义提出了深刻的问题：当债权人属于不受欢迎的少数族裔时，为什么债务人总是不履行他们对债权人的还款承诺？为什么夏洛克们总是输掉官司？

放高利贷者，总是与他们“捕食”的对象——穷人形影相伴。他们活跃在东非一带，但是要了解原始资金贷款的运作，其实没有必要非去发展中国家。据英国贸易和工业部2007年的报告显示，在英国，约有16.5万个家庭使用非法贷款，借款总额每年高达4 000万英镑，而偿还的金额是借款金额的3倍。一个放债人，不论其种族，为什么几乎总是不受欢迎？要想了解其中缘由，您需要做的就是去访问我的家乡——英国格拉斯哥，这座城市的东部一直是滋生高利贷的肥沃土壤。在格拉斯哥的谢特尔斯顿等地区，也就是我祖父母生活的地方，映入你眼帘的是被废弃房屋的钢制百叶窗和上面有各种涂鸦的巴士收容所。谢特尔斯顿地区的经济生活曾经围绕着博伊德炼铁厂工人的工资袋而运转，现在则围绕着打入失业者邮局账户的失业金而运转。谢特尔斯顿地区的男性预期寿命是64岁左右，与英国人的平均寿命相差不到13年，而这意味着这里的新生男婴没有足够长的时间来积蓄他的养老金。

格拉斯哥的这些贫困地区是高利贷理想的活动场所。在格拉斯哥希林登地区，20年来，杰拉尔德·劳是放高利贷的头号人物。他把佩斯利西大街商船上的酒吧作为办公室，尽管他本人是一个戒酒主义者，但他大多数时间都在那里工作。他的工作流程很简单。借款人把他们的福利册或邮政局现金卡交给杰拉尔德·劳，以换取贷款，而杰拉尔德·劳在他的贷款册上记录

▲放高利贷者被捕：杰拉尔德 · 劳由于非法放贷被警察带走

贷款条件。当贷款到期时，杰拉尔德 · 劳会迫不及待地收取他的利息，并将现金卡还回借款人。贷款册本身很粗糙，是一本随意编写的交易记录汇编，只记有贷款人的姓名和绰号以及交易规模，比如“贝尔德 15”，“基波 100”，“贝纳德特 150”，“威卡夫 1 210”。杰拉尔德 · 劳向他的客户收取的标准利息率令人惊讶——每周为 25%。通常情况下，如果借款 10 英镑，一个星期后要偿还 12.50 英镑（本金加利息）。然而，杰拉尔德 · 劳的客户往往不能按时还款——这其实不足为奇。该地区有些人一天只挣 5.90 英镑，因此他们借款更多。很快一些客户欠杰拉尔德 · 劳数百英镑，甚至上千英镑。他们陷入债务危机的速度并不让人吃惊，因为每周 25% 的利息一年按复利计算就是 1 100 000% 以上。

从长远来看，欧洲利息呈下降趋势。但为什么今天英国的一些人要为微不足道的小额贷款支付 8 位数的利息？这些贷款确实应该违约拖欠，除非你神经不正常。杰拉尔德 · 劳的一些客户实际上可以说是弱智低能。而杰拉尔德 · 劳那些心态正常的客户觉得，无论怎样被敲诈，背弃还贷承诺是不可取的。正如一家苏格兰报纸评论的那样：“他的受害者害怕拖欠贷款而毁了他们的名声。”目前尚不清楚杰拉尔德·劳是否在现实中诉诸暴力，在每一笔高利贷后面，是否就像夏洛克的故事所显示的，都潜伏着隐含的威胁。

人们往往谴责放高利贷者是不道德的，甚至是犯罪。杰拉尔德·劳为他的行为付出的代价是被判处10个月监禁。然而，我们必须设法从经济理论的角度来分析他的所作所为。首先，他能够抓住在谢特尔斯顿地区没有主流金融机构为失业群体提供信贷的机会。其次，杰拉尔德·劳必须是贪婪的或者说是无情的，因为他的那些小客户事实上很可能违约拖欠贷款不还。高利贷者所面对的最根本的困难就是，他的商业规模过小，因而利率不能太低，而高利率使得违约成为可能，只有使用恐吓手段才能确保贷款人继续还款。因此，高利贷者要学会如何放债，以克服这种根本的利害冲突：如果他们过于慷慨，他们将无利可图；如果他们过于铁石心肠，像杰拉尔德·劳那样，贷款人最终会报警。

这个问题越来越突出，影响越来越大。

美第奇家族的崛起

债权人，特别是当债权人是外邦人时，有着先天的劣势——夏洛克并不是这类型的唯一放债人。14世纪早期，意大利金融一直掌控在佛罗伦萨的巴尔迪、佩鲁齐和阿奇艾乌奥利三大家族手中。由于他们的两个主要客户——英国国王爱德华三世和那不勒斯国王罗伯特不愿偿还贷款，这三大家族的银行在14世纪40年代倒闭。如果这些说明了放债人潜在的劣势，那么美第奇家族的崛起则证明，放债人也拥有潜在的影响力。

也许，没有任何家族能像美第奇家族在文艺复兴时期一样，留下如此深的时代印记。这个家族诞生了两位教皇（利奥十世、克莱门特七世）、两位法国王后（卡特琳娜、玛丽）、三位大公（佛罗伦萨大公、内穆尔大公和托斯卡纳大公）。恰当地说，正是马基雅维利这个最权威的政治权力理论家书写了他们的历史。美第奇家族赞助了从米开朗琪罗到伽利略的几乎所有艺术和科学天才。他们令人眼花缭乱的建筑遗产仍然环绕在今天前往佛罗伦萨的游客周围。你可以看看卡法鸠罗庄园、圣马可修道院、圣罗伦佐教堂，还可以参观16世纪中期柯西莫·德·美第奇大公居住过的宏伟宫殿：从前的碧提宫、翻修的韦奇奥宫和带有庭院的新市政厅，一直延伸到阿尔诺河。但是，所有这一切辉煌的起源是什么？比如画家桑德罗·波提切利的名画《维纳斯的诞生》，要为这些杰作付钱，钱从哪里来？简单的答案是，美第奇家族是外汇交易商，是货币兑换同业公会成员。他们渐渐被称为“银行家”，就像威尼斯的犹太人一样，坐在街头桌子后面的长凳上开展业务。美第奇家族最初的“银行”（更好的描述应该是摊位）位于卡瓦尔康蒂宫殿附近，离佛罗伦萨的主要羊毛市场不远。

早在14世纪90年代之前，对美第奇家族的称呼可能更多的是“流氓”而非“银行家”：一个没有起色的小团伙，以低暴力事件而非高融资活动著称。1343~1360年，美第奇家族至少有5人因为资本罪而被刑事法院判处死刑。对于乔万尼·美第奇来说，让美第奇家族活动合法化是他的奋斗目标。他通过勤奋工作，节俭持家，精打细算，最后成功了。

1385年，乔万尼成为一家银行罗马支行的经理。这家银行是由他的亲戚、佛罗伦萨放贷人维埃里·美第奇经营的。在罗马，乔万尼以一个外汇交易员的身份而声名卓著。从诸多方面来看，教皇都是理想的客户，因为他提供了一定数量流入和流出梵蒂冈金库的不同货币。正如我们所看到的，这

▲长凳上的银行家：昆丁·马苏斯的《银行家》(1514 年)

是一个多种铸币共存的时代，有些是黄金，有些是白银，有些是贱金属，这使长途贸易或纳税很复杂，需要把一种货币兑换成另一种货币。乔万尼清楚地看到，更大的机会在佛罗伦萨。他在 1397 年返回佛罗伦萨。到 1420 年的时候，他把业务移交给他的长子科西莫，自己在威尼斯和罗马成立了银行分支机构，他还从两家佛罗伦萨羊毛工厂获取收益。后来，他在日内瓦、伦敦和阿维尼翁增设了银行分支机构。

美第奇家族早期业务中特别重要的是商业汇票，这是中世纪发展起来的一种贸易融资手段。如果一位商人欠另一位商人债务——只有等到交易完成几个月后才能用现金支付，那么债权人可以给债务人出票，还可以使用该汇票作为支付手段，在自己的权限之内，以低于票面的价格从愿意充当中间人的银行套取现金。征收利息被视为高利贷而受到教会的谴责，然而没有人能够阻止精明的交易者从此类交易中获利。这是美第奇家族业务的本质。没有支票，说明只是口头上的，并记录在银行册子里。没有利息，储户被赋予自由裁量权（公司每年利润的一定比例），以补偿他们的资金所承担的风险。

乔万尼的“机密簿”① （libro segreto）让这个家族的崛起散发出迷人的光芒。在某种程度上，这只不过是一个小心翼翼保存账簿的故事。按照现代标准，这里肯定有不完善的地方。虽然早在14世纪40年代，复式簿记方法在热那亚广泛使用，但美第奇家族并没有系统地使用这种方法。尽管如此，现代研究者对美第奇家族整洁有序的账目也有深刻的印象。档案还包含了一些早期美第奇家族的资产负债表，一边是记录准确的准备金和存款（作为负债），另一边则是贷款客户或商业票据（作为资产）。美第奇家族没有发明这些技术，但他们广泛应用这些技术，大大超过了迄今为止我们所看到的这些技术在佛罗伦萨的应用。而美第奇家族成功的真正关键，与其说是经营规模庞大，不如说是多元化经营。早期意大利银行一直是单一的经营结构，很容易被违约债务人拖垮。美第奇家族银行建立在特殊的定期重新谈判合同的基础之上，实际上是多重相关的合伙关系。银行分行经理并不是雇员，而是地位较低的合作伙伴，他们从利润份额中抽取一部分作为报酬。正是这种权力下放，让美第奇家族银行获得了巨额利润。美第奇家族银行在1402年拥有大约2万弗洛林金币资本，在册职员最多17人；1397~1420年所赚取的利润为151 820弗洛林金币，大约每年是6 326弗洛林金币，年收益率为32%，仅罗马分行公告的年收益率就超过30%。这种经营模式在佛罗伦萨纳税记录上得到证明，记入其中的乔万尼的资产一页接一页，加起来总计是9.1万弗洛林金币。

1429年，乔万尼的临终遗言是告诫他的继承人，要保持其财务敏锐

① 这个词被用于账簿中记录收入与利润以及具体的协议或重要的合同。美第奇家族小心翼翼保存的是关于收入和支出的账簿与债务人和债权人的账簿。

性的水准。26个名字中带有美第奇的男子出席了他的葬礼，所有参拜者都对这位自封的黑社会头目表示敬意。到1458年庇护二世（Pius II）成为教皇的时候，科西莫·美第奇有效地掌控了佛罗伦萨城邦。正如教皇本人所言："政治问题在他家中得以解决。他选择任职人员……他决定和平与战争以及法律管制……他就是无处不在的国王，除了名分。"外邦统治者应与他本人接触，而不是浪费时间去接近佛罗伦萨的其他人。佛罗伦萨历史学家弗朗西斯科·圭恰迪尼（Francesco Guicciardin）指出："他拥有的声誉，从衰落的罗马一直传颂到今天，普通公民不曾享有。"波提切利创作的最流行的肖像——一位令人关注的英俊小伙子——实际上是献给过世的银行家科西莫·美第奇的，旁边的题词是"国父"。1469年，科西莫的孙子洛伦佐接管了美第奇家族银行，崛起的黑道家族——柯里亨家族，也完全建立在银行的基础之上。

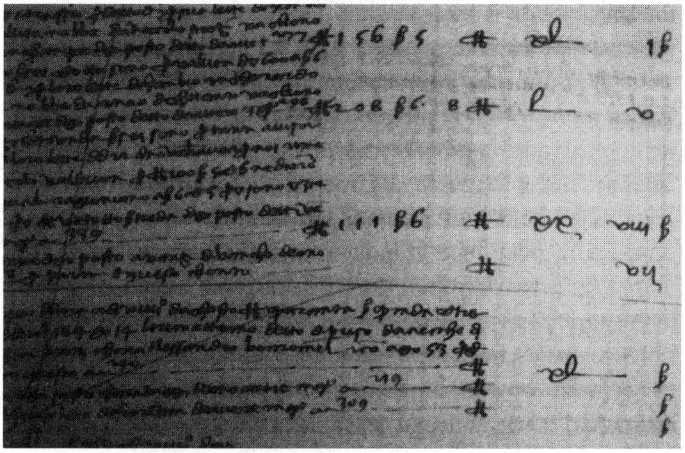

▲美第奇家族银行总分类账细目

在波提切利的《博士来拜》中，反映了美第奇家族已经取得的成就。经过仔细观察，画中的三名智者都来自美第奇家族：给婴儿耶稣洗脚的老年男子是科西莫；在他下面，稍微靠右边，是他的两个儿子皮耶罗（穿红衣服）和约翰（穿白衣服）。另外，图上还有洛伦佐（穿浅蓝色长袍），以及紧握着剑的朱利安。这幅画由银行公会负责人委托所绘，作为礼品送给美第奇家族。这或许应该被称为对美第奇家族的崇拜。尽管美第奇家族一度令人讨厌，但现在美第奇家族的银行家几乎被捧上了天。

佛罗伦萨共和国对超级金融富豪美第奇家族的打击，不可避免地引起反抗。但从1433年10月到1434年9月，科西莫和他的许多支持者仍从佛罗伦萨被流放到威尼斯。1478年，洛伦佐的弟弟格里诺在巴齐家族策划的“巴齐阴谋”中被谋杀。由于受到洛伦佐忽视业务而热衷政治的影响，银行蒙受了损失。分行经理，像阿维尼翁的弗朗切斯科·萨塞蒂、来自布鲁日的托马索·庞蒂那瑞等变得权力更大，而监督更少。越来越多的银行依靠吸引存款，其来自贸易和外汇的收益变得更加不稳定。银行开始付出高昂的代价，比如布鲁日分行冒险贷款给勃艮第公爵查尔斯，伦敦分行向从未全部偿还贷款的爱德华四世放贷。为了保证公司的平稳发展，洛伦佐侵吞了市政蒙阿尔多特（一种共同基金，用于支付女儿的嫁妆）。1494年，在法国将要入侵的一片混乱中，美第奇家族被驱逐出境，所有财产被没收和充公。多米尼加传道士吉罗拉莫·萨沃纳罗拉指责美第奇家族给城市带来厄运，呼吁净化“虚荣的篝火”。他的呼吁得到回应。一群暴徒闯进美第奇家族居住的宫殿，并焚烧了大多数银行的记录（今天那些幸免于难的文件上，黑色痕迹仍然清晰可见）。洛伦佐本人借用他在15世纪70年代创作的歌词来表达自己当时的心境：“如果你会很高兴，那就这样做。明天还不能确定。”

然而，当富有的佛罗伦萨精英——不论是煽动叛乱者萨瓦纳罗拉还是平民暴徒——设想替代美第奇家族的统治时，他们很快开始眷念这个大家族。1537年，17岁的科西莫·美第奇被召回到佛罗伦萨，并于1569年被授予托斯卡纳大公爵号。美第奇家族在佛罗伦萨的“统治”一直到1737年，延续了200多年。这个家族盾形徽章上硬币形状的图案，不断地提醒人们这个家族的起源。

银行的诞生

虽然其他人也尝试过，但美第奇家族最先把成功的金融业务转为世袭的权力和地位。他们的成功在于吸取了一个重要的教训：在金融方面，小是不行的。他们发现了一种能够分散他们风险的方式：与以往所有金融机构相比，他们把银行做得更大、更多样化。而且通过从事外汇交易以及借贷，他们减少了违约拖欠贷款不还的可能性。

意大利银行体系成为北欧国家的样板。这些国家（特别是荷兰和英国，也包括瑞典）在以后的几个世纪，实现了商业上最大的成功。阿姆斯特丹、伦敦和斯德哥尔摩发生了决定性的金融创新浪潮，现代中央银行的先行者首次亮相。17世纪见证了三个新型机构以其不同的方式，提供服务于公众以及私人的金融职能。阿姆斯特丹的威瑟尔银行成立于1609年，最初是为了解决商家在荷兰遇到的多种货币流通的实际问题——那里有不下14个铸币厂铸造的不同货币和众多外国货币。威瑟尔银行允许商家建立指定一种标准货币的账户，开创了支票账户系统和直接转账或过户。（我们今天对这些已经习以为常。）这使得越来越多的商业交易，不需要涉及现实的有形货币。一个商人要付款给另一位商人，只需要安排他在银行的账户进行扣款并相应地记入对方的账户。这个系统的限制

他们发现了一种能够分散他们风险的方式：与以往所有金融机构相比，他们把银行做得更大、更多样化。

只是要求威瑟尔银行保持存款与贵金属、货币储备的比率接近100%。直到1760年，该银行的存款余额不到1 900万弗洛林金币，而其金属货币储备超过1 600万弗洛林金币。因此，银行挤兑事实上是不可能发生的，因为它手头有足够的现金，几乎可以满足所有的由于某种原因而希望一次性提出存款的储户需求。这种做法毫无疑问保证了银行的安全，但它无法履行现在被看做银行的决定性特征：信贷创造。

在近半个世纪后的斯德哥尔摩，随着1656年瑞典央行的成立，这个屏障被打破了。虽然它与荷兰威瑟尔银行执行同样的职能，但该央行还设计了一个街道银行，为的是方便贷款以及商业付款。对于贷款金额超过其金属货币储备问题，据说引入了后来被称为“部分准备金体系”的做法，利用了将储备的货币放贷出去可能有利可图这一事实。由于储户极不可能全部提款，因此只有一小部分钱必须作为给定期限内留在瑞典央行的准备金。因此，银行的负债主要是其存款——支付利息，贷款则成为银行的资产——收取利息。

17世纪第三个伟大的创新发生在伦敦——1694年建立了英格兰银行。该行建立的主要目的是协助政府进行战争融资（把政府的部分债权转为银行股权），它被赋予了独有的特权。从1709年起，只有英格兰银行唯一获准以股份制为基础开办（见第三章）。从1742年起，英格兰银行部分垄断了钞票发行，采用本票没有利息的独特形式，旨在促进付款，而不需要交易双方拥有支票账户。

为了理解上述三个创新的影响，哈佛商学院一年级MBA学生做了一个简化的“货币游戏”。游戏一开始，名义央行代表政府支付教授100美元，作为教授进行咨询的报酬。这位教授把钞票储存到一名学生运作的一家名义上的银行，并收到一张存款单。为了简便起见，假设这家银行的存款准备金率是 10%，它把 10 美元存在中央银行，把 90 美元贷给它的客户；而客户自己决定如何处理他的贷款——他把钱存在另一家银行。因为该银行的存款准备金率也是 10%，所以 9 美元存在中央银行，其余的 81 美元贷给其他客户。经过几次之后，教授要求学生计算增加的货币供应量，并由此导入了现代货币理论的两个核心定义：M_0——也称为“基础货币”或“高能货币”，它等于中央银行负债总额，即现金加上私营银行在中央银行的存款储备和货币供应量；M_1 也称为“狭义货币”，它等于流通中的现金加上存款需求。当钱被存放在三个不同的学生银行时，M_0 为 100 美元，而 M_1 为 271 美元（100 美元+90 美元+81 美元），这简洁地说明——尽管是一种高度简化的方式——现代部分准备金体系是如何允许信贷创新以及货币创新的。令人吃惊的是，这位教授之后突然要求他的第一名学生还他 100 美元，这名学生不得不拿出他的准备金，并要求第二名学生还贷，由此产生了一种多米诺骨牌效应，导致货币供应量 M_1 紧缩，如同扩张时一样迅速，这清楚地说明了银行挤兑的危险性。因为第一家银行只有一个储户，教授试图提款的总额是它准备金的 10 倍。第一家银行的生存明显取决于其是否能够及时收回贷款，而第二家银行的客户是否要从第二家银行收回他的所有储蓄，以此类推。这反过来又意味着银行在放贷的时候，应该认真思考如何能够很容易收回贷款，这个问题本质上与贷款的流动性和贷款人的资信有关。

挤兑是银行在满足顾客方面的信任危机，从而导致危机不断升级，并使银行最终破产。

必须承认，上述货币供给的定义多少有些随意。M_1 的规模总额中包括旅行支票。M_2 包括储蓄存款、货币市场存款账户和存款凭证。M_3 包括的范围更广泛，包括存在海外市场的欧洲美元，以及银行和其他金融中介机构之间的赎回协议。我们无须在这里探讨这些技术问题。要掌握的最重要的内容是：一，银行内部和银行间不需现金的交易；二，部分准备金体系；三，中央银行在货币发行方面的垄断地位，随着这些内容扩散到整个西方世界，货币通过极其重要的途径逐渐形成。货币不再被理解为——正如16世纪西班牙人所理解的那样——开采出贵金属铸造成货币，现在，货币反映的是银行的具体负债（存款和准备金）的总和。在正常情况下，信用是一笔钱：银行的总资产（贷款）。货币的一部分仍然包括贵金属，其增加的部分将会存于央行的金库。货币的绝大部分，由那些纸币，以及被确认为“法定货币”的货币与名义上存于存款账户的看不见的货币构成。金融创新接纳了无生命力的波托西的白银，并把它变成现代金融体系的基础，这种基础建立在债务人和债权人的关系之上，并服务于越来越多的机构。这些机构主要从事信息收集和风险管理。它们的利润来源在于最大限度地增加负债费用和资产收入之间的差额，不把准备金降低到导致银行挤兑的地步。挤兑是银行在满足顾客方面的信任危机，从而导致危机不断升级，并使银行最终破产。

货币指的其实是信用，而非金属，此种观念在马德里似乎从未被接受。

值得注意的是，即使意大利银行系统在北欧金融中心得到改善，但这个国家却出人意料地远远落在后面。丰富的贵金属惩罚了强大的西班牙——他们未能开发出一套复杂的银行系统，而是依靠安特卫普商家的短期现金预支换回白银。货币指的其实是信用，而非金属，此种观念在马德里似乎从未被接受。事实上，1557~1696年，西班牙王室最终拖欠的全部或部分债务不少于14次。伴随着历史记录，波托西所拥有的白银不可能保证西班牙信贷风险的安全。在现代世界，权力将属于银行家，而不是破产者。

银行的演变

经济的快速增长（始于18世纪后期的英国，并随后在整个19世纪扩展到西欧和欧洲的延伸地区北美及澳大利亚广阔的定居点）在多大程度上要归功于17世纪以来银行业的发展，金融史学家尚无定论。毫无疑问，金融革命要领先于工业革命。虽然引发工业革命的纺织品加工和钢铁生产的决定性的突破，并未严重依赖银行的融资。但是，银行在欧洲大陆工业化进程中发挥的作用要比在英国更重要。实际上，是更先进的金融机构促进经济增长还是经济增长带动金融发展，要从中寻求一个简单的因果关系可能是徒劳的。这两种进程相互依存并自我强化，这种观点才是合理的解释。这两种进程伴随着经常性突变（技术创新）、新事物形成（新型公司的创造）和间断平衡（危机将决定哪些公司生存以及哪些消亡），表现出了明显的进化特征。

用亚当·斯密的话来说："慎重的银行活动以纸币代替大部分的金银……比喻得过火一点，简直有些像空中楼阁。"在他出版《国富论》后的年代，金融创新呈爆炸之势，欧洲和北美各种不同类型的银行激增。历史最为悠久的是票据贴现银行，为从事国内贸易和国际贸易的商人提供融资。在亚当·斯密时代，伦敦已经成为一些非常成功的银行如巴林银行的基地，这些银行专门从事大西洋两岸的商业金融服务（这类业务后来才为更多人所知）。由于监管的原因，几乎所有的英国银行在此期间都是私营银行。一些银行专门从事伦敦城里的商业金融服务（伦敦东部方圆几英里的地方几个世纪以来一直是商业金融中心）；一些银行开展地产业务，也就是所谓的“乡村银行”，其兴衰与英国农业收成好坏密切相关。

金融演变和自然演变的决定性差异在于所谓的“智能设计”作用，要知道管理者是人而不是神。英格兰银行经过长期的试错过程之后，渐渐地开发出公共职能，1826 年重新获得了货币发行的垄断权，并在英国各地设立了分支机构，逐步接管了乡村银行的货币发行业务[①]。英格兰银行在同业往来中越来越多地扮演着举足轻重的角色，银行间越来越多的“结算”款项要通过英格兰银行完成。随着限制商业票据贴现率的《重利限制法》于 1833 年被最终废除，银行能够充分利用其位于城市的大银行规模优势。银行贴现率越来越多地被看做“货币市场”（主要是通过商业汇票贴现进行短期贷款）最低的短期利率。

40 年来悬而未决的问题依旧是，银行储备和货币流通之间的关系应该是怎样的。在 19 世纪 40 年代，时任总督的霍斯利 · 帕麦尔的观点就是准备金只需包括 1/3 金币或金条，实质上其受到再贴现业务量的调节。当时英国的罗伯特 · 皮尔爵士对这种说法提出了质疑，认为会在货币过量发行与通货膨胀方面冒很大风险。1844 年皮尔主持通过《英国银行法案》，把英格兰银行分为两部分：一是负责商业银行业务的银行部；二是独立的货币发行部，它被赋予没有黄金保证的 1 400 万英镑银行券发行额度，可以持有未指定用途的金币和金块，并根据英国和世界其他地区的贸易平衡来决定增减，即银行券发行数额不得超过黄金保证的数额。然而，一再发生的危机（在 1847 年、1857 年和 1866 年发生三次危机）清楚地表明，这种过于僵化的束

① 从技术方面讲，垄断只适用于伦敦半径 65 英里范围内，并且在 18 世纪，私营银行并没有被禁止发行钞票。

缚，使得《英国银行法案》在每次危机中都不得不暂时中止，以避免流动性的彻底崩溃。危机爆发之后，在见证了欧沃伦格尼银行因大规模挤兑而倒闭后，《经济学人》杂志主编沃尔特·白哲特才把英格兰银行在危机中的作用准确定位于不考虑罚息而自由提供信贷的“最后贷款人”，以防止流动性危机。

应当强调的是，沃尔特·白哲特并不能完全解决维多利亚时代的货币问题。根据每盎司黄金兑换 3 英镑 17 先令 $10^1/_2$ 便士的汇率，一英镑可以兑换成一定的、不可改变的黄金数量，这一神圣的原则创立于大师辈出的牛顿爵士时代。在应对这一神圣原则的挑战时，沃尔特·白哲特并不比 19 世纪其他杰出的经济理论家更高明。为了弄清楚当代有关金本位制的讨论，就要在诸多方面理解维多利亚时代的人也屈从于贵金属，正如 3 个世纪之前的征服者一样。“贵金属仅仅是货币，”城市贵族巴伦·奥费斯迪宣称，“纸币能成为货币是因为它们代表贵金属货币。否则，这就是诈骗。并非所有的储户都能获得贵金属货币，因此存款不是货币。”如果这一原则得到遵守，并且英国经济中货币供应量真正取决于英格兰银行储备的金币和金条数量，那么英国经济的增长将完全窒息——即使考虑到 19 世纪新金矿发现的扩张效应。

英格兰银行纸币发行由于受到限制，从 19 世纪 90 年代到第一次世界大战，其黄金储量实际超过流通中的纸币价值。这使新型银行，特别是吸纳存款的银行激增，使货币扩张成为可能。1858 年以后，股份制银行的限制被取消了，为几大商业银行的产生铺平了道路：伦敦西敏寺银行（成立于 1833 年）、国民银行（1834 年）、伯明翰米德兰银行（1836 年）、劳埃德银行（1884 年）和巴克莱银行（1896 年）。自欧沃伦格尼银行倒闭以来，起源于比利时（兴业银行）、法国（信用动产）和德国（达姆施塔特银行）

的类似工业投资银行在英国的发展不太成功。重要的是，事实上银行并没有购买工业企业的大宗股票，而是吸纳存款，为新银行贷款的不断扩大奠定基础。

20世纪之交，新的储蓄银行的激增在这一进程中发挥了特别重要的作用。到1913年，英国储蓄银行吸纳的存款达2.56亿英镑，大约占英国存款的1/4。与那些被称为“大银行”的诸如德国达姆施塔特银行、德意志银行、德累斯顿银行、贴现公司（Disconto-Gesellschaft）相比，德国储蓄银行的资产超过它们2.5倍还多。总之，到第一次世界大战爆发前夕，英国银行的居民存款总计近12亿英镑，而流通中的纸币仅有4 550万英镑。目前，货币主要存于银行，虽然离开了我们的视野，却从未被忘却。

尽管存在差异，但最先进的经济体基本上遵循了英国的做法，即通过独有的央行和存款集中在相对较少的大型机构进行调节。法兰西银行成立于1800年，德意志帝国银行成立于1875年，日本央行和瑞士国家银行分别成立于1882年、1907年。与欧洲大陆国家不同，英国银行业表现出明显的集中倾向，具体体现为乡村银行数量的下降——从高峰时期1809年的755家到1913年减少至17家。

金融业在美国的演变迥然不同。在那里，议员唯恐银行家势力过于强大的观念，两次扼杀了央行（美国第一银行和第二银行）的萌芽，因此直到1913年才通过立法创建美国联邦储备系统（简称美联储）。直到现在，美国金融界才真正开始享有充分的发展自由。1864年颁布的《国家银行法》，在建立私营银行和欧洲标准的最低资本金要求方面，大大降低了障碍。与此同时，建立跨州银行还存在障碍。这些法规条文合并后的影响就是，银行在19世纪末20世纪初的时候数量急剧攀升，从1899年不足3 600家激增到

1922 年高峰期超过 8 200 家。大批资本不足的银行成为金融不稳定的隐患，恐慌成为美国经济生活中的常态。在那场大萧条危机中，最令人惊叹的是，运作超过 15 年的货币部门加剧而不是减轻了银行危机。1933 年，存款保险制度的实施大大降低了美国银行遭受挤兑的脆弱性。然而，银行业仍然高度分散，直到 1976 年缅因州成为第一个允许州际银行合法化的州。到 1993 年以后，在经历了美国历史上最新的银行危机（见第五章）之后 ，全美的银行数量在将近一个世纪之后首次低于 3 600 家。

1924 年，凯恩斯把金本位制贬为“野蛮的残余”。今天人们普遍认为，第一次世界大战后恢复黄金兑换体系的努力，不仅对英国，而且对整个世界都是一个错误。毫无疑问，金本位制有其优势。汇率稳定有助于在贸易与降低交易成本方面预测定价，而长期平稳的价格可以给出一个通胀预期。金本位制还可能降低政府奉行审慎的财政和货币政策的借贷成本。基于金本位制的货币钉住单一商品或其他货币的困难在于，决策者被迫选择要资本自由流动，还是要独立的国家货币政策——鱼和熊掌不可兼得。换言之，这是一个“三角困境”，即所有货币部门中只能在汇率稳定、资本流动和国内经济稳定三者之间同时选择两个。央行力求在钉住汇率制下保持货币价格稳定，尽管钉住汇率制度可能意味着短期利率波动幅度更高。如果货币供给受到限制（如 19 世纪 70 年代和 19 世纪 80 年代黄金的供应随需求而变），这可能意味着通货紧缩。钉住汇率制度可以传输金融危机（如 1929 年后金本位制恢复过程中所发生的）。相比之下，主要基于银行存款的货币体系和浮动汇率摆脱了这些制约因素。金本位制已经垂死挣扎了很长一段时间，而其存在不再有

第一次世界大战后恢复黄金兑换体系的努力，不仅对英国，而且对整个世界都是一个错误。

意义的日子——1971年8月15日终于到来了。那天，尼克松总统关闭了所谓的“黄金窗口”——此前美元在特定条件下，通过这扇窗口可以换取黄金。从这一天开始，货币和贵金属之间百年联系的历史就此结束了。

破产与成功的循环

田纳西州的孟菲斯以蓝调、烧烤和破产而闻名于世。如果你想了解今天的银行家，也就是美第奇的那些徒子徒孙们如何解决不可靠的借款人所引发的信用风险问题，孟菲斯无疑是值得拜访的地方。

美国每年平均发生150万~200万起破产案，几乎所有涉案个体都选择了破产而非履行不可控的义务。令人惊讶的是，其中很大一部分破产案发生在田纳西州。与16世纪的威尼斯或目前格拉斯哥的某些地区相比，其突出的特点就是这一过程似乎相对无痛。大部分陷入困境的孟菲斯借款人可以逃避或至少减轻其债务，而免于人格耻辱和人身伤害。让人难解的是，世界上最成功的资本主义经济似乎建立在易于失败的经济基础之上。

当我2007年夏天首次访问孟菲斯时，我对无处不在的、宽松的信贷和容易破产的现象困惑不解。我沿着一条靠近城市中心的典型街道散步。首先映入眼帘的是商场和快餐店，这是田纳西州人主要的消费区。之后是一个“税务顾问所”，随时准备帮助那些缺少现金的人申请低收入税收抵免。我看到了一家提供汽车贷款的商店，在它的隔壁是次级按揭公司，还有一家提供预付工资的支票兑现店（200%的利息），还有一家百货公司大小的当铺。为那些典当全部家产的人提供便利的场所是“伦塔中心”，那里同时提供廉价的家具和电视机出租。街上还有给献血者支付55美元的“献血中心”。现代孟菲斯为“血本无归”的表达方式提供了全新的释义。与一磅肉相比，一品脱的血液可能不是那么难以放弃，但它们令人不安的相似。

不过，在孟菲斯拖欠债务的后果不像威尼斯的安东尼奥那样面临严重的死亡风险。在参观完“献血中心”之后，我的下一站是乔治·斯蒂文森的办公室，这名律师通过为在田纳西州西区的美国破产法院的破产案提供咨询意见谋生。在我前往田纳西州的旅途中，未获解除破产的破产案在孟菲斯地区就有大约 3 万件，所以我并不惊讶地发现破产法院挤满了人。这一系统似乎运转非常平稳。一个接一个陷入债务困境的个人和夫妻坐下来与代表他们与其债权人谈判的律师进行交谈。甚至还有一个解决迅速破产的快捷通道，但平均只有 3/5 的破产案与债权人达成了协议。

走出不可持续的债务并重新开始是美国资本主义的特色。在 19 世纪早期的美国，还没有债务人监狱，而英国债务人曾经因债务拖欠问题最终在监狱煎熬多年。自 1898 年以来，每个美国人都一直享有清算或个人自愿重组的权利。不论贫富，美利坚合众国的民众把破产作为“不可剥夺的权利”，几乎等同于“生命权、自由权和追求幸福的权利”。美国法律中蕴含的这种理论是为了鼓励创业，以促进建立新的企业。这意味着即使人们的计划第一次甚至第二次出差错也有机会得以喘息，从而使天生的冒险者通过试错学习吸取教训，直到他们终于弄清楚如何赚取 100 万美元。毕竟，今天的破产者很可能成为明天的成功企业家。

乍一看，这个理论似乎在发挥着好的作用。许多美国最成功的商人早期的努力并未如愿成功，其中包括番茄酱大王约翰·亨利、马戏团掌门菲尼亚斯·巴纳姆和汽车大王亨利·福特。所有这些人最终富甲一方，至少是因为他们有机会去尝试、去失败，然后重新开始。然而，如果细细琢磨，你会发现在田纳西州却不是这么回事。那些在孟菲斯破产法院的民众并不是破产的商人。他们只是普通的无力支付账单的个人——年老的美国人如果没有投保私人医疗保险，往往会突然面对大量的医疗费。破产的设计旨在帮助企业家和他们的生意，但现在98%的破产案属于非商业类。破产的主要驱动力丧失了创新精神，而转变成消费信贷。2007年，美国消费者的债务达到创纪录的2.5万亿美元。早在1959年，债务与可支配收入的比率平均不到16%，而现在达到24%①。今天的金融历史学家所面对的挑战之一，就是要弄清楚这种消费贷款爆炸式增长的原因，并估算其可能造成的后果将是什么（这种后果似乎有可能在破产率不断攀升的地方——如田纳西州等地——发生）。

在我们可以正确回答这些问题之前，我们需要了解金融体系的其他重要组成部分：债券市场、股票市场、保险市场、房地产市场，以及所有这些市场在过去20年经历的非同寻常的全球化。回答问题必须基于货币和银行的演化，而其中负债是银行的重要组成部分。无法逃避的现实是，货币创造和金属货币之间联系的突破，导致了前所未有的货币扩张和信贷繁荣，这是过去从未有过的。衡量广义货币输出在过去100年的流动性比率②，可以清楚地看到，自20世纪70年代以来，这一比例一直呈上升趋势。就主要发达经济体而言，广义货币在“黄金兑换窗口”关闭前约占70%以上，到2005年上涨一倍还多。在欧元区，这种增长趋势异常突出，从1990年超过60%到今天不到90%。与此同时，发达世界的银行资本充足率一直在缓慢而稳

① 同期，抵押贷款债务与个人可支配收入的比例由54%上升到140%。

② 经济学家称这种比率为“马歇尔K值”，是以经济学家阿尔弗雷德·马歇尔命名的。严格地说，K值是货币基数与名义国内生产总值之比。——译者注

步地下降。欧洲银行资本现在不足其资产的 10%，而 20 世纪初约为 25%。换言之，银行不仅考虑吸纳更多的存款，而且它们把其中较大比例放贷出去，并尽量减少其准备金量。今天，世界主要经济体银行业总资产大约相当于这些国家的合计国内生产总值的 150%。根据国际清算银行的统计，国际银行业总资产在 2006 年 12 月约为 29 万亿美元，约占世界国内生产总值的 63%。

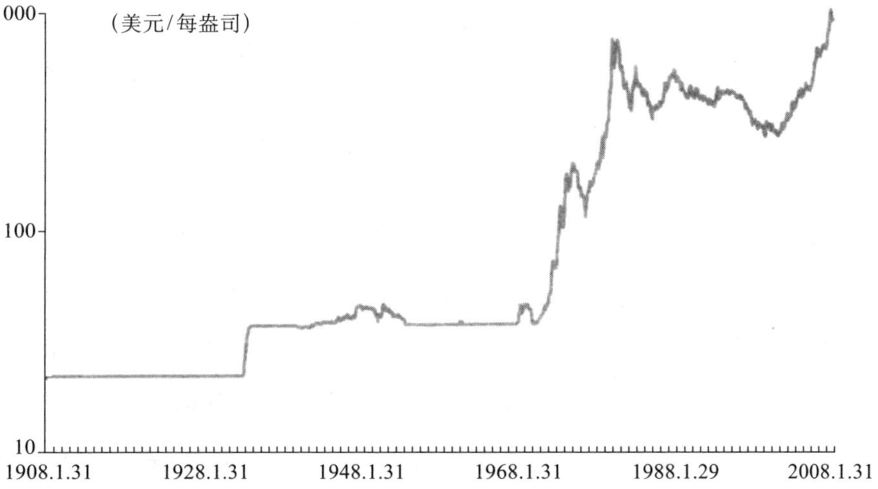

纽约 1908~2008 年黄金价格走势图

那么，货币在某种意义上是不是不再拥有其价值，正如它在金本位制时代？如今的美元是在 1957 年设计的。自那时起，其购买力相对消费者物价指数而言下降了惊人的 87%。在此期间年通货膨胀率平均超过 4%，是欧洲所经历的波托西白银引发的所谓价格革命速度的两倍。如果有人在 1970 年花费 1 000 美元购买黄金作为储蓄金，在黄金窗口仍然开着的条件下，他将买到超过 26.6 盎司的黄金。在撰写本书时，黄金交易价格接近每盎司 1 000 美元，他可以卖掉他的黄金获得 26 596 美元。

没有货币的世界将会比如今的世界情形更糟糕。把所有的放债人仅仅视为盘剥不幸的债务人的吸血鬼的想法是错误的。高利贷者的行事方式也许如此，但银行自美第奇家族统治的那些日子以来，已经逐步走上正轨，正如罗斯柴尔德三世所简要提出的："促进钱从所处的A点流动到有需要的B点"。简而言之，信用与债务是经济发展的重要基石，与为国家创造财富的采矿业、制造业或移动电话同等重要。很少有人把贫穷直接归因于滑稽的、贪婪的金融家。造成贫穷的原因往往是缺乏金融机构和银行，而不是金融机构和银行的存在。正如格拉斯哥的居民，只有当借款人有机会获得有效的信用网络时，他们才能逃脱高利贷的魔掌；只有当储户可以把他们的钱存在可靠的银行中时，货币才能从有闲阶层流动到需用钱者。

银行的演变是货币发展中至关重要的第一步。

因此，银行的演变是货币发展中至关重要的第一步。起源于 2007 年 8 月的金融危机，与传统银行的放贷，或确切地说，与 2007 年银行破产数量关系甚微。这次金融危机的首要原因在于"放贷证券化"（银行把初始贷款重新包装再销售出去）的兴衰。银行兴起之后，随后促使现代金融体系的第二大支柱——债券市场诞生。

第二章

债券市场：人性的奴役

THE ASCENT OF
MONEY
A Financial History of the World

债券市场比邦德先生更强大？
战争是金融创新的源头吗？
债券市场通过制定长期利率控制世界吗？

在银行创造了信贷之后，债券的诞生便成为货币崛起过程中第二次伟大的革命。

古希腊哲学家赫拉克利特说："战争，是一切缘由之父。"毫无疑问，它也是债券市场之父。战争消耗了资源，损失了人口，而最终体现为钱财的缺乏。自己向自己借钱，这就是城邦国家解决军费短缺的办法，并由此创造了债券市场。

战争创造了债券市场，也创造了主宰债券市场的巨人，进而让金融家成为战争的另类主导者。内森·罗斯柴尔德用债券资助了战争，更在战争中建立了自己的金融帝国。对于统治者而言，他们借用货币发动了战争。对于罗斯柴尔德家族，则是战争创造了货币。

战争不仅创造了债券市场，增加了货币供给，并带来了另外一个魔鬼，这就是通货膨胀。我们印象中的阿根廷是足球、马拉多纳和庇隆夫人的传奇，但我们还应该知道，阿根廷曾经是世界最富有的国家之一。而今天，这个国家的昔日繁华已似水流逝。那么究竟是什么原因，让阿根廷从世界之巅跌落？

债券聚集了民间的闲散资金，通过金融机构资助了战争与经济发展，而随之产生的通货膨胀也提醒我们，财务管理不当可能使一切资源归零。现代中央银行所面临的任务越来越艰巨，要在保持币值稳定与维持经济增长之间进行平衡。如何控制外债水平，如何保持汇率稳定，如何在面临货币危机时进行自救和国际协调，成为全球化时代货币部门的重要课题。

债券的“杀人执照”

在比尔·克林顿就任美国总统首个100天的早些时候，他的竞选班子成员詹姆斯·卡维尔曾说过一句令人印象深刻的名言。“我过去经常想，倘若果真有来生，我希望转世投胎做一回总统或是教皇，或者一名400码棒球击球手。”他对《华尔街日报》说，“但现在我想通过债券市场重生了，因为它能吓唬每一个人。”令他备感吃惊的是，债券价格在之前11月份美国大选刚刚结束之后便出现了上扬，而在此之前，总统实际上还没有发表承诺降低联邦财政赤字的演说。“投资市场中聚集的是一群强硬派。”财政部部长劳埃德·本特森评论道，“总统作出的努力可靠吗？政府会持之以恒地推动投资市场吗？显然他们已经作出肯定的判断了。”美联储主席艾伦·格林斯潘说，如果债券价格继续攀升，将成为“迄今为止我所能想象到的最强有力的经济刺激因素”。到底是什么使得这些政府官员如此毕恭毕敬——甚至畏惧地谈论一个只是买卖政府“借据”的市场呢？

在银行创造了信贷之后，债券的诞生便成为货币崛起过程中的第二次伟大革命。政府（以及大型公司）通过发行债券，从范围更加广泛的人们和机构（而不仅仅是银行）那里借用资金。下页图展示的是一张日本政府发行的面值10万日元的10年期债券，以及一张1.5%的固定利率息票——这只是20世纪80年代以来日本所积累的838万亿日元庞大国债的冰山一角。这张债券包含有日本政府的承诺，即在未来10年内每年向任何该债券持有者支付10万日元的1.5%的利息。债券的最初购买者有权在任何时候、以任何市场价格出售债券。在本书撰写之时，该债券价格约为102 333日元。为什么？因为强大的债券市场就是这么认定的。

大约800年前，债券市场从意大利北部的城邦中悄然萌芽，发展至今规模已经相当庞大。当今国际市场交易的债券总市值约为18万亿美元。而国内市场交易的债券（例如日本投资人持有的日本政府债券）市值则达到了令人咋舌的50万亿美元。我们所有人——不论是否愿意（我们大多数人甚至并不清楚）——都在两个重要方面受到债券市场的影响。首先，我们积攒下来以备年老之时使用的资金中绝大部分都被投资到了债券市场。其次，因为债券市场规模庞大，而且政府被看做最值得信赖的借款人，所以可以说，债券市场为整个经济设定了长期利率。当债券价格下跌时，利率将会上涨，其后

▲日本政府发行的10年期债券与息票

果就是给所有借款人带来痛苦。它的具体运作过程就是这样。如果一个人有 10 万日元待存，那么购买 10 万日元的债券不但可以保证本金安全，同时还能为存款人带来定期利息。更精确地说，如果债券按照 1.5%的固定利率或“息率”付息，那么 10 万日元的债券每年产生的利息就是 1 500 日元。但是，市场利率或当期收益率要按照市场价格确定的利息率计算。该债券当前的市场价格为 102 333 日元，那么市场利率或当期收益率应为：1 500/102 333=1.47%[①]。现在设想一下这种情形——债券市场开始因为日本政府的巨额债务而感到恐慌。假如投资人开始担心日本政府可能无力支付此前承诺的年度利息；或投资人开始对日本货币也就是日元的健康状况担心，因为债券以日元结算，利息也用日元支付。在这种情况下，恐慌的投资人会抛售他们手中的债券，进而导致债券价格下跌。而只有当债券价格足够低廉，从而弥补日本政府违约或货币贬值等不断增长的风险的时候，才会有购买者购买债券。我们不妨假定我们的债券价格下跌到了 8 万日元，那么收益率是：1 500/80 000=1.88%。也就是说，突然间，日本整体经济的长期利率上涨了 0.41%——从 1.47%上涨到 1.88%。那些在市场变化之前为了保障退休生活而投资债券市场的人，将会蒙受 22%的损失，因为他们的资金与债券价格以同等幅度下降。如果投资人在市场变化之后想要办理抵押贷款，他们会发现每年至少要多付 0.41%（按照市场上的说法，41 个基点）。管理着世界上最大债券基金的太平洋投资管理公司（PIMCO）的负责人比尔 · 格罗斯

即使只是 0.5 个百分点的上涨，都能使政府本已庞大的财政支出增加更多待偿还的债务，从而导致已经债台高筑的政府蒙受巨大损失。

① 这里不应该与到期收益率混为一谈，其中要考虑到政府发行的按面值赎回债券的时间。

说："债券市场之所以强大，是因为它们是所有市场之本；信贷成本以及利率（关于基准债券），最终决定股票、房产以及所有资产类型的价值。"

在政治家看来，债券市场之所以强大，部分原因在于它每天都对政府财政和货币政策的可信度作出判断。但是，债券市场真正的能力在于，能够通过较高的借贷成本对政府施加影响。即使只是0.5个百分点的上涨，都能使政府本已庞大的财政支出增加更多待偿还的债务，从而导致已经债台高筑的政府蒙受巨大损失。在错综复杂的金融关系中，存在着一条反馈回路：更高的支付利息导致更大的财政赤字，债券市场将会更加糟糕，债券再次遭到抛售，利率再次上涨……政府迟早都要面临无法回避的三选一的困境：拖欠部分债务，印证债券市场最严重的担心？或者为了稳定债券市场，削减其他领域的财政支出，从而惹恼选民或既得利益集团？抑或力图通过增加税收而降低财政赤字？债券市场的建立，为政府借款提供了便利条件，并在危机阶段左右着政府政策。

那么，"债券先生"是如何变得比伊恩 · 佛莱明所创造的邦德先生更强大的呢？还有，为什么债券和邦德都具有"杀人执照"？

债务如山

古希腊哲学家赫拉克利特说："战争，是一切缘由之父。"毫无疑问，战争也可以说是债券市场之父。在彼得 · 范 · 德 · 海登非凡的版画《财富之战》中，存钱罐、钱袋子、硬币桶以及藏宝箱——大部分都配备着剑、刀和长矛——在一片嘈杂的混战中互相攻击。镌刻在版画下面的荷兰诗文写道："金钱和财物，一切战争和争吵的缘由。"诗文同时还说："只有当你能够筹集到战争所需的钱财时，战争才有可能爆发。”同金融史上许多其他事物一样，通过专为政府债务设立的市场给战争筹集资金，也是意大利文艺复兴时期的发明。

14 世纪和 15 世纪的大部分时期，托斯卡纳地区的中世纪城邦——佛罗伦萨、比萨和锡耶纳都处于互相争战或与其他意大利城邦争战的状态之中。这是人力和财力耗费都很巨大的战争。不过，各个城邦都不会让自己的公民从事战争这样的脏活，他们雇用军事承包商。这些承包商召集军队，吞并敌人的土地、掠夺财宝。在 14 世纪 60 年代到 70 年代，众多军事承包商中出现了一位非常杰出的人物，他威武的风采现在在佛罗伦萨大教堂的壁画上仍然清晰可见——这幅画最初由一个佛罗伦萨人委托他人所作，以表达其对这位“无与伦比的领导人”的崇敬之情。尽管看起来好像不太可能，但这个雇用兵领袖竟然是一个生长于英国斯拜尔·赫丁翰的艾塞克斯男孩儿，他就是约翰·霍克伍德。约翰·霍克伍德爵士代表意大利城邦娴熟地四处征战，意大利人称他为“一个敏锐的人”。为了奖励霍克伍德为他们提供的服务，佛罗伦萨人送给霍克伍德多处房产，位于佛罗伦

▲彼得·范·德·海登的《财富之战》版画，下面的荷兰诗文写道：“金钱和财物，一切战争和争吵的缘由。”

萨郊外的蒙特奇奥城堡就是其中之一。霍克伍德是一名雇用兵，愿意为任何出钱者卖命，不管是米兰、帕多瓦、比萨还是教皇。佛罗伦萨韦奇奥宫中令人眼花缭乱的壁画描绘了1364年比萨和佛罗伦萨的军事冲突。那时候霍克伍德正在代表比萨作战。不过，15年后，他又转而投奔佛罗伦萨，其最后的军事生涯都效力于佛罗伦萨。为什么？因为佛罗伦萨能付给他钱。

连年争战的军费开支使意大利各城邦陷入危机。即使是在和平年代，政府开支也达到了税收的两倍。为了向霍克伍德之流支付酬金，佛罗伦萨陷入了财政赤字。从托斯卡纳国家档案中，人们可以发现佛罗伦萨的债务如何增长了百倍，也就是从14世纪初的5万弗罗林，增长到1427年的500万弗罗林。这确实是堆积如山的债务，并因此被称为“公共债山”。到15世纪早期，借款金额已经占到了城邦收入的70%。那座“债山”几乎超过了佛罗伦萨年经济收入的一半以上。

佛罗伦萨人从哪里能借到这么一大笔钱呢？答案是：从他们自己那里。实际上，富有的市民是被迫借钱给城邦政府的，因为这样可以取代缴纳财产税。作为对这些强制性借款（贷款）的回报，市民将会获得利息。从技术层面来讲，这笔借款对于市民是义不容辞的，所以不是“高利贷”（正如我们所知，高利贷是教会明令禁止的）。因此，作为一种对源于现实或假设的强制投资的成本补偿，利息支付能够与教规达成契合。正如苏萨的霍斯特西斯大约在1270年所记录的那样：

> 如果某个擅长从事贸易和集市交易并因此从中获益的商人出于对我的仁慈，把他原本用于做生意的钱借给急需的我，那么我有义务为他支付利息。

佛罗伦萨金融系统最重要的特点是，如果投资者急需现金，他们可以把这些贷款出售给其他市民。换句话说，它们属于流动性资产，尽管那个时候的债券只不过是皮封面账簿上的一些条条道道。

事实上，佛罗伦萨把它的市民变成了最大的投资人。到 14 世纪早期，已有 2/3 的家庭通过这种方式缴纳钱财以支撑城邦公共债务，尽管大多数筹款来自那几千个富人。美第奇家族的放贷业务不仅证明了他们在这一时期的财富规模，同时也表明了他们对城邦财政的支持力度。佛罗伦萨金融系统能良好运转的原因之一，在于美第奇家族以及其他一些贵族把持着政府及其金融命脉。这种寡头权力结构为债券市场奠定了坚实的基础。与那些不负责任的世袭君主不同（他们可能专断地违背对债权人的承诺），佛罗伦萨发行债券的人通常就是购买债券的人。因此，他们对看到自己获得利息非常感兴趣，这不足为奇。

佛罗伦萨把它的市民变成了最大的投资人。

不过，通过这种方式筹到能够支持毫无收益的战争所需的款项，或多或少会有一些限制。随着意大利城邦债务的增加，他们不得不发放更多的债券；而他们发行的债券越多，他们拖欠偿付的可能性就越大。威尼斯在 12 世纪末期就开发出了一套公共债券体系，比佛罗伦萨还要早。“老山”是 14 世纪威尼斯与热那亚及其他敌手在战争期间的主要筹资方式。1463~1479 年间，随着和土耳其连年战争的延续，一座新的债山堆积而起。公共债券的投资人年收益率为 5%，每年分两次偿付，利息来源于城市的各种消费税收（对各种消费品比如盐等所征收的税）。与佛罗伦萨一样，威尼斯人也是强制放贷，但在二级市场上，投资人可以把债券卖掉套现。然而，在 15 世纪末期，威尼斯连续的军事失利大大削弱了债券市场。那些在 1497

年价值为80（低于其面值20%）的威尼斯“新山”债券，到1500年价值降到了52，1502年年末重回75，然后在1509年从102猛然跌至40而崩盘。1509~1529年间最低点的时候，“老山”价值仅为3，而“新山”价值为10。

现在，如果你在战争激烈进行之时购买政府债券，显然要面临风险，即参战国可能无法支付利息。另一方面，要搞清楚利息的支付是否基于债券面值。如果你能以5%的利息购买到收益率为面值10%的债券，你将能赚取50%的可观收益。事实上，你所期望获取的合理回报，在你准备承受的风险范围之内。同时，正如我们所见，债券市场从整体上为经济设定了利率。如果城邦不得不支付50%的利息，那么，可靠的借款人有可能获得某种战争溢价。因此，1449年，当威尼斯与奥斯曼帝国同时在伦巴第地面以及海上开战时，其遭遇债券极度贬值和利率飞涨的严重金融危机并非巧合。同理，1509年债券市场暴跌的一个直接原因，就是威尼斯军队在阿格纳德罗的溃败。这两个案例的结果是相同的：商业活动搁浅，最后停止。

不只是意大利城邦对债券市场的产生作出了贡献。在北欧地区，那里的城邦政权在不与教会规定冲突的情况下，也在竭力填补赤字。那里出现了一些不太相同的解决方案。尽管他们禁止在贷款的时候收取利息，但《高利贷法》并不适用于被称为“普查”的中世纪契约，这种契约允许一方从另一方手中购买年支付流。在13世纪，这种年金方案开始从法国北部的城邦（如杜埃、加来）以及佛兰德的城邦（如根特）发行。他们采用两种形式：遗赠年金——购买人可以将其遗赠给后嗣，或定期年金——购买人死后即告废止。卖家而非买家有权通过偿还本金赎回年金。到16世纪中期，年金销售大约拉动荷兰的收入上升了7%。

法国和西班牙皇室用同样的方式筹集资金，他们以城邦作为媒介。在法国，巴黎市政厅代表君主筹集资金；在西班牙，王室债券需通过热那亚的圣乔治公司（一家购买城市征税权的私人财团）和安特卫普证券交易所（现代证券市场的先行者）筹集资金。然而，投资人对王室债务进行投资必须保持高度警惕。各个寡头统治的城邦对其债务，都有可能不履行债务清偿；同样，专制的统治者也是不可信的。正如我们在第一章所了解到的，西班牙王室在16世纪末叶和17世纪就发生了一系列毁约事件，分别在1557年、1560年、1575年、1596年、1607年、1627年、1647年、1652年　和1662年全部或部分停止债务清偿。

西班牙陷入金融困境的部分原因是由于西班牙试图染指荷兰北部叛乱省份，但最终失败所产生的巨额开支。这些叛乱省份抵制西班牙的法律，这成为西班牙金融和政治历史上的分水岭。在共和体制下，联合省融合了带有民族国家性质的城邦优势。他们把阿姆斯特丹开发成一个综合多种有价证券的市场，从而有能力筹集战争经费：这些债券不仅包括终生和永续年金，还包括抽签公债（投资者凭此购买并获得大量收益的概率微乎其微）。截至1650年，当地已有超过65 000名年金收入者把资产投到一种或多种债券上，从而帮助荷兰筹集到了维持长期战争的资金，进而保持了自己的独立。随着荷兰从自卫到帝国扩张的转变，其债务飞速增长，从1632年的5 000万盾飞涨到1752年的2.5亿盾。不过，荷兰债券的收益率下降较为平稳，1747年的降幅只有2.5%——这一方面表明联合省的资金充裕，另一方面也表明投资人对荷兰政府违约偿付的可能性并不担心。

1688年的光荣革命将天主教徒詹姆斯二世逐离英国王位，荷兰新教的奥伦治王子随即上台，这些变革加上其他方面的创新，打通了从阿姆斯特丹到伦敦的英吉利海峡通道。英国的财政体系与欧洲大陆其他君主国的明显不同。

英国国王拥有的土地已被售出，这早于其他地方；他们在西班牙、法国和德国的力量还比较弱小的时候，就开始通过增加议会的权力去控制王室的花费了。他们在建立只靠薪水而不是贪污维持生存的专业公务员队伍方面，取得了显著成效。光荣革命突出了这种差异。从那时开始，不再会有违约偿付的情况发生（1672 年的“财政署止兑”让伦敦的投资人记忆犹新。当时英国王室深陷财务窘迫境地，国王查理二世不得已而采取止兑措施），不再会发生货币贬值，尤其是在 1717 年金本位制实施后。王室财政将由议会详细审查，并将努力解决斯图亚特王朝过去遗留下来的各种债务，通过亨利 · 佩尔汉姆爵士“整理公债基金”来实施，这一景象在 1749 年达到高潮。法国的金融政策与此恰恰相反，政府违约偿付的情况时有发生。为了筹集为市民服务的款项，法国政府办公室被变卖用于筹款；税收被私有化或“外包”，预算少得不可理喻；三级会议（法国议会最重要的事情）休会，上台的议长力图通过发行长期公债和联合养老基金筹集资金，相关条款对投资人极其优惠。18 世纪中期的伦敦债券市场欣欣向荣，政府的“统一公债”在债券市场上处于主导地位，债券流动性强（也就是说债券容易出售），这对外国投资人（尤其是荷兰的投资人）有很大的吸引力。而在巴黎，相比之下，债券市场远远落后。法国的金融分化将产生深远的政治后果。

英国统一债券的成功

著名的英国统一债券（尽管有争议）是所有发行过的债券中被证明最成功的，因此值得我们了解。在 18 世纪末期，投资者可以通过两种方式进行投资：一种是收益率 3%的债券，另一种是收益率 5%的债券。它们是同一类型的债券，都属于永久债券，没有固定的到期日，如果债券市价等于或高于其面值（“票面价值”），政府能够回购（赎回）。下页的插图展示的是一种典型的统一公债——一份部分印刷、部分手写的收据，标有投资金额、债券面值、持有者姓名和日期：

> 1796年1月22日，收到安娜·霍伊斯夫人101英镑，按100英镑支付利息或股份或联合股份，收益率为5%……在英格兰银行内可流通。

假定霍伊斯夫人花101英镑购买了面值100英镑的统一公债，她的年收益率将稳定达到4.5%（尽管这不是投资的最好时机）。当年4月，年轻的科西嘉指挥官拿破仑·波拿巴领导法国军队在蒙特诺特取得了第一场胜利，在接下来的20年，拿破仑对英帝国的债券和金融市场稳定构成巨大的威胁，但他完全不顾及欧洲的和平，其危害程度远甚于哈布斯堡皇族和波旁王族。要打败拿破仑，英国政府将会债台高筑。当政府债务上升时，个人持有的债券价格将下跌——最低的时候，英国财富缩水30%。

1796年，很少有人会预测到，这个矮个子科西嘉人能成为法国的皇帝和欧洲大陆的统治者（尽管如流星划过），至少安娜·霍伊斯夫人没有预测到。随着社会的变迁，一个伟大的（更加持久的）壮举差不多在同一时

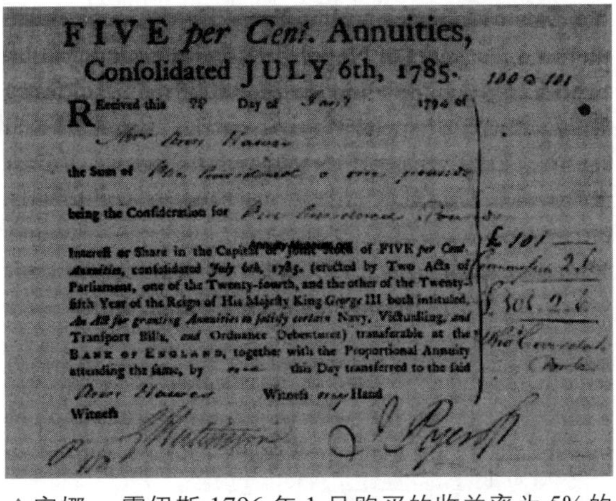
FIVE per Cent. Annuities,
Consolidated JULY 6th, 1785.

Received this Day of 1796 of

the Sum of

being the Consideration for

Interest or Share in the Capital or Joint Stock of FIVE per Cent. Annuities, consolidated July 6th, 1785, (erected by Two Acts of Parliament, one of the Twenty-fourth, and the other of the Twenty-fifth Year of the Reign of His Majesty King George III both intituled, An Act for granting Annuities to satisfy certain Navy, Victualling, and Transport Bills, and Ordnance Debentures) transferable at the BANK OF ENGLAND, together with the Proportional Annuity attending the same, by this Day transferred to the said

Witness Hand

Witness

▲安娜·霍伊斯1796年1月购买的收益率为5%的统一公债

代发生。在拿破仑滑铁卢溃败的几年当中，在法兰克福昏暗的犹太人聚居区内，一个“金融波拿巴”横空而出，他是债券市场的主导者，有人还说他是欧洲政治的统治者，那个人就是内森·罗斯柴尔德。

“金融波拿巴”罗斯柴尔德

> 他拥有巨额财富，他吹嘘他能决定战争与和平，国家的信誉由他掌控；他有不计其数的通信记者，他的信使比君主王侯的还要多；政府部长们也受他恩惠。他是欧洲大陆内阁的最高统治者，他想控制欧洲大陆。

这段文字是由英国激进的下院议员托马斯·邓司肯在1828年发表的，他所指的那个人就是内森·罗斯柴尔德。内森是一家银行伦敦分行的创始人，这家银行在19世纪的大部分时期，一直是世界上最大的银行。债券市场让罗斯柴尔德家族变得富裕——富到足以在全欧洲建造41处华贵房产的程度。其中沃德斯登庄园位于白金汉郡。罗斯柴尔德家族的第四代传人，也就是内森最伟大的曾孙，对这座庄园进行了整体镀金重建。根据罗斯柴尔德家族的说法，他们家族杰出的先辈内森“个子不高、肥胖、有魅力、极其聪明、万众瞩目……我无法想象他会是个容易相处的人”。伊夫林·罗斯柴尔德有相似的看法：“我认为他是一个野心勃勃的人。”在伦敦圣·史威丁巷罗斯柴尔德公司的办公室内，伊夫林凝视着内森·罗斯柴尔德的画像说：“我认为他意志坚定，深谋远虑。”

尽管通信记者都受制于罗斯柴尔德家族，内森写给他兄弟们的信件却很少被保存下来。从我们可以看到的内森写的一封信中，就能看出他是一个怎样的人：手写体，像他们的所有信件一样，非常难懂的犹太德语（德语音译成希伯来语），其中描述了他所谓的犹太人的职业道德，可以看出他对不够机智的兄弟们缺乏耐心。

> 我写信告诉你们我的意见，因为给你们写信是我的该死的责任……我阅读你们的信件不止一次，甚至可能上百次。你们要好好反省一下，饭后我通常不做什么，我不看书，不玩牌，不去剧院，我唯一的爱好是我的生意，受此驱动，我读了阿姆谢尔、詹姆斯以及卡尔的信件……迄今为止，卡尔的信件（提到在法兰克福买一处更大的房子）令我忧虑……所有的这些都是废话，因为只要我们生意好，我们有钱，每个人都会奉承我们，那些没兴趣通过我们去赚钱的人将会羡慕我们。我们的萨洛蒙对人对事都太过和蔼，如果一个寄生虫在他耳边耳语点儿什么事，他就认为所有的人都是高尚的人；而真相是，所有跟随他的人都有各自的利益。

内森的兄弟们称他是“首席将军”。1815 年萨洛蒙疲倦地抱怨道，所有你曾经写到的就是——“付这儿，付那儿，发这儿，发那儿”。凭借天生的金融天赋，内森从法兰克福偏僻的犹太人胡同起家，进而掌控了伦敦的债券市场。不过，我要再说一次，金融创新的机会源自战争。

罗斯柴尔德的第一桶金

1815 年 6 月 18 日早上，在威灵顿公爵的率领下，67 000 名英国、荷兰和普鲁士的联军警惕地注视着离布鲁塞尔不远的滑铁卢战场，迎面而来的是由法国皇帝拿破仑·波拿巴率领的兵力不相上下的法国军队。滑铁卢之战使英国和法国20多年来不断发生的冲突达到顶点，但那不只是两支军队间的战争，也是两种融资体系之间的一场竞赛：一方面，法国在拿破仑的领导下，依靠掠夺生存（占领区的税收）；另一方面，英国靠债务来维持。

金融创新的机会源自战争。

从未有过为了军事冲突筹款而发行这么多债券的情况。1793~1815年间，英国的国债增加了3倍，达到7.45亿英镑，是英国全年经济总量的两倍还多。大量债券的发行对伦敦的金融市场影响深远。自1792年2月以来，具有代表性的面值100英镑、收益率为3%的统一公债的价格因为滑铁卢之战，已经从96英镑跌到60英镑以下，在某一时期（1797年）曾跌破50英镑。这是令安娜·霍伊斯夫人烦恼丛生的时期。

根据一个由来已久的传说，罗斯柴尔德家族获取他们的第一桶金，是内森根据战争胜负对英国债券价格的影响作出了正确的判断而投机成功。一些版本的故事说，内森亲眼目击了那场战役，冒险穿越英吉利海峡的风暴，在威灵顿军队取得胜利的官方消息传来之前提前到达伦敦。他在债券价格大涨前购买了债券，金额在2 000万~1.35亿英镑之间。后来，德国纳粹尽力渲染了这一传说。1940年，约瑟夫·戈培尔核准发行了《罗斯柴尔德之死》，书中描述了一个油嘴滑舌的内森，他通过贿赂一个法国将军，从而确保威灵顿军队的胜利，然后在伦敦误报战役的结局，为的是造成投资人对英国债券的恐慌性抛售，随后他以极便宜的价格猛力吸货。然而，1815年的实际情形却并非如此。内森的发迹不是因为威灵顿军队的胜利，实际上，罗斯柴尔德家族更有可能因此被毁灭。罗斯柴尔德家族的发迹，也不是因为滑铁卢之战。

在排除一系列错误消息干扰之后，英国军队自 1808 年 8 月以来，一直在欧洲大陆与拿破仑的军队作战。当时是威灵顿公爵，接着是亚瑟·威尔斯利爵士领导英国军队远征在前一年遭到法国入侵的葡萄牙。接下来的 6 年中，英国军队经常要把人员和物资运送到伊比利亚半岛。通过向大众出售债券，的确能为英国政府筹集到大笔现金，但钞票对远方的西班牙战场却几乎没有一点用。为了给军队提供给养，支持英国盟军共同抗法，威灵顿公爵需要一种能被普遍接受的货币。他们面临的挑战是，要把债券市场筹集到的资金变成金币，然后把金币送到最需要的地方。而在战时，从伦敦往里斯本运送几尼金币[①]，成本很高，而且危险重重。然而当葡萄牙商人拒绝接受支付汇票时，威灵顿公爵除了运送现金之外，没有更好的办法了。

罗斯柴尔德家族的发迹，也不是因为滑铁卢之战。

内森·罗斯柴尔德——这个小有成就的法兰克福古董交易商及证券经纪人的儿子，在 1799 年才到达伦敦，在接下来的 10 年里，他在英国北部的新兴工业区度过了大部分时间，购买纺织品然后出口。直到 1811 年，他才在伦敦进入银行业。为什么是那个时刻呢？英国政府开始求助于他解决政府的金融需求了吗？答案是，内森作为一个欧洲大陆的黄金走私犯，通过突破拿破仑对欧洲大陆的封锁，在英格兰和欧洲之间开始进行贸易，拥有丰富的经验。（诚然，破坏法国政府的威信只是眨眼间的事，但在纯粹的重商主义者的眼里，黄金从英格兰流出会不断削弱英国的战果。）1814 年 1 月，财政大臣授权首席代表约翰·查尔斯·赫雷斯“雇用绅士（内森），用最隐秘

---

① 旧时英国金币，合 21 先令。——译者注

的方式在德国、法国和荷兰大规模地收购法国的金币和银币，总价值不超过60万英镑，从现在开始两个月内，尽可能完成这项工作”。这些金币要送到停泊在荷兰港口的英国舰船上，然后运送给威灵顿公爵。现在，威灵顿公爵已经穿过比利牛斯山进入法国。这是一项重大的任务，完全要凭借罗斯柴尔德兄弟横跨海峡的信用网络去完成大规模的黄金转运工作。他们成功完成了英国政府委托的任务。威灵顿公爵很快就“获取充足的货币供应”一事写信表示感激。正如赫雷斯写的那样：“罗斯柴尔德圆满完成了我们的各种服务委托，尽管他是个犹太人，我们还是要对他充满信心。”到1814年5月，内森已为政府转运了将近120万英镑的黄金，是最初计划的两倍。

毋庸置疑，运送数量巨大的黄金即使是在战争末期也是非常冒险的。从罗斯柴尔德家族的立场来看，任务艰巨，收费高也是合乎情理的，他们之所以能顺利完成任务的原因，在于罗斯柴尔德家族有现成的银行网络——内森在伦敦，阿姆谢尔在法兰克福，詹姆斯（内森最小的弟弟）在巴黎，卡尔在阿姆斯特丹，萨洛蒙在内森认为可能需要他的任何地方。内森五兄弟遍布欧洲，他们利用市场间的差价和汇率差赚钱——这个过程就是套汇。比如说，如果巴黎的金价高于伦敦金价，在巴黎的詹姆斯就会卖出黄金，然后把现金发到伦敦，伦敦的内森就会用这笔钱购买更多的黄金。事实上，他们代表赫雷斯所进行的交易量足够影响到价格波动，进而提高营业收益率。另外，内森兄弟也会帮助英国政府为英国的同盟军支付大笔的津贴。到1814年6月，赫雷斯统计后得出内森兄弟已经完成1 260万法郎的津贴支付业务。首相利物浦勋爵曾评论说，“罗斯柴尔德先生”已变成“一位非常有用的朋友”。他对外交大臣卡斯尔雷勋爵说：“我不知道，如果没有他的话，我们还能做什么。”那时，内森的兄弟称内森是“债券交易之王”。

拿破仑在1814年4月退位后被放逐到意大利的小岛厄尔巴岛，在那儿他继续统治一个小帝国。但那个小岛太小，根本容不下他。1815年3月1日是会让那些在维也纳会议上商讨重建欧洲秩序的君主和大臣惊恐不已的日子——拿破仑重返法国，下定决心复兴他的帝国。拿破仑伟大军队的退伍军人重新集结到他的旗下。内森·罗斯柴尔德听到这一“坏消息”后，立刻开始购买黄金，凡是他和他兄弟可以买到的所有金条和货币都予以购进，并转由赫雷斯运给威灵顿公爵。罗斯柴尔德家族供给的金币总价值超过200万英镑，足够填满884个盒子和55个桶。同时，内森继续为英国在欧洲大陆的盟军提供津贴支付服务，在1815年，他和赫雷斯共计完成了980万英镑的交易。这种服务的佣金从2%~6%不等。拿破仑重返法国政坛让罗斯柴尔德家族变成了富人。但是，内森低估了购进数量如此庞大的黄金的风险，正如内森曾设想的，与拿破仑的所有战争一样，新的战争也将是一个漫长的过程。不过，他差点犯了致命的错误。

不论内森多早收到滑铁卢之战的消息，在他看来都不是什么好消息。

威灵顿公爵对滑铁卢之战曾有一段著名的评论，称“这将是你一生中能看到的最势均力敌的战争”。在经过一天的艰难冲锋与反冲锋以及英勇防御之后，姗姗来迟的普鲁士军队最终决定了这场战争的胜利。对威灵顿公爵来讲，这是一场光荣的胜利，但对罗斯柴尔德家族来说并非如此。毋庸置疑，内森·罗斯柴尔德能提前得知拿破仑军队溃败的消息是件欣慰的事情，这归功于他的信使的速度比给英国内阁传递战况的威灵顿公爵的官方信使亨利·珀西少校快将近48个小时。不论内森多早收到滑铁卢之战的消息，在他看来都不是什么好消息。他不希望战争这么快就结束，因为他和他的兄弟拥有一大笔钱，战争一旦结束，就意味着没有人需要为战争筹款了。随着和平的到来，战胜拿破仑的伟大军队将会被裁减，战时联盟将会解散，这一切意味着士兵不再有工资，不再需要为英国的战时联盟支付津贴，战争期间飞涨的金价注定要下跌。内森面临的不是传说中的巨大利润，而是惨重并在不断加大的损失。

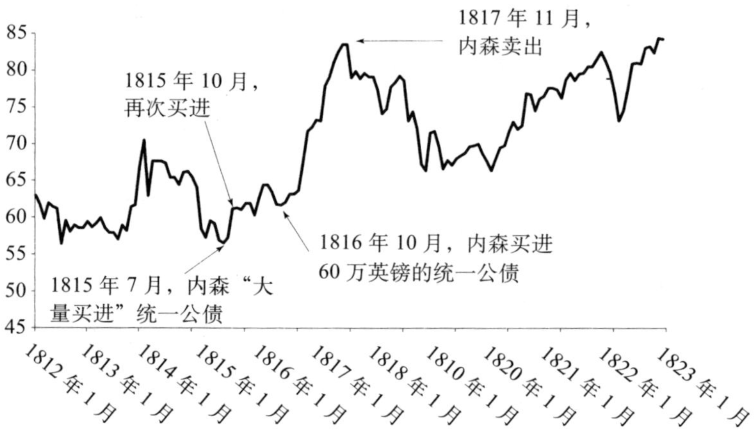

英国统一公债的价格（1812~1823 年）

但是，内森面前还是有一条可能的出路：罗斯柴尔德家族可以在债券市场上用他们的黄金做一次大规模、高风险的对赌。1815 年 7 月 20 日，伦敦《信使报》晚间版报道说内森“大量买进债券”，即政府债券。内森的赌注是，英国取得了滑铁卢之战的胜利，政府借款预期会减少，英国的债券市场价格会飞涨。内森不断买进，英国政府债券适时开始上涨，而内森继续买进。尽管他的兄弟苦苦恳求他卖出变现，内森还是鼓足勇气一直坚守到第二年。到 1817 年年末，债券价格最终上涨超过 40%后，他才卖出。算上英镑的购买力和通货膨胀等诸多因素，内森的利润在今天价值 6 亿英镑。这是金融史上最大胆的一次交易，也是从拿破仑军队的溃败中侥幸夺取的金融交易的胜利。胜利者与失败者的相似性对当代不会没有影响。用罗斯柴尔德家族的劲敌——巴林银行的一个合伙人的话来说："坦白说，我没有勇气去完成这样的交易。他们计划周密，富于智慧，执行敏捷——他们长于金钱和基金的运作，而拿破仑长于战争。"奥地利首相普林斯·梅特涅的秘书认为，罗斯柴尔德家族简直就是"金融波拿巴"。德国诗人海因里希·海涅说："金钱是我们这个时代的上帝……罗斯柴尔德就是金钱的先知。"

统治国际金融市场

在某种程度上说，到今天依然令人惊讶的是，在滑铁卢战役之后的半个世纪，罗斯柴尔德家族继续统治着国际金融市场。对当代人来讲，他们经常从神秘的角度，寻求对罗斯柴尔德家族取得非凡成就的解释。根据 19 世纪 30 年代的一则记录，罗斯柴尔德家族之所以能拥有巨额财富，是因为他们拥有一个神秘的"希伯来法宝"，这个法宝让伦敦分行的创始人内森·罗斯柴尔德成为"欧洲货币市场中的大人物"。19 世纪 90 年代，类似的故事在俄国犹太人聚居区中流传。正如我们所知，纳粹倾向于把罗斯柴尔德家族的发迹归结于操纵债券市场的消息以及其他精明的举措。即使在今天，罗斯柴尔家族的神话仍在流传。根据 2007 年在中国出版发行的宋鸿兵的那本畅销书《货币战争》的说法，罗斯柴尔德家族通过所谓的对美联储的影响，继续控制着全球货币系统。

根据 2007 年在中国出版发行的宋鸿兵的那本畅销书《货币战争》的说法，罗斯柴尔德家族通过所谓的对美联储的影响，继续控制着全球货币系统。

罗斯柴尔德家族在拿破仑战争的最后阶段发迹，在日益国际化的伦敦债券市场扮演了主导角色。他们通过建立资本金基础和情报网络——比其劲敌巴林银行要先进得多，在竞争中居于主导地位。据估计，1815~1859 年，他们设立的伦敦分行发行了 14 种不同的主权债券（sovereign bonds），面值总计将近 4 300 万英镑，是伦敦所有银行发行的债券总数的一半还要多。尽管英国政府债券是他们在市场上出售的最主要的债券，他们也出售法国、普鲁士、俄国、奥地利、那不勒斯和巴西的债券。另外，1830 年后，他们独家发行比利时政府的债券。特别要指出的是，罗斯柴尔德家族用现金从政府那里购买新债券的发行份额，然后把这些债券分销到他们遍及欧洲的经纪人和投资人网络中，从中收取佣金。只有当从买家那里收到所有的分期付款后，它们才会把债券款项汇给政府。罗斯柴尔德家族付给君主借款人的价格和他们卖给投资人的价格差很大（在首次公开发行后，再设定一个价格）。当然，正如我们所见，以前就存在大规模的国际借款，尤其是在热那亚、安特卫普和阿姆斯特丹。但不同之处在于，自 1818 年以后，伦敦债券市场是罗斯柴尔德家族的天下，他们坚决主张大多数新的借款国发行债券要用英国货币标定，而不是本国货币，并在伦敦或其他有罗斯柴尔德家族分支机构的市场支付利息。随着 1818 年收益率为 5%的普鲁士债券的首次公开发行，一套新的标准确立起来了。经过漫长而不断反复的商讨之后，这些债券不仅在伦敦，同时在法兰克福、柏林、汉堡和阿姆斯特丹发行①。德国法律专家约

① 一次，普鲁士财长克里斯蒂安 · 罗特尔试图在借款合同签订后更改其中的条款，内森暴跳如雷：“我最亲爱的朋友，我已经完成了上帝和国王陛下交给我的使命，我的钱一分不少地流向了柏林……现在轮到你承担义务、遵守承诺了，别增添什么新花样了，一切必须按照我们事先商定的条款履行，这就是我的期望，你可以从我交来的款项看到这一点。”这些伎俩对内森 · 罗斯柴尔德没有丝毫作用。他财大气粗，大权在握，足以令耍阴谋诡计的小团伙望之兴叹。“普鲁士国王、哈登贝格王子和罗特尔财长定然心花怒放，还要感谢我们将这笔巨款寄至贵国，又使普鲁士的信用有所提升。”出生于法兰克福犹太聚居区的这位犹太人，面对一位普鲁士高官，话锋竟如此强势，这本身足以证明内森 · 罗斯柴尔德及其同胞兄弟在社会变革中的作用。

翰·海因里希·班德在他的著作《论国家债券交易》（1825）中指出，这是罗斯柴尔德家族最重要的金融创新之一，“任何政府债券的持有人……选择就近的分支机构，就可以毫不费力地收取利息”。可以肯定的是，债券发行不是罗斯柴尔德家族唯一的生意，他们同时是债券交易商、套汇商、黄金交易商和私人银行家，也是保险、矿山和铁路投资商；不过，债券市场仍然是他们的核心竞争力所在。与弱小的竞争对手不同，罗斯柴尔德家族仅仅投资于那些用现在的说法来说就是具有“投资等级”的证券上。到 1829 年，他们在 19 世纪 20 年代发行的证券没有一家出现违约偿付情况，尽管在那个年代中期曾发生过一次拉丁美洲债务危机（多次危机中的首次）。

罗斯柴尔德家族事业蒸蒸日上。当内森在 1836 年去世的时候，其个人财富相当于英国国家收入的 0.62%。1818~1852 年，罗斯柴尔德家族的 5 处分支机构（法兰克福、伦敦、那不勒斯、巴黎和维也纳）总资产从 180 万英镑上升到 950 万英镑。1825 年，他们的总资产是巴林兄弟银行和法国银行的 9 倍多。到 1899 年，罗斯柴尔德家族的资产达到 4 100 万英镑，超过德国最大的 5 家股份银行的资产总和。罗斯柴尔德家族公司日益发展成跨国的资产管理公司，同时管理各处分公司的资产。经过一代又一代人的努力，罗斯柴尔德家族的财富不断增加。为了维护家族事业，他们对 5 个分公司的契约定期进行修订，并严格执行堂表亲联姻制度。从 1824 年到 1877 年，内森的父亲迈耶·罗斯柴尔德的后代有 21 对新人结为连理，其中不少于 15 人是近亲联姻。此外，家庭都统一虔诚信奉犹太教，当其他犹太人家庭发生背教或混婚情况时，都会进一步加强他们作为“高加索王族”（即犹太）的观念。

罗斯柴尔德家族创建的金融系统具有某种深刻的变革意义。

老迈耶·罗斯柴尔德反复告诫他的5个儿子："如果你不能让人们爱你，那就让人们怕你。"他们作为债券市场的统治者，凌驾于19世纪中期的金融世界之上。人们对罗斯柴尔德家族的恐惧超过对他们的热爱。与欧洲老牌贵族阶层的土地资产相比，具有更高收益率和更多流动性的新式财富的兴起令右翼反动分子哀叹不已。正如海因里希·海涅所看到的，罗斯柴尔德家族创建的金融系统具有某种深刻的变革意义：

> 债券体系是自由的……人们可以选择他们喜欢居住的地方，他们在哪里都能活下去，即使没有工作，也可以靠他们债券的利息生活，靠他们便携的资产生活，所以他们聚集在一起生活，并成为首都城市的中坚力量。当各种不同的精英聚集生活在一起，知识分子、社会当局和债券高度集中，我们知道这意味着什么。

在海涅看来，作为"推翻旧贵族统治的三大恐怖人物"之一，罗斯柴尔德是与黎塞留①、罗伯斯庇尔可以相提并论的人物。黎塞留摧毁了旧权力，罗伯斯庇尔消灭了旧势力的残余，而罗斯柴尔德为欧洲造就出了一批新的社会精英。

> 把政府债券体系提升为至高无上的权利……资助从前的特权阶级。为了确保这一点，他们组建了新的贵族政府，但这一切都是基于最不可靠的东西——金钱……金钱比水更具流动性，比空气更不稳定……

同时，左翼激进分子对政界涌现出的一股新生势力表示不满。这股新

① 黎塞留（1585~1642），法国贵族，1624~1642年任法国国王路易十三的首相。

生势力拥有对政府财政和大多数政策否决的权力。鉴于罗斯柴尔德家族为奥地利、普鲁士和俄国发行债券的成功，有人把内森作为保险经纪人“无价值的联盟”画成漫画进行讽刺，帮助欧洲平息自由主义政治之火。1821年，内森甚至收到了死亡威胁，因为“他和外国势力的联系，尤其是协助奥地利，帮助该国政府反对欧洲的自由”。自由主义史学家朱尔斯·米舍莱于1842年在他的杂志上写道：“罗斯柴尔德先生认识很多欧洲国家的王子，以及不计其数的交易所经纪人。他把所有经纪人和国王的名字记在心中，甚至不用看通讯簿就能和他们谈话。他曾对其中某人这样说道，‘如果你任命这个人当部长，你的账户将出现赤字。’”可以说，罗斯柴尔德家族是犹太人这一事实，进一步增强了人们对犹太人的偏见。在19世纪30年代，密西西比州州长一看到罗斯柴尔德家族的人来到美国，就讽刺“罗斯柴尔德男爵”“体内流着犹大和夏洛克的血，品行如同他的这两个同乡”。19世纪末，平民作家哈维把罗斯柴尔德银行描述成一条巨大的黑章鱼，触须延伸到世界各地。

罗斯柴尔德家族似乎有能力根据自己的意愿允许或制止战争，这引来了大众的强烈不满。1828年，普克勒尔-姆斯考（Pückler-Muskau）指出：“如今在欧洲，不管是谁，好像都没有能力去发动战争。”20世纪早期的一位评论家[①]曾尖锐地提出：

---

① 这位评论家是《帝国主义》（1902）的作者J·A·霍布森。虽然被公认为早期对资本主义口诛笔伐的自由主义者，然而霍布森如排犹主义者般对金融心怀敌意：“处理数额巨大的股票，创办公司，操控价值的上下波动，交易所大鳄们如此从中渔利。银行、经纪、票据贴现、对外借款、公司宣传，组织严密，沟通迅速，坐拥各州商业心脏要地，由在金融界打拼数世纪、积累了丰富经验的一个特定家族控制，在欧洲尤为如此，这群人身居要位，从而轻易控制国家政策。”

> 大家可以认真考虑一下，如果罗斯柴尔德家族和他们的同盟反对的话，任何欧洲国家或任何大国通过国家债券认购，能发动一场大规模的战争吗？

我们不妨假定罗斯柴尔德家族需要战争，战争毕竟让内森·罗斯柴尔德们完成了一桩最大的买卖。如果没有战争，19 世纪各国对发行债券的需求会很少。正如我们所见，战争加大了风险，会打压现有债券的价格（像 16 世纪的威尼斯），债务国一旦战败或者丧失领土后会无力偿付利息。到 19 世纪中期，罗斯柴尔德家族已从经纪人变身成基金经理，专注打理他们巨大的政府债券投资。现在，战争冲突对他们来讲将会得不偿失。基于这种原因，他们会一如既往地强烈反对意大利和德国的国家统一。也基于这种原因，他们不忍看到美国陷入两败俱伤的内战。罗斯柴尔德家族为英国提供了强大的金融支持，决定了拿破仑战争的胜负结果。现在，他们通过选择自己站在哪一边，决定美国内战的胜负结果。

现在，他们通过选择自己站在哪一边，决定美国内战的胜负结果。

美国内战与债券市场

1863 年 5 月，美国内战已进行了两年，尤利塞斯·辛普森·格兰特将军攻下了美国密西西比州首府杰克逊，迫使南方邦联军队在约翰·C·佩贝尔顿将军的率领下向西撤退到密西西比河畔的维克斯堡。佩贝尔顿将军的军队击退了联邦军队的两次进攻，最终在联邦军队的重重包围下，弹尽粮绝。7 月 4 日，也就是美国独立日，佩贝尔顿军队投降。从此开始，密西西比河牢牢地掌握在北方的手中，而南方却被一分为二。

维克斯堡之战被视为美国内战伟大的转折点之一。然而，从金融层面来看，那并非决定性的战役。在那一年多以前，维克斯堡下游200英里处——密西西比河在此处流入墨西哥湾——就发生了决定性的战役。1862年4月29日，海军上将戴维·法拉革特攻破圣·菲利普的堡垒，从而控制了新奥尔良。这场战役相对于一年后的维克斯堡之战而言，伤亡不大，战时不长，但给南方带来的损失惨重。

南方邦联筹措资金的方法可能是美国历史上最伟大的杰作之一。因为归根到底，南方邦联的产业能力或者人力资源如同他们的资金一样匮乏。他们在军事方面付出了令人印象深刻的不懈努力。在内战刚开始的时候，经验不足的南方邦联财政部在没有现成可用的中央税收系统的情况下，通过向其市民出售债券支付军费开支，并筹集到两笔巨额贷款，分别是1 500万美元和1亿美元。但是，在南方自给自足的农场和规模相对较小的城镇中，流动资金很有限。为了渡过难关，据说，南方邦联声称，他们已向罗斯柴尔德家族求助，希望这个世界上最强大的金融家族王朝能帮助他们打败北方军队，如同过去罗斯柴尔德家族曾帮助威灵顿公爵在滑铁卢击败拿破仑军队一样。

上述想法也不完全是空想，在纽约，罗斯柴尔德家族的代理人奥古斯特·贝尔蒙特对美国陷入内战感到惊骇。作为民主党的全国主席，他一直是史蒂芬·道格拉斯最重要的支持者。在1860年的总统大选中，史蒂芬·道格拉斯是亚伯拉罕·林肯的竞争对手。贝尔蒙特强烈抨击林肯的“没收充公和强制解放”政策。詹姆斯的第三个儿子萨洛蒙·罗斯柴尔德在战争开始前，在家信中表达了对南方邦联的同情。于是，北方的某些评论员就得出了显而易见的结论：罗斯柴尔德家族支持南方邦联。“贝尔蒙特、罗斯柴尔德家族，以及所有的犹太人……都一直在购买南方邦联的债券。”这一消息刊登在1864年的《芝加哥论坛报》上。一位林肯的支持者谴责“犹太人、杰斐逊·戴维斯（南方邦联总统）以及所有的魔鬼”是邪恶的群体，反对联邦政府。当贝尔蒙特于1863年访问伦敦的时候，他亲自告诉列昂内尔·罗斯柴尔德“很快北方军队将获胜”。（不过有人怀疑就是此人说服英国帮助南方邦联的。南方邦联部长犹大·本杰明本身就是犹太人。）

实际上，罗斯柴尔德家族并没有选择支持南方邦联，为什么呢？可能是因为他们根本不喜欢奴隶制度。南方邦联的信贷风险较高也可能是非常重要的原因（毕竟，南方邦联的总统杰斐逊·戴维斯在他是参议员的时候，公开主张拒绝偿付州债务）。这股猜测之风弥漫整个欧洲。当南方邦联在欧洲市场试图出售传统债券的时候，投资人表现出的热情并不高。但是，南方邦联有别出心裁的办法去解决这一问题，那就是通过棉花。这是南方邦联经济的支柱产业以及最重要的出口商品。他们的办法是，不仅把南方棉花的收成作为出口换汇的资源，而且把棉花收成作为发行一种新债券的后盾。当法国埃米尔厄兰格公司代表南方邦联发行棉花支持债券（cotton-backed bond）时，来自伦敦和阿姆斯特丹的反应更为积极。这批英镑债券最引人注目的地方，是他们把棉花以每磅6便士的战前价格出售。这批英镑债券的收益率是7%，20年到期。尽管南方军队受挫，这批债券在战时也下跌不多，最简单的原因在于债券价格是以棉花作担保的。由于战时棉花需求增加，棉花价格也攀升。实际上，这批债券的价格从1863年12月到1864年9月已经翻倍。尽管南方邦联在葛底斯堡和维克斯堡被击败，但棉花的价格在上涨。而且，南方邦联处于优势地位，通过控制棉花供货量的方式，随时可以

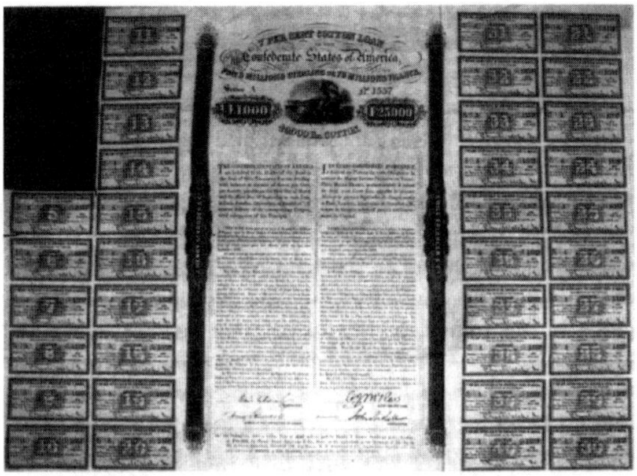

▲被裁掉一部分的南方邦联附息棉花债券

进一步提高棉花的价格。

1860 年，利物浦港是英国纺织行业进口棉花最重要的港口，而纺织行业是维多利亚女王时代经济的重要支柱，其 80% 以上的棉花进口来自美国南部。南方邦联领导人认为，利用这一点能帮助他们迫使英国在战争中站在他们这边。为了给英国制造压力，他们对所有出口到利物浦港的棉花实施禁运。这一举措的实施效果具有极大的破坏性。棉花每磅价格从 $6^{1}/4$ 美元。上涨至 $27^{1}/4$ 美元。从美国南方进口的棉花数量自 1860 年的 260 万包锐减到 1862 年的不到 7.2 万包。英国曼彻斯特南部地区的一家具有代表性的棉纺厂，雇用了大约 400 名工人，而这个数字只是位于兰开夏的国王棉纺厂的一个零头。国王棉纺厂总共雇用了 30 万名工人。没有棉花供应，工人也就无所事事。到 1862 年年末，半数的工人不得不被解雇，兰开夏总人口的 1/4 处于穷困潦倒等待救济的状态，他们称此为“棉花饥荒”。这只不过是场人为的饥荒。那些人之所以这样做，是为了实现他们的目标。当然，棉花禁运不仅仅导致英格兰北部人们的失业、饥荒和暴乱。棉花短缺也拉动了棉花价格上涨，由此提升了南方邦联发行的棉花支持债券的价值。对于英国政治精英阶层来讲，这是一种无法抵挡的投资。《泰晤士报》编辑约翰 · 德莱恩曾提到，后来的首相威廉 · 尤尔特 · 格莱斯顿就购买过一些这种债券。

然而，南方邦联操纵债券市场的能力依赖于一个条件：如果南方邦联最终无力偿付利息的话，投资人有权拥有棉花实物。如果抵押，只有货物在债权人手中才可以实施。这就是 1862 年 4 月新奥尔良的陷落成为美国内战的真正转折点的原因。随着南方邦联的重要港口被联邦军队攻占，那些想把南方棉花作为抵押的投资人不得不突破联邦海军的封锁，这种封锁不是一道，而是两道。鉴于驻守在密西西比河周围的联邦海军实力不断增长，投资人的前景黯淡。

如果南方邦联能设法坚守住新奥尔良，直到收获的棉花装船运抵欧洲，他们就可能在伦敦售出 300 万英镑的棉花债券。或许，一向规避风险的罗斯柴尔德家族也有可能冲破各种融资阻力。不过，他们解除了厄兰格贷款[①]，因为他们认为“这笔贷款投机性太强，会引来更多疯狂的投机者……我们没有听说过任何有名望的人做过这种交易。”南方邦联过于自信，他们停止了棉花供应，直至无法挽回。到 1863 年，兰开夏郡已从中国、埃及和印度找到了新的棉花来源。此时，投资人对南方邦联棉花支持债券迅速丧失信心，这严重打击了南方邦联的经济。

随着国内债券市场的枯竭和仅有的两份无足轻重的外国贷款，南方邦联被迫通过印刷没有后盾支撑的美元钞票，以满足战争及其他方面的花费——总价值达 17 亿美元。美国内战中的交战双方都不得不印刷钞票，这是实际情况。但到内战结束后，联邦政府的“绿背”美元按照金价仍然约值 50 美分，而南方邦联的“灰背”美元仅值 1 美分——在 1864 年进行的货币改革也枉然。南方各州和市政府纷纷印刷自己的钞票，这使情势进一步恶

① 南方邦联政府在南北战争期间从国外筹集资金的行动。1863 年南方邦联政府与法国的埃米尔厄兰格公司达成协议，该公司同意购买南方邦联政府 1 500 万美元债券，以棉花作担保。南方邦联政府允许该公司以 77 美元的价格收进面值 100 美元的债券，然后以 90 美元的价格出售。

▲南方邦联路易斯安那州面值 5 美元的“灰背”美元

化。再加上南方邦联的纸币印刷技术低下，导致钞票很容易被复制，伪币泛滥。更多的钱却只能买到更少的商品，于是发生了通货膨胀。在美国内战期间，南方的物价飞涨了大约 40 倍，而北方的物价仅上涨了 60%。在 1865 年 4 月，也就是南方邦联军队将领投降前夕，南方的经济正走向崩溃边缘，恶性通货膨胀就是南方战败最明显的预兆。

罗斯柴尔德家族是对的。那些投资南方邦联债券的人最后损失惨重，一无所有，因为获胜的北方联邦政府不承认南方邦联的债务。最后，南方邦联除了印钱筹措战争经费之外，别无选择。历史上抵制债券市场的企图，最终都会在毁灭性的通货膨胀和军事屈辱中结束，当然，这不是最后一次。

食利者的安乐死

19 世纪，被南方邦联债券搞得倾家荡产的人不在少数。但是在美洲，让这些债券投资者大失所望的远不止南方邦联，因为这只代表了最北边的欠债情况。在里奥格兰德河[①]南部地区，拖欠债款和货币贬值的现象相当普遍。发生在 19 世纪拉丁美洲的种种迹象从很多方面来说，都暴露了 20 世纪中期即将到来的最普遍的问题。一部分原因是由于那些最有可能投资债券并能从即息偿付中获利的社会阶层，在当时最禁不住打击。另一部分原因在于，当时的拉丁美洲共和党人较早地发现，如果债券持有者大部分是外来者，那么拖欠造成的伤害就不会那么严重。所以，拉丁美洲早早地发生了债务危机也就并不意外了。1826 年 9 月，当秘鲁、哥伦比亚、智利、墨西哥、危地马拉和阿根廷这些国家同时拖欠早些年在伦敦发行的债券时，第一次大规模的拉美债务危机爆发了。

在诸多方面，债券市场还是很有威力的。到 19 世纪晚些时候，拖欠债款的国家面临着许多风险，如经济制裁、财政制约，甚至是军事干预（至少来自五个方面）。格莱斯顿在 1882 年威胁埃及，如果埃及政府不能对欧洲（包括他自己）持债人兑现还款承诺，英国将对其发动进攻。从投资者的考虑角度来说，大英帝国对于“新兴市场”的大力支持无疑是一种很好的政治保护，排除了许多风险。在大英帝国之外，也有国家因拖欠债款而受到军事威胁。比如在 1902 年，由英国、德国和意大利临时组建的海军舰队对委内瑞拉的港口进行了封锁。而在中美和加勒比海地区，美国对其债权人的利益提供了强有力（和有效）的保护。

但从另一个很重要的方面来说，债券市场存在着很多漏洞。在伦敦城这个 19 世纪最大的国际金融市场，富有的投资者还是少数。19 世纪早期，英

① 里奥格兰德河，是美国和墨西哥之间的界河。——译者注

国持债人的数量不足250 000人，仅为当时该国人口的2%，而他们拥有的财富则是该国国民收入的两倍还多，他们的收入占到了国民收入的7%左右。1822年，来自国债的利息收入大约占到了英国政府全部公共开支的一半，超过了该国非直接消费税收的2/3。直至1870年，上述比例仍没多大变化，分别为1/3和超过一半。很难想象还有比这个更糟糕的税收制度：许多常用必需品需要征税，用以向少数人支付利息。难怪像威廉·科贝特这样的激进派会奋起抨击。在1830年创作的《骑马乡行记》一书中，科贝特这样写道："所有的国债、税收和赌博都是导火索，民众很自然地被激怒了……为了人们那点可怜的收入。"他警告说，如果不进行政治改革，整个国家都会毁在"那些向民众放贷以维持这个罪恶社会体制的人们……包括借贷股票经纪人和储蓄经纪人……犹太人和所有征税者"的手里。

如此激烈的言辞并没有动摇那些人（在法国，像食利者这类人，他们从政府公债中获得"年金"收入）的地位。相反，1830年之后的几十年成了这些欧洲食利者们的黄金年代。拖欠变得不那么频繁了。由于金本位制，纸币变得更加可靠。暂且不谈日益普及的公民选举权，食利者们的成功引人注目。储蓄银行（政府经常要求储蓄银行发行公债作为其本金）的日益崛起，真正将社会间接地纳入到了债券市场中。但是，无论是在政治还是社会生活方面，尤其当与经济生活交织在一起时，这些食利者们依然是罗斯柴尔德家族银行、巴林银行、格莱斯通银行的中坚力量。最终将这一切结束的并不是民主制或社会主义的崛起，而是由那些欧洲精英们导致的一次财政货币灾难，这个灾难便是第一次世界大战。

最终将这一切结束的并不是民主制或社会主义的崛起，而是由那些欧洲精英们导致的一次财政货币灾难，这个灾难便是第一次世界大战。

通胀背后

美国经济学家米尔顿·弗里德曼在对通货膨胀给出的著名解释中说："在任何地方都永远是这样一种现象，即它是并且只能是一种货币的增长量超过产出量的货币现象。"在第一次世界大战期间以及之后，发生在交战国各国内部的现象很好地印证了这一点。高通货膨胀率现象的出现需要五个基本的条件①：

1. 战争导致物品短缺；
2. 战争导致政府从中央银行进行短期贷款；
3. 政府进而将债务有效地变成现金，增加了货币的供给量；
4. 公众通货预期转移，货币平衡需求下降；
5. 进而商品价格上涨。

但是，纯货币理论不能解释为什么通胀过程在一国要比在其他国家更能快速深远地发展，也不能解释为什么通货膨胀导致的结果会各式各样。如果把1914~1918年间主要交战国的所有公共花费汇总，就会发现英国的总花费远远超过德国，法国的总花费远远超过俄国。以美元为单位，在1914年4月至1918年3月间，英国、法国和美国的公共负债额的增加值远远超过同期的德国。事实上，1913~1918年间，德国流通中的货币量的上涨百分比（1 040%）远高出英国（708%）或者法国（386%），但是该百分比在保加利亚和罗马尼亚则分别为1 116%和961%。与1913年相比，到了1918年，意大

① 在经济学中，它们之间的关系可用一个等式表达：MV=PQ。其中，M代表流通中的货币量，V代表货币周转率（交易的频率），P代表价格水平，Q代表交易的实际价值。

利、法国和英国的商品批发价格要远远高出德国。1918 年德国柏林的生活消费指数是战前的 2.3 倍，这个变量在英国则为 2.1 倍。那么，按照这些数字显示，为什么第一次世界大战之后，陷入恶性通货膨胀的是德国而不是其他国家？为什么变得一文不值的是德国马克，而不是其他国家的货币？问题就在于战时和战后的债券市场。

战争期间，所有陷入战争的国家都被战争债券牵引着。那些之前从未买过政府债券的小额储蓄者在爱国主义精神的感召下，开始投资战争债券。然而，与英国、法国、意大利和俄国不同，德国在整个战争期间无权涉足国际债券市场（德国最初拒绝在纽约债券市场投资，之后一直被排除在大门之外）。而协约国则可以在美国或是富有的英帝国出售债券。同盟国（德国、奥匈帝国以及土耳其）则被排斥在外，只能在自己国家出售债券。柏林和维也纳虽然是重要的金融中心，但远比不上伦敦、巴黎和纽约。结果，德国及其同盟国在国内出售债券愈加困难，因为这些国家发行了过量的战争国债，超过了投资者的承受范围。很快，德国和奥匈政府就开始向其中央银行求助购买短期贷款，程度远远超过英国。中央银行购买的短期国债数额的上涨预示着通货膨胀的到来，因为与出售公众债券不同，将这些票据兑换成大把大把的钞票，大大增加了流通中的货币供给。到战争结束时，差不多 1/3 的德意志债务都是“浮动的”或者说是未清偿的。而且，德国政府发行了过量的货币，仅仅是由于战时价格管制，才未使整个国家陷入更严重的通货膨胀。

战败使得这些国家付出了很高的代价。之前，各方都向纳税人和债券持有人保证，只要战争胜利，敌人将会为这些债务埋单。可是事与愿违。这些国家战后的恶性通货膨胀意味着国家的破产。那些先前投资债券的人本希望能够打赢这场战争但战败和革命意味着政府无力偿还债务。德意志帝国的债权人不得不为这场灾难埋单。比战败更严重的是，1918 年 11 月到 1919 年 1 月间频繁爆发的革命，更让这些投资者难以安心。还有在凡尔赛召开的巴黎和会，让这个稚嫩的魏玛共和国背上了一笔数额未定的赔款债务。当 1921 年债务最终确定时，德国人发现自己背上了一笔数额惊人的高达 1 320 亿“戈德马克”（一种战前马克）的外债。这笔赔款相当于国家收入的 3 倍多。尽管并不是所有这些债务都即刻生息，但预计的偿付款占到了 1921~1922 年间德国 1/3 以上的财政支出。那些寄希望于德国的投资者在 1921 年夏天对未来并不乐观。而战后流入德国的外资仅仅是一些短期的投机货币或“热钱”，随着情况的不断恶化，不久就又流出了。

但是，如果只是简单地把 1923 年的那次恶性通货膨胀看成是《凡尔赛条约》导致的恶果，那就大错特错了。当然，德国人愿意这样认为，他们觉得通胀与条约的签订有很大关系。德国人一直声称，战后的巨额赔偿是导致经常项目赤字的原因，除了印制更多的钞票以外，他们没有其他办法去应对赔偿。通货膨胀是马克贬值带来的直接后果，但所有这些都忽略了德国国内货币危机导致的国内政治隐患。魏玛共和国的税收系统是脆弱的，重要的原因是由于这个新生的政权对于那些拒绝纳税的高收入人群而言缺少合法性。与此同时，公共支出的开销没有合理的预算，政府尤其对公共部门的工资出手大方。远在与战胜国签订赔偿协议之前，税收不足加上过度开支，就导致了德国在 1919~1920 年间巨大的财政赤字（超出国民生产净值 10%）。1923 年，也就是德国中止偿付战争赔款那一年，财政赤字已相当惊人。更糟糕的是，那些魏玛共和国的经济政策制定者们在 20 世纪 20 年代早期就对稳定德国的财政货币政策失去了信心，甚至在 1920 年中期，当机会摆在面前时也无动于衷。德国财政界精英们大都盘算着，在货币贬值失控的情况下，那些战胜国会被迫修订先前有关战争赔款的协议，结果会使德国出口的商品与美国、英国以及法国相比价格低廉。事实上，局势也是这么发展的，德国马克的贬值大大促进了德国的出口。德国人没有注意到的是，当美国和英国的经济处于战后发展衰退期时，由这场通胀引起的 1920~1922 年间的经济繁荣，导致进口需求大大增加，这样便消除了原来预期的对经济造成的压力。德国出现恶性通货膨胀，关键在于对局势作出错误估计。当法国从德国官方一心要还清债款的伪善承诺中醒过神来时，他们终于决定通过对鲁尔河流域工业区发动军事进攻来收回赔款。结果导致德国宣布总罢工（“消极抵抗”），用更多的纸币进行赔付。恶性通胀终于发展进入到最后阶段。

正如米尔顿 · 弗里德曼所言，通货膨胀确实是一种货币现象。但是，恶性通货膨胀，在任何时候、任何地方都是一种政治现象，即由一个国家的政治经济的根本缺陷所导致。事实上，面对敌国战后日益减少的国内收入，确实有危害性更小的方式去解决德国国内和国外债权人相冲突的索赔要求。但是，许多德国人一直认为，他们的国家受到了不公正的待遇。在国内经济停滞和他国挑衅并存的状况下，最坏的结果终于发生了——德国自身货币和经济体系全面崩盘。到 1923 年年底，大约有 4.97×10^{20} 德国马克在流通，每天大约有 200 亿马克在市面上流通，而年通货膨胀率达到了最高的百分之 1 820 亿。当时的价格水平平均是 1913 年的 1.26 万亿倍。但是，确实还有一些短期的好处出现。到 1922 年最后一个季度为止，通过鼓励消费、限制存款以及加速通胀，德国国内生产的总产量和就业机会大大增加。正如我们看到的，贬值的德国马克大大促进了德国的出口。但是，最严重的时刻直到 1923 年才到来。德国工业产量降到了 1913 年水平的一半；失业率达到了最高峰，工会成员中有 1/4 失去了工作，1/4 的人靠做临时工维持生计。不过，这并不算最严重的，最严重的是这场危机对社会造成的打击，以及给人们精神上带来的创伤。艾利亚斯 · 卡内蒂后来在描述他年轻时在遭受通货膨胀打击的法兰克福地区的那段经历时写道："严格而具体地说，通货膨胀是一种群体现象。这是货币贬值的一个'安息日'，人与钱之间奇怪的相互作用——钱代表了人，人代表了钱，人们感觉自己和手中的金钱一样'恶劣'，而且这种状况越来越糟。金钱和人都被局势摆布着，同样都感到毫无价值。"

"贬值"是通货膨胀的主要产物。这不仅仅限于货币本身，那些以该货币计算的一切形式的资产、收入以及债券，都会变得一文不值。对于德国来说，一场通货膨胀扫清了德国在战争中和战后堆积如山的内债，成功避免了一场毁灭性的经济灾难，但却难以逃脱战前就欠下的大笔外债。通货膨胀对于税费也同样有着不小的影响，债券的持有人、拿固定工资的居民都会受到牵连，甚至还会影响到中上阶层人们的生活，包括那些食利者、高级公务员以及各类专业人才。唯一能够幸免的就是企业家们——他们调高价码、买进

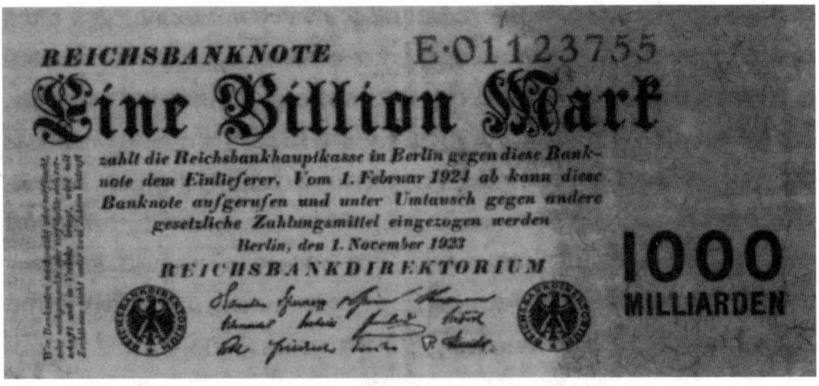

▲高通胀率的代价：1923 年 11 月面值 10 亿的德国马克

美元、投资实业（如房产、工厂），或者使用正在贬值的货币来偿还债务。恶性通货膨胀会给经济带来长期不良后果：银行受损、利率高企，再加上严重的通货膨胀，一并让经济蒙受着巨大的损失。但对于德国来说，恶性通货膨胀对于社会和政治的影响都不可小觑。1923 年，英国经济学家约翰·梅纳德·凯恩斯曾经发表了有关“食利者的安乐死”见解。他说，相比带来大规模失业的通货紧缩，通货膨胀虽然让那些“食利者”大失所望，却更能受到广大人民的支持，因为人们知道哪种结果更恶劣。但就在那之前 4 年，凯恩斯本人还曾对通货膨胀的负面后果作了生动形象的描述：

> 通过持续的通货膨胀，政府可以很隐蔽地没收公民相当一部分的财富，通过这种方法，政府不但可以没收，而且可以肆意地没收。这种手段使许多人变得穷困潦倒，但却为另一些人谋得了福利。关于这种对财富的肆意重新分配，不仅仅从国家安全和稳定性上，而且对于现有的财富分配方式的可信度也造成了威胁。对于那些得到横财的人来说……他们是受益者，但同时也是资产阶级抨击的目标。对于资产阶级，通货膨胀对他们造成的伤害绝不低于无产阶级对其的冲击。而随着通货膨胀的持续……债权人和债务人之间长久的债务关系（形成资本主义制度的终极基础）全然变得杂乱不堪，甚至失去了效用……

“现在还没有一个巧妙、可靠、能够推翻现有社会基础的方法。”凯恩斯把自己的见解归功于列宁对他的影响。虽然没有记录表明列宁说过类似这样的话，但他的同事博利舍维克·叶夫根尼·普列奥布拉任斯基，将印钞厂比做财政补给的机枪，把火药都射进了资产阶级制度的背后。

苏联的经历提醒我们，德国并不是唯一在第一次世界大战后因为恶性通货膨胀而衰退的国家。除苏联以外，还有澳大利亚，以及当时刚刚成立的匈牙利和波兰，它们在1917~1924年间也同样遭受了严重的货币贬值。在苏联，布尔什维克拖欠了沙皇的全部债务之后，恶性通货膨胀随即而至。俄国的债券持有者也同样经历了类似第二次世界大战后德国、匈牙利和希腊所经历的货币、债券市场的陷落崩溃①。

如果说恶性通货膨胀与世界大战的失利息息相关这比较容易解释得通，但这一切仍然是个谜。在近期，也有许多国家由于经济上的困窘拖欠了外债——要么直接拖欠支付利息，要么采用货币贬值的间接手段。然而，恶性通货膨胀的影子没能随着世界战争的结束而消散，究竟是为什么呢？

通胀的政治与货币推手

太平洋投资管理公司的老板比尔·格罗斯是以在赌城拉斯维加斯玩21点起家的。在他眼里，投资债券总是有那么点赌博的因素在里面，即通货膨胀的加剧并不会使投资债券年利率带来的收益缩水。正如格罗斯所说的："当通货膨胀率达到了10%，而固定利率仅有5%时，这说明债券持有者的收益落后了通货膨胀5%。"正如我们所见，通货膨胀率的上涨削减了投资资本总额和应得利息的购买力。这就很好地解释了为什么市场上稍微有通货膨胀的风吹草动，债券的价格就出现了下滑的趋势。20世纪70年代，随着全球通货膨胀率的直线飙升，相对债券市场而言，美国内华达州的赌场成为了当时最佳的投资场所。格罗斯至今还清楚地记得美国通胀率飙升至两位数时

① 1946年7月的匈牙利创造了通货膨胀率历史最高记录，当时物价上涨达百分之一百万的五次方（419后面加上16个0）。

的情景（1980 年 4 月通胀率最高时甚至近 15%）。他说："那时的债券市场十分糟糕，当时的熊市不仅在人们的记忆中，在历史上也是最惨痛的一次。"更确切地说，20 世纪 70 年代，购买美国政府债券的年收益率是负的 3%，与世界大战期间的状况一样糟糕。而今天，仅少数国家的通胀率在 10% 以上，只有津巴布韦一个国家还在遭受着恶性通胀带来的困扰[①]。追溯到 1979 年，全球至少有 7 个国家的年通胀率在 50% 以上，有 60 多个国家的通胀率达到了两位数，英国和美国就位列其中。在这中间，受到通胀影响最严重的国家是阿根廷。

阿根廷曾一度是繁荣兴旺的代名词。"阿根廷"的名字意为白银之地，其首都布宜诺斯艾利斯就坐落于拉普拉塔河岸。拉普拉塔河在西班牙语中意为"白银之河"。这个名字不仅仅指这条河颜色浑浊的河水，也指取自于河水上游沉淀的白银。根据近些时候的估算，阿根廷在 1913 年曾位于世界上最富有的 10 个国家之列。在非英语国家中，阿根廷的人均国内生产总值只稍低于瑞士、比利时、荷兰和丹麦。1870~1913 年之间，阿根廷的经济飞速增长，甚至超过了美国和德国。阿根廷的国外资金投资甚至与加拿大相比肩。世界上两个哈罗斯百货商店的位置也绝非随意为之：一个位于伦敦的骑士桥，另一个就在布宜诺斯艾利斯中心的佛罗里达大道上。当时的阿根廷有能力，也有志于成为南半球的英国，甚至美国。1946 年 2 月，新当选的阿根廷总统胡安 · 多明戈 · 裴隆将军访问了布宜诺斯艾利斯的中央银行。裴隆对于自己的所见大为惊讶，他赞

整个 20 世纪，阿根廷的经济发展史切切实实给我们上了一课——财务管理不当可能使一切资源归零。

① 写作此书时（2008 年 3 月），在津巴布韦举行一场葬礼要花费 10 亿津巴布韦元，该国年通货膨胀率高达百分之十万。

叹道“这里的金子实在太多了，过道都无法通行了”。

而整个20世纪，阿根廷的经济发展史切切实实给我们上了一课——财务管理不当可能使一切资源归零。20世纪，尤其是在第二次世界大战之后，阿根廷的经济表现明显不如其邻国及世界上其他地区的国家，其中六七十年代尤其不理想。到了1988年，阿根廷的人均国内生产总值回降到了1959年的水平。相比1913年，当时该国人均国内生产总值是美国的72%，而1998年这一数字则降为34%。阿根廷逐渐被新加坡、日本、中国台湾和韩国，甚至邻国智利赶超，这令阿根廷人难以释怀。而这一切究竟是何种原因造成的呢？一种解释是由于通货膨胀：从1945年到1952年、1956年到1968年、1968年到1970年以及1974年，阿根廷在这几年期间的通货膨胀率都达到了两位数；而1975~1990年间，年通胀率甚至达到了三（甚至四）位数，其中1989年达到顶峰，高达5 000%。另外一种解释是由于债务的拖欠：阿根廷曾分别在1982年、1989年、2002年和2004年四次拖欠外债。但是，这些解释并非那么可信。1870~1914年间，阿根廷同样遭受了至少8年的严重通货膨胀，通胀率均保持在两位数，同时也至少两次拖欠债务。要想真正了解阿根廷经济衰败的原因，从政治和货币角度观察通货膨胀现象是很有必要的。

土地寡头曾力图把阿根廷的经济建立在对英语国家（这些国家在大萧条时期曾遭受了重创）的农业出口上。大规模的移民（如同在北美）得不到可自由支配的土地，居无定所，这导致城市工人阶级人口过多，产生比例不均衡的现象，从而引发了大规模的人口流动。1930年何塞·费利克斯·乌里布鲁开阿根廷军事政变先河，随后军事对于政治反复不断的干预，为裴隆统治下新兴的准法西斯政治铺平了道路。表面上看，裴隆为人民提供了高额的薪水，为工人们提供了良好的工作环境，还为阿根廷的实业家们提供了保护性关税。而1955~1966年间，裴隆曾企图倚仗货币贬值来调和农业和工业的利益。1966年，另一场军事政变之后仍未能兑现原先的许诺，技术现代化的变革没有实现，反而导致了进一步的通货膨胀，货币再度贬值。1973年，裴隆再次当选阿根廷总统，恰巧世界通货膨胀来袭，这一次阿根廷经历了一次彻头彻尾的失败。那一年，阿根廷的年通胀率飙升至444%。又一场军事政变让阿根廷陷入了暴力的僵局，数以千计的人被蛮横拘押或者“失踪”。从经济层面上讲，发动政变后上台的军政府让阿根廷背负了快速增长的外债，截至1984年，外债总额超过了国内生产总值的60%（尽管这还不到20世纪初阿根廷债务顶峰时期水平的一半）。同样的，在通货膨胀危机下，战争也扮演着重要的角色，阿根廷内部有镇压颠覆分子的“肮脏战争”，外部有与英国关于福克兰群岛的争夺战，但都没能借通货膨胀的手扫清阿根廷的外债。使阿根廷的通货膨胀失去控制的并不是战争，而是种种社会力量的相互影响，包括寡头政治的执政者、军事首脑、利益集团的发起者和工会，当然也包括生活在社会底层的劳苦大众。简单说来，他们中间没有谁能够避免价格的波动。投资者尝到了亏空和货币贬值的滋味，体力劳动者也习惯了工资的起伏波动。从国内融资向国外融资的逐渐转型，意味着债券的“外流”。在这种背景下，阿根廷货币保值的种种计划的失败，是意料之中的事。

在阿根廷最伟大的作家豪·路·博尔赫斯的短片故事《小径交叉的花园》中，他虚构了一位中国作家崔朋的杰作：

> 所有的虚构小说中，每逢一个人面临几个不同的选择时，总会选择一种可能，排除其他；而在崔朋的错综复杂的小说中，主人公却选择了所有的可能性。这样一来，就产生了许多不同的未来……在崔朋的作品

中，所有可能的结果都会出现，每一结点既是一个选择的结局，又是另一选择的起点。崔朋不相信时间的一致和绝对，他相信时间是无限连续的，相信时间是一张正在扩展、变化着的分散、集中、平行的网。

对于阿根廷过去30年的经济发展历程，这种思维方式很恰当。贝纳尔多曾试图重新制定还债期限；凯恩斯提倡管理；而胡安·索洛期望对货币进行改革，对工资和价格进行控制。但没有谁能够引领利益集团顺着自己的方向一直走下去。公共财政支出持续高于税收，对工资和价格进行控制也没能盛行，短暂的价格稳定后通货膨胀又重整旗鼓。1989年，各条岔路在遭受了不幸后最终重新汇合在了一起：那是东欧的幸福年代，却是阿根廷的可怕年代。

1989年2月，阿根廷经历着历史上最炎热的一个夏天。布宜诺斯艾利斯的电力系统努力维持着运作，人们也慢慢习惯了长达5个小时的停电。为了避免汇率下降，银行和外汇交易所被迫关门停业，因为政府力图阻止汇率崩盘。然而这一切都无济于事。在短短的一个月里，阿根廷货币对美元的汇率下跌了140%。与此同时，世界银行也冻结了对阿根廷的贷款业务，并表示阿根廷政府已经丧失了处理公共部门赤字的能力。私营部门的贷款者也没了热情。在通货膨胀势必横扫债券市场的趋势下，投资者也都避免购买债券。随着公众恐惧心理加剧，阿根廷中央银行的货币储备也逐渐耗尽，债券价格一蹶不振。绝望的阿根廷政府只能有一种选择，即诉诸“印刷厂”，但不幸的是，这条路也走不通。1989年4月28日（星期五），阿根廷政府完全“没钱了”。对此，阿根廷中央银行副主席罗伯托在新闻发布会上表示，“这是物质供应短缺的问题”。事实上，阿根廷的造币厂用光了所有印钞用的纸张，印钞机也闲置起来。罗伯托还坦白道："我不知道应该如何应对，不过到星期一的时候纸币一定会印出来。"

到了当年的 6 月，阿根廷的月通胀率超过了 100%，公众的情绪也接近了极限。而早在 4 月，在布宜诺斯艾利斯的一家超市里，就有人出于愤怒推翻了装满商品的手推车，原因是广播里刚刚播放了所有商品即时涨价 30% 的通知。同样是在 6 月，在阿根廷第二大城市罗萨里奥，持续了两天的暴乱和疯狂抢掠造成了至少 14 人死亡。然而在魏玛共和国，工人的工资由于随着物价的飙升而水涨船高，使工人并未成为阿根廷恶性通胀的主要受害者——真正的受害者是那些靠固定工资吃饭的人员，比如公务员、学者，或者靠养老金和存款利息吃饭的退休人员。而在 20 世纪 20 年代的德国，通胀的主要受益者是债务累累的负债者，他们的负债随着通货膨胀一笔勾销。阿根廷政府本身就是这类受益者中的一员。

但并不是所有阿根廷债务都能如此轻而易举地撇清。到 1983 年，阿根廷的外债（以美元标价）已累计达到了 460 亿美元，相当于该国年产量总值的 40%。而无论阿根廷的货币价值有何变化，以美元标价的债务都维持不变。事实上，这个数字还在随着穷途末路的阿根廷政府的借款而增长。截至 1989 年，外债额度已经累计超过了 650 亿美元。而在下个 10 年里，很有可能涨到 1 550 亿美元。阿根廷国内的债权人已经因通货膨胀损失惨重，但只有拖欠债务才能让国家摆脱外债的负担。正如我们所看到的，阿根廷在这条路上已经来来回回走了若干次了。正因如此，1890 年，巴林兄弟曾因为在阿根廷证券业投资濒临破产（特别是布宜诺斯艾利斯给排水公司债券的不成功发行）。当时恰恰是巴林的老对手罗斯柴尔德劝说英国政府出资 100 万英镑挽救它，原因是巴林兄弟的破产会给英国在世界范围内的经济带来灾难。

随后这100万英镑增值至1 700万英镑。同样是掌管银行业委员会的罗斯柴尔德让固执的阿根廷政府实行了改革。此后的贷款是附有条件的，即必须遵循货币改革政策，让比索按照独立、固定的汇率制度与黄金挂钩。然而一个世纪之后，罗斯柴尔德更关心的并不是阿根廷的债务，而是它的葡萄园。国际货币基金组织（IMF）不得不插手（至少缓和）阿根廷的债务拖欠问题，采取的手段依旧是通过汇率政策，而这次选择了美元。

1991年，阿根廷财政部部长多明戈·卡瓦诺颁布了新的可兑换比索，这已经是阿根廷一个世纪以来的第六套货币了。但这种方式仍以失败告终。事实上，1996年，阿根廷的通货膨胀率最终降为零，3年后的1999年，通胀率甚至变成了负值。但是国内的失业率停留在15%的水平上持续不降，收入的不平衡也略强于尼日利亚。此外，货币的限制并没有与财政的限制联系起来，阿根廷中央和地方政府共同参与了国际债券市场而没有去稳定收支平衡，造成了政府公债从1994年年底占国内生产总值的35%上升至2001年年底的64%。简而言之，卡瓦诺尽管稳住了货币的价值，打击了通货膨胀，却没能控制住潜在的社会和制度的驱动因素。这些驱动因素过去曾一度引发了多次货币危机，这为阿根廷的债务拖欠以及发行另一种形式的货币提供了平台。在2001年1月和5月两次救济援助后（分别为150亿美元和80亿美元），国际货币基金组织拒绝向阿根廷第三次伸出援手。在2001年年末，阿根廷的人均国内生产总值降了12%。阿根廷政府宣布延期偿还其所有的外债，其中包括共计810亿美元的债券，这也是其历史上最高额的债务拖欠。

阿根廷的实例向我们展示，债券市场并没有最初建立时那样强的影响力。19世纪80年代，阿根廷和英国债券市场平均295基点的利差远远无法弥补投资者如巴林兄弟在阿根廷投资所冒的风险。同样的，1998~2000 年期间，阿根廷和美国债券平均基点利差为 664 点，也无法平衡拖欠债务所冒的风险。当拖欠的债务公之于众，利差升至 5 500 点；到 2002 年 3 月，已经超过了 7 000 点。而在长期痛苦的交涉之后（共涉及 152 笔债务，6 种货币形式，8 个管辖范围），近 50 万债权人中的大多数同意接受新的债券，约合为 1 美元的 35%——这是债券市场有史以来最大的一次变革。阿根廷的债务拖欠使（经济增长从此显露头角，而债券基点利差则降至 300~500 之间）。许多经济学家都在思考，为什么主权国家债务人会去实现自己对境外投资者的承诺？

债券牛市

20 世纪 20 年代，正如我们所见的，凯恩斯曾预言“年金收入者的安乐死”，预测到通货膨胀将会把持有政府债券的投资人的所有金融资产吞没。然而，在我们当下的时代，令人不可思议的是我们看到了债券投资人复兴的局面。20 世纪 70 年代“大通胀”之后，在过去的 30 年中我们已看到一个又一个国家把通胀率降到了个位数（即使在阿根廷，尽管门多萨省和圣路易斯省非正式的通胀率数值在 20% 以上，但官方统计的通胀率在 10% 以下）。随着通胀率的下降，债券市场重新复兴，进而形成了现代历史上最大的债券牛市之一。特别值得注意的是，尽管阿根廷发生了引人注目的政府债务拖欠事件——更不用提 1998 年的俄罗斯——但债务危机在新兴债券市场中呈现稳步下降趋势，并于 2007 年年初达到第一次世界大战以来前所未有的新低，这一切都预示着投资人对未来经济不可动摇的信心。这充分证明了债券市场已死的谣传实属夸大其词。

通胀率的下降，部分原因是我们所购买的商品（从衣服到计算机）由于技术创新和生产转移到拥有廉价劳动力的亚洲经济体，大多数价格已非常便宜。通胀率下降的另一原因则是世界范围内的货币政策转变。这场转变始于20世纪70年代末和80年代初，当时货币主义者倡导提升短期利率，英格兰银行和美联储都采取了加息行动。而到20世纪90年代，随着更多中央银行独立性的增强和目标明确，这种转变进一步加深。同样重要的是，正如阿根廷所暴露出的问题，一些结构性的通胀驱动要素变弱，工会影响力已经减小，亏损的国有企业已被私有化。但也许最重要的在于，债券市场的投资回报得到了更多社会公众的认可。在发达国家，不断攀升的财富掌握在私人养老基金和其他储蓄机构等组织手中，预计它们拥有较高比例的政府债券和其他固定收益证券。2007年一份有关11个主要经济体的养老基金的调查结果显示，国债在大众资产中所占的比例在1/4以上，尽管低于过去几十年的水平，但仍是一个较高的比例。随着时间一天天流逝，退休人数日益增多，靠养老基金收入生活的人群比例会不断上升。

这把我们带回到了意大利——债券市场诞生的地方。1965年，也就是大通胀爆发的前夕，意大利65岁或以上的老人只有10%；而到今天，这一比例翻了一番，大约是20%。到2050年，联合国预计这一比例将在1/3左右。在这样一个“银发”社会中，人们对固定收益证券有强大的、不断增长的需求，需要低通货膨胀率以确保支付利息，保持其购买力。随着越来越多的人丧失劳动能力，经常性公共部门赤字能确保债券市场从不会发生没有新的债券可买的情况。意大利把国家的货币主权拱手让给了欧洲中央银行的事实，意味着意大利那些政治家们将再也不会有印钞票或平息恶性通货膨胀的机会了。

然而，这并不意味着债券市场将会按照詹姆斯·卡维尔所描述的方式去统治世界。事实上，他所描述的20世纪90年代的债券市场职能已被克林顿总统的继任者小布什淡化。2000年9月7日，也就是小布什当选总统前的数月，纽约时代广场的国债钟被关闭。当天它显示的是："美国国家的债务：5 676 989 904 887美元，您的家庭分摊到：73 733美元。"在预算盈余的3年后，当时的两位总统候选人都谈到清偿国家债务是可行之举。美国有线电视新闻网（CNN）的报道说：

> 民主党总统候选人阿尔·戈尔已草拟出一份计划，他说到2012年将消除债务。得克萨斯州州长高级经济顾问及共和党总统候选人小布什就清偿国家债务的原则达成一致，但并未给出具体日期。

总统候选人小布什的失信也许是个暗示。自从小布什入主白宫以来，联邦政府的财政赤字入不敷出，联邦政府的债务已从5万亿美元猛增至超过9万亿美元。国会预算办公室预测，到2017年财政赤字将超过12万亿美元。不用考虑对这种肆意挥霍进行惩罚，债券市场对此会有客观的回应。2000年12月~2003年6月，美国10年期国债的收益率已从5.24%下降到3.33%，在本书撰写之时还保持在4%以上。

不过，孤立地研究债券市场不可能搞清楚艾伦·格林斯潘所指的"谜团"——这是格林斯潘对短期利率上扬相对应的低水平债券收益率的说法。因此，现在我们可以从政府债券市场转向新兴的、在许多方面更具活力的投资方式：公司股份市场。通俗地讲，就是股票市场。

第三章

股票市场：泡沫的产生

THE ASCENT OF
MONEY
A Financial History of the World

为什么股市泡沫反复出现？
中央银行在股市泡沫和萧条中起了什么作用？
市场泡沫和经济萧条可以被防止吗？

THE ASCENT OF MONEY

导读

资本主义最伟大的发明之一是股份公司。股票和股份公司的诞生，让货币进化到虚拟资产的时代。股票，成为人们实现财富梦想的现实阶梯。不幸的是，只有少数人能够爬到顶端。

因为贪婪，人类无休止地追求财富，进而推动市场泡沫的产生。密西西比公司泡沫、南海泡沫、大萧条、次贷危机……泡沫的产生与破裂，也呈现出周期性，但人类似乎只记得繁荣时的盛况，却记不住贪婪设下的陷阱。

资产泡沫膨胀与破灭的过程，也是谎言与骗局诞生和败露的过程。庞氏骗局、安然事件……纵观金融历史，诈骗行为层出不穷，而这些行为，在牛市时更容易发生，因为投资者为泡沫所迷醉。

由于货币发行失控，市场中的流动性越来越多，泡沫化现象的频率越来越密集。对于投资者而言，如何避免投机行为，成为资本市场中一个永恒的话题；对于监管者而言，怎样避免泡沫膨胀与是否刺破泡沫，则是利益平衡的选择。货币危机的历史也提供给我们另一个启示，这就是，泡沫的破裂与危机的爆发往往起源于一个突发事件。但突发事件的背后，其实蕴含着必然的结果。会计制度、监管准则、货币政策、政治事件等多重因素制约着资本市场的运行。传统的金融生态是否需要打破？金融道德如何回归？怎样重建资本市场新秩序？如何避免新一轮泡沫产生？自由市场原则与强化监管共识是否蕴含着理念冲突？金融创新会不会受到抑制？这些都是我们当前面临的问题。

变幻的股市

安第斯山脉绵延 4 000 多英里，好似横亘在南美大陆西面的脊骨。随着纳斯卡板块开始缓慢并剧烈地向南美板块底部滑动，大约形成于 1 亿年前的山脉最高峰——阿根廷的阿空加瓜山也渐渐隆起，海拔超过 22 000 英尺。阿空加瓜山附近的小山峰看起来像是围绕着圣迭戈的耀眼的白色哨兵。只有当你站在玻利维亚高地上的时候，你才能真正感受到安第斯山脉的陡峭程度。当笼罩在拉巴斯到提提喀喀道路的云消散后，安第斯山脉耸立于天边，在地平线呈现出耀眼和不规则的线条。

看着安第斯山脉，你很难想象哪个人类组织可以征服这个广袤的天然屏障。但是对于一个美洲企业而言，峥嵘的山峰并不比位于它们东面的茂密的亚马孙热带雨林可怕。这家企业着手修建了一条天然气管道，从玻利维亚跨过南美大陆到达巴西大西洋海岸，它还筹划修建另外一条也是世界上最长的管道：从巴塔哥尼亚的一端直达阿根廷的首都——布宜诺斯艾利斯。

如此宏伟的计划体现了现代资本主义的狂妄野心，随着现代社会的一个最重要机构——公司的产生，它的实现成为可能。正是因为公司的产生，使数以千计的个人能集中他们的资源进行冒险，从事长期的项目计划。而这类计划在利润实现之前需要投入大量的资金。在银行业务和债券市场形成之后，由于融资的需要，股份公司和有限责任公司应运而生："股份公司"指公司的资产由多个投资者共同拥有；"有限责任公司"指公司作为"法人"单独存在，在企业运营不下去的时候，"有限责任"可防止投资者失去他们所有的财富。投资者根据他们在公司购买股份的多少来承担相应的责任。更小规模的企业可能会以合伙的方式来运营。那些渴望扩张业务的人都倾向于建立公司。

但是，公司改变全球经济的能力依靠的是相关的创新。在理论上说，股份公司的经理应受股东的牵制，股东参加年度会议并直接或间接通过非执行董事来对经理施加影响。但实际上，公司的主要约束力来自于股票市场。在市场每天有大量的公司股份（我们称它们为股份，股票或股权，你喜欢怎么称呼都可以）被买进和卖出。人们准备以什么价格来购买公司的股票，意味着：人们认为公司在未来会赚多少钱。事实上，可以说股票市场每小时都对上市公司进行公民投票：评估公司的管理水平、产品的吸引力以及公司主要市场前景。

股票市场也其有自身的发展规律。未来在很大程度上是不确定的，所以我们对于公司未来的盈利率的评估也必定不一样。如果我们都是计算机，我们会同步处理所有可用的信息，并得出相同的结论。但我们是人，有时只会看到眼前，并容易受情绪波动的影响。当股票市场价格集体上扬时，投资者就会受到一种"集体兴奋症"的控制。这种情况经常发生。这就是美联储主席格林斯潘曾说过的"非理性繁荣"。相反，当投资者的"动物心理"从贪婪变为恐慌时，那种早期欣喜的情绪带来的泡沫就会瞬间破灭。"动物学心理"这一比喻理应成为股票市场文化不可分割的一部分。股票市场上乐观的买家就好像“牛”，而悲观的买家就像“熊”。当今的投资者被称为“电子兽群”，在赢利时开心地吃草，在市场下跌时四散而逃。事实上，不管怎样，股票是反映人类心理的一面镜子。人们可能意志消沉，甚至完全崩溃，然而是希望还是健忘症，总能够让人们忘记那些惨痛的经历而洋洋自得。

自股票第一次被买卖到如今的400年间，金融泡沫反复出现。一次又一次，股价飙升到不合理的高度而后又急速下滑。一次又一次，这个过程总是伴随着欺诈。无耻的“内幕交易者”为牟取利润而不惜牺牲天真的新手的利益。我们对这种模式很熟悉，可以分为以下五个阶段：

1. 变革：经济环境发生的一些变化为某些公司创造了新的赢利机会。

2. 极度愉悦或交易过度：有关预期利润增长的利好消息导致股价快速飙升。

3. 躁狂症或泡沫：轻松的资本收益预期吸引了第一批投资者和想圈占财富的金融骗子。

4. 悲痛：内幕交易者看到过高的股价并不是依靠利润的支撑，于是开始抛售股票以赚取利润。

5. 厌恶或怀疑：随着股价下跌，外部投资人纷纷抛售，导致泡沫瞬间破裂。

股票泡沫有三个周期性的特征。第一，不对称信息的作用。关注泡沫公司经营状况的内幕交易者知道的内情往往比外部投资人多，并想骗取外部投资人的钱财。当然，这种不对称性现象在商业活动中总是存在的，而在泡沫时期，内幕交易者往往采取欺诈手段利用这些信息牟利。第二，跨境资本流动。当资本可以自由地从一个国家流动到另一个国家时，泡沫往往容易出现。在主要金融中心的经验丰富的投机家，也许缺乏内幕交易者的那种真实的内部信息，但是比较起那些天真的投资新手，他们能很好地把握时机——尽早购买并在泡沫破灭之前及时抛售。换句话说，在一场股市泡沫中，不是每个人都失去理性。但至少有一部分过度乐观派，相比而言不是那么理性。最后，也是最重要的一点，就是倘若没有宽松的信贷，真正的泡沫就不可能产生。这就是为什么诸多的泡沫追根溯源，要归结为中央银行的无所作为或者胡作非为的原因。

这就是为什么诸多的泡沫追根溯源，要归结为中央银行的无所作为或者胡作非为的原因。

股市泡沫反复出现的历史更清楚地说明人类很难从历史中汲取教训。读者可以从《商业周刊》了解到相隔只有20年的两个阶段。1979年8月13日，《商业周刊》封面上是一张皱巴巴地纸飞镖形状的股票证书画面，上面的标题是《股票之死：通货膨胀如何正在摧毁股市》，这无疑是告诉读者美国股市所面临的危机的严重性。

那时的人们纷纷从股市转向具有更高回报和更抗通货膨胀的投资领域。股票市场的最后希望——养老金已经得到批准，可以从股票、债券市场转到房地产市场、期货市场、黄金市场甚至钻石市场。“股票之死”看起来好像是永久的现实。

1979年8月13日那天，历史最悠久的美国股票市场指数——道·琼斯工业平均指数收于875点，与10年前相比几乎没有变化，低于其高峰期1973年1月的1 052点将近17%。15年一蹶不振的行情让人们变得悲观是可以理解的。但是没过几年，美国股市又回到了鼎盛的大牛市时期。在1982年8月道·琼斯指数探底（777点）之后，在5年之内又以超过3倍的速度上涨，在1987年的夏天升到了2 700点创纪录的高位。在1987年10

月短暂急剧的抛售调整后，道 · 琼斯工业指数又恢复了上升势头。1995 年之后，上升速度加快。在 1999 年的 9 月 27 日，道 · 琼斯工业指数收盘于 10 395 点，这就意味着在短短的 20 年间，主要的美国公司的平均价格增长了近 12 倍。就在那天，《商业周刊》的读者激动地看到这样一段话：

> 詹姆斯 · 格拉斯曼和凯文 · 哈赛特在《道 · 琼斯 36 000——在上扬的股市中牟利的策略》中提到：现在的形势无疑证实股市会达到 36 000 点。他们指出，市场就应该到 36 000 点，至少在 3~5 年后会达到这个目标，到那时投资者也会得到相同的结论。市盈率达到 30 倍[①]是远远不够的，按他们的预测，市场最合理的收益应该是能达到 100 倍。

但文章刊登之后不到 4 个月，互联网泡沫就破裂了，这是因为人们过于高估了技术公司的未来盈利率。到 2002 年 10 月，道 · 琼斯工业指数跌到 7 286 点，这是自 1997 年以来没见过的最低水平。在撰写本书的时候（2008 年 4 月），股票交易只能达到拉斯曼和哈赛特预测水平的 1/3。

衡量美国股票市场的表现的最佳方法，是将股票的总收益（包括股息的再投资收益）与其他金融资产，如政府债券、商业债券或国债的收益进行比较。后者可以被看做是一种短期手段，就像货币市场基金或银行的活期存款一样。我出生于 1964 年，如果我的父母那时候能投资少量金钱在美国股市，并且每年把赚的股利进行再投资，那么在 2007 年他们拥有的财富将是原始投资额的 70 倍。例如，投资 1 万美元就会变成 70 万美元。但是，债券和国债的盈利率相比之下会很低。一只美国债券基金只能增长 23 倍，而国债

① 美国市盈率长期平均值（自 1871 年）为 15.5，最高值出现于 1999 年，高达 32.6。现市盈率保持在 18.6（数据来自标准普尔 500 指数，历史数据参考全球金融数据）。

只能增长12倍，而且这个数字必须根据生活物价情况进行下调。在我这个年代，生活物价已经增长了将近7倍。所以事实上对刚才的数值进行换算，可以得出股票赢利增长了10.3倍，债券增长了3.4倍，而国债只增长了1.8倍。如果我的父母在1964年错误地只购买了1万美元的国债，那么他们为儿子准备的这笔财富按实际换算，就会缩水85%。

从长远来看，没有一个股票市场的表现能胜过美国股票市场。据估计，1920~1990年美国的长期实时股市收益率是4.73%，瑞典排名第二（3.71%），瑞士紧随其后（3.03%），而英国仅仅排名第十（2.28%）。在所研究的27个股票市场中，有6个至少遭遇过一次重大发展中断的情况，这主要是因为战争或革命造成的。在10个遭遇股市收益率负增长的市场中，包括委内瑞拉、秘鲁和哥伦比亚，而最糟糕的是阿根廷（–5.36%）。股票长期持有并非全球通用的秘方。尽管如此，在20世纪对于大多数能提供长期数据信息的国家来说，股票的盈利率是债券的5倍左右。这个数据并不让我们吃惊。正如我们在第二章所看到的，对于债券，政府所做的不过是承诺偿付利息，并在一个特定的时间偿付本金。但无论是通过拖欠债务还是通过货币贬值的方式，最终大多数政府无法兑现其承诺。而股票是一家赢利公司资产的一部分。如果公司经营业务成功，不仅会带来股利，而且会带来有效的资产增值产生的利润。当然，这其中也有风险。股票的收益与债券和国债相比更难预测也更不稳定。一家普通公司遭遇破产和消亡的可能性远远大于一个主权国家消亡的可能性。如果公司破产了，债券持有者或其他形式的债权人将首先获得赔偿，而股票持有人会一无所有。但经济学家们从“股权风险溢价”上看到了股票丰厚的回报率——很显然，在某些情况下，股票还是值得去冒险的。

泡沫制造者约翰 · 劳

在拥有华丽巴洛克风格的威尼斯圣莫伊塞教堂后面，在每年成千上万参观教堂的游客脚下，有一段显著但是常常被忽视的碑文：

“在此缅怀尊敬的爱丁堡约翰 · 劳，法国最著名的金融家。”

这不像是一个制造股票泡沫的人所安息的地方。

约翰 · 劳是一个野心勃勃的苏格兰人、一个罪恶的谋杀犯、一个上瘾的赌徒、一个有罪的金融天才，他不仅制造了第一次真正的资产泡沫，而且利用旧体制的君主国想改革金融体系的机会，直接或间接地引发了一场法国大革命。他的故事是惊人的，但也是最难理解的——这是金融历史上的冒险故事，也是这个时代的一个传奇。

约翰 · 劳于 1671 年出生于爱丁堡，是一个事业有成的金匠的儿子，是位于福思湾附近的劳瑞斯顿城堡的继承人。1692 年，约翰 · 劳来到伦敦，很快就将他继承的遗产用于各种商业投机中，并迷恋上了赌博。两年后，约翰 · 劳和他的邻居因为女人展开了决斗，在决斗中他杀死了对手，因此被判有罪，并被判死刑，但是最终他从监狱逃了出来，流亡到阿姆斯特丹。

对约翰 · 劳来说，当时没有比阿姆斯特丹更好的地方了。17 世纪 90 年代，阿姆斯特丹是世界金融创新的首都。正如我们在前述章节所看到的，16 世纪晚期，荷兰人为了在财政上资助摆脱西班牙统治、争取独立的斗争，改革了意大利的公债体系（他们推出了“抽签公债”——允许人们在投资国债方面进行赌博）。荷兰人同时也改革了货币，创立了可能是当时世界上的第一家中央银行——阿姆斯特丹外汇银行（威瑟尔银行），通过创造一种可靠的银行货币形式，解决了铸币成色不足的问题（参见第一章）。不过，荷兰人最伟大的发明也许是创建“股份公司”。

有关股份公司的故事发生在约翰·劳到那里之前，故事起因是荷兰商人企图抢占葡萄牙和西班牙在亚洲利润颇丰的香料生意。欧洲喜欢使用香料，其中包括桂皮、丁香、豆蔻、肉豆蔻、胡椒等，不仅用来做食品调料，还用它们腌制保存食物。几个世纪以来，这些商品通过香料之路，从亚洲转运到欧洲。但随着葡萄牙发现通过好望角从水路进入东印度群岛的新航路之后，这个新的、诱人的商机被打开了。阿姆斯特丹的历史博物馆收藏了很多画卷，这些画卷描述了荷兰的船只通过这条航线往返于东印度群岛的历史。有个早期记载写道：“为了获得香料，四艘船向万丹驶去，并设立了贸易港口；回到阿姆斯特丹的时候，船上装满了货物。出发日期是1598年5月1日，抵达日期是1599年7月19日。”这表明，这次往返旅途是很漫长的(14个月事实上低于平均水平)。它往往也伴随着危险：1598年起航的22艘船，只有12艘安全返回。鉴于这个原因，商人们往往愿意一起与同行共同分享资源。截至1600年，大约有6家东印度公司的经营范围已经超出荷兰主要港口之外。不管怎样，这些公司事先都有一个期限——通常是预计航行时间，超过这个期限，资金就会被返还给投资者。然而，这种商业模式不能建立一个必要的、永久的基础和防御系统，来对付葡萄牙和西班牙对手的挑战[①]。基于战略考虑和利益的驱动，荷兰的议会，也就是联省议会提议将现有的公司合并成一个整体，成立了联合东印度公司（简称VOC)。联合东印度公司于1602年获准成立，享有荷兰在好望角东部和麦哲伦海峡西部的所有贸易的垄断权。

---

① 1580~1640年，西班牙和葡萄牙克朗是统一的。

联合东印度公司的结构在几个方面来说都是新颖的。和它的前身一样，联合东印度公司的运营也有固定的期限——21 年。根据它的特许状第七项条款：投资者在 10 年末有权收回他们的资金。当时，联合东印度公司的规模是空前的。所有联合省的居民都有权购买该公司的股份，联合东印度公司的《章程》没有限定投资的上限。商人、技工甚至仆人都争抢购买该公司股票。在阿姆斯特丹就有 1 143 名认购者，有 80% 的认购者投资超过 1 万荷兰盾，只有 445 人的投资不到 1 000 荷兰盾。居民投资的总金额达到 645 万荷兰盾，使得联合东印度公司成为该地区最大的公司。而它的英国竞争对手——早在两年前就建立的东印度公司的资产才有 68 373 英镑（相当于 82 万荷兰盾），股票购买者只有 219 名。因为联合东印度公司是一个政府投资的企业，所以政府会竭尽全力克服各地之间的竞争（特别是最富有的荷兰省与泽兰省之间的竞争）。公司的资产会在 6 个地区（阿姆斯特丹、泽兰、恩克赫伊曾、代尔夫特、霍伦和鹿特丹）议会间分配，虽然这种分配是不太公平的。公司设有 70 名董事，也是最大的投资人，董事名额将会被分配到地区议会中。董事起的一个作用就是任命 17 个人作为“17 人议员团”——这有点像公司的董事会。虽然阿姆斯特丹占联合东印度公司总投资的 57.4%，但它只能提名 17 名议员中的 8 人。迪尔克 · 巴斯是创立总裁之一，这个唯利是图的人（从他的肖像推断）永远不会觉得巨额的财物会带来什么麻烦。

联合东印度公司的所有权被分成了多份（partijen or actien）——字面上的意思就是“参与权”。股份收益的支付是分期的，到期日分别是 1603 年、1605 年、1606 年和 1607 年。公司所发放的证书不是现代意义的股票证书，更像是收据。法律上重要的文档是联合东印度公司股东分户账，这个账目记

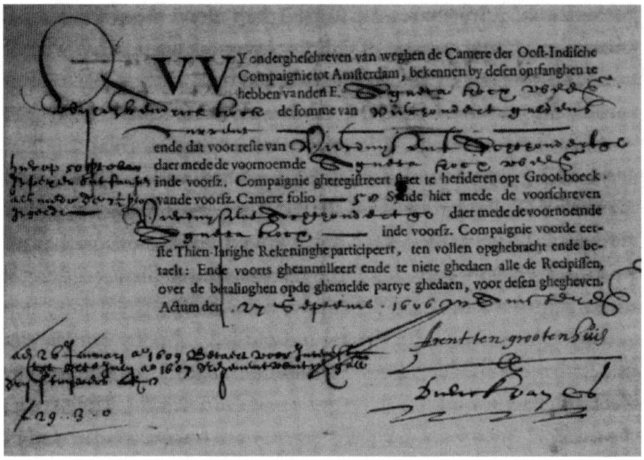
VVY ondergheschreven van weghen de Camere der Oost-Indische Compaignie tot Amsterdam, bekennen by desen ontfanghen te hebben vanden E. ... de somme van ...
ende dat voor reste van ... daer mede de voornoemde ... inde voorsz. Compaignie gheregistreert staet te herideren opt Groot-boeck vande voorsz. Camere folio — 50 Sijnde hier mede de voorschreven ... daer mede de voornoemde ... inde voorsz. Compaignie voorde eerste Thien-Iarighe Rekeninghe participeert, ten vollen opghebracht ende betaelt: Ende voorts gheannulleert ende te niete ghedaen alle de Recipissen, over de betalinghen opde ghemelde partye ghedaen, voor desen ghegheven. Actum den . 27 September . 1606

▲ 最古老的股票：荷兰联合东印度公司的6号股票（不是严格意义上的股票，而是一种股票分期支付的收据）于1606年9月27号由Camere Amsterdam公司发行，并由阿伦特·坦恩·格罗恩和德里克·万·奥斯签署。

录了所有股东的名字和他们购买的日期。有限责任的原则在这里得到了体现。如果公司倒闭，股东们只会失去他们在这个公司的投资款，而不会失去其他的财产。换个角度来说，就是不保证股东一定会有收益。根据联合东印度公司《章程》第17条规定：只要利润达到原来投资额的5%，股东就会获得收益。

事实上，联合东印度公司的商业成功不是一蹴而就的，它需要建立贸易网络，运作模式和安全基础。1603~1607年间，总共有22艘船装备好被派往亚洲，花费成本近370万荷兰盾。这一次行动起初目的是为了建立一系列的工厂（硝石精炼厂、纺织品生产设施和仓库），以工厂生产的产品用来兑换香料。早期荷兰对抗葡萄牙人的成功，是在孟加拉湾和位于马鲁古群岛的安波那小岛（今天的安汶岛）建立了据点。但是在1606年，马特列夫将军抢占马六甲海峡的行动未果，在攻占马基安岛（另一个马鲁古岛屿）时被一支西班牙舰队成功击退，而后企图在班达岛（班达岛有最大的肉豆蔻生产区域）建立一个贸易站也惨遭失败。到1608年联合东印度公司与西班牙签订12年的休战协定的时候，他们俘获敌军战舰所赚的钱远比从贸易中来的钱多。联合东印度公司主要的投资者彼得·里津特斯对公司的好战行为感到非常恐慌，所以在1605年离开了公司。另外一个早期的董事艾萨克·梅尔也离职以抗议公司的错误管理。

但是，即便是大股东，他们的权力又有多大呢？事实上他们的权力很小。公司的董事们向政府请愿，要求在1612年能够公布10年的账目。1612年也是投资人能自由撤出他们投资的时间——如果他们想那么做的话。他们的请愿得到了认可，但是公布账目和清偿投资人资金的事却被拖延了下来。唯一有利于股东的是，在1610年，“17人议员团”同意支付下一年的股利，而且股利不得不以香料的形式支付，尽管这个时期公司也缺乏现金。1612年，公司宣布不会照原计划一样被清算，这就意味着任何股东想要回他们的现金，只有将他们的股票卖给其他投资人，否则就别无选择。

股份公司和股票市场的成立相差不过几年的时间。在第一家上市公司刚成立并第一次公开发行股票时，二级市场就产生了，股票可以在这个市场自由买卖。实践证明，这是一个典型的流动市场。联合东印度公司股票的流通率很高，截至1607年，公司大约1/3的股票已经从原购买者手中转移。此外，由于公司的账簿不经常公开，购买登记按每月或每个季度进行，因此从事联合东印度公司股票远期交易的活跃的期货市场就很快产生了。这种交易开始是在非正规的位于沃莫斯特或靠近奥德可科的露天市场上进行的。由于对联合东印度公司股票交易的市场很活跃，1608年荷兰政府决定在距离市政厅不远处建立一家正规的室内证券市场。这个四角形建筑拥有柱廊和钟塔，是世界第一家证券交易所。它诞生的重要意义不亚于建立牛津大学的意义。在每个工作日的中午到两点之间，这里发生的情况是前所未有的。这是在股市快要收盘时候捕捉到的一幕：人们握手之后，紧接着是大声呼叫、辱骂、行为放肆、互相推搡。股价拉抬者对抗打压者。一个惴惴不安的投机者“咬着他的指甲，搓弄着手指，闭着眼，连走四步，四次自言自语，不时托腮，好像他牙很痛，他做所有这些行为的同时都发出奇怪的咳嗽声”。

在这个时期（1609 年），阿姆斯特丹外汇银行也成立了。这绝非巧合，因为没有一个有效的货币系统，股票市场不可能良好运作。一旦荷兰的银行家们开始接受联合东印度公司股票作为贷款的担保，股票市场和贷款发放之间的联系就形成了。银行会把钱贷出，股票的购买就和贷款联系在一起。公司、交易所和银行为建立新经济奠定了一种三角关系的基础。

那时，以前董事麦热为首的联合东印度公司的反对派，想通过对公司董事施加压力来开发新的市场。他们联合一致，企图通过做短线，在期货市场上做空股票，以此来打压联合东印度公司股票的价格。但是，1611 年的股息发放击碎了麦热及其同党的阴谋。而后现金红利也于 1612 年、1613 年和 1618 年发放。联合东印度公司的反对派（也称与公司意见不合的投资者）并没有感到满意。在 1622 年出版的名为《必要的言论》的册子中，匿名的作者悲叹联合东印度公司缺乏透明度，某些董事实施的是以自我服务为目的的管理，董事们就是要让“一切保持黑暗”，“我们所猜测的账本肯定被卖了并被喂狗了”。反对者要求董事的任期应该有固定期限，所有主要的股东都应该有权任命董事。

这次要求改革联合东印度公司管理制度的行动是卓有成效的。1622 年 12 月，当公司的《章程》更新时，公司管理体制发生了重大改变。董事们不再是终身制，而是改为 3 年一个任期。那些“主要的参与者”（拥有和董事一样股权的股东）也有权在他们中间提名“9 个人”，“17 人议员团”在“重大事项”方面必须征求这 9 个人的意见，而且这 9 个人有权监管 6 个议院每年的账户，并且能和“17 人议员团”一起提名未来董事的候选人。此外，1623 年 3 月，与会者一致认为，这“9 个人”将有权出席（但不投票）“17 人议员团”的会议，并审查年度采购账目。主要参与者还有权任命审计员，检查账目并提交给等级代表。股东们对于决定在 1632 年建立 12.5% 的股息标准感到欣慰，这是公司借钱利息的两倍。这项政策的结果是，几乎所有公司的净赢利后来都被分发给了股东。股东们还获得了不稀释他们股权的保证。令人惊讶的是，在联合东印度公司存续的整个期间，其资本金基础基本上保持不变。当资本支出时，联合东印度公司筹集资金的方式不是靠发行新股，而是靠发行债券。事实上，联合东印度公司到 17 世纪 70 年代已建立起良好的信用，能够为荷兰和泽兰两省的 200 万荷兰盾贷款充当中间人。

当然，如果荷兰联合东印度公司无法在 17 世纪中叶赢利的话，以上这些改革也就难以维持。这期间公司取得的成就很大程度上要归功于简 · 皮特森 · 科恩，他是一个对商业和威慑的联系从未抱有幻想的好斗的年轻人。如他自己所说：“战争因贸易而起，贸易为战争而生。”他对竞争对手极端无情，处决了英国东印度公司在安波沙洲的头目，有效地肃清了班达群岛上的原住民。作为一位天生的帝国缔造者，科恩于 1619 年 5 月占领了爪哇岛的查雅加达，将其重新命名为巴达维亚，刚刚年满 30 岁的他正式成为荷属东印度群岛的首任总督。他和继任者安东尼 · 范 · 迪门逐步扩大了荷兰在该地区的影响力，将英国人赶出了班达群岛，把西班牙人逐出了得那第和底多莱岛，将葡萄牙人挤出了马六甲。到 1657 年，荷兰人控制了锡兰（今斯里兰卡）的大部分；之后的 10 年里，又将势力延伸到次大陆上的马拉巴海岸以及西里伯斯岛（今印尼苏拉威西岛）；另外，还在科罗曼德尔海岸建立起了基地。荷兰的帆船一来从事海外贸易，二来进行军事扩张。今天在荷兰海岸边的莱利斯塔德，还可以见到当年的帆船之一——巴达维亚号光彩壮观的复制品。

这种扩张战略的商业回报是丰厚的。到17世纪50年代，荷兰联合东印度公司已经有效地垄断了丁香、玉米和肉豆蔻香料等商品的出口，创造了巨额的利润。只是因为胡椒的生产分散广泛，所以未能形成垄断。另外，该公司逐渐成为印度纺织品从科罗曼德尔出口的主要通道，它起到了亚洲圈内贸易枢纽的作用。它用日本的银币和铜币，换来印度的纺织品以及中国的黄金和丝绸。反过来，印度的纺织品可以从太平洋诸岛换来胡椒和香料，这些东西可以用于购买产自中东的贵金属。后来，荷兰联合东印度公司又向其他在亚洲的欧洲人提供金融服务。尤其是罗伯特·克莱夫，他将自己从占领孟加拉所得的巨额财产，经由巴达维亚和阿姆斯特丹转移回伦敦。作为世界首家大集团公司，荷兰联合东印度公司有能力既保持规模优势，又使交易成本降低，还能产生具有经济学家所称的“网络外部性”，即在诸多雇员以及代理人之间共享信息的能力。与英国东印度公司类似，荷兰联合东印度公司面临的最大挑战是“委托代理”的问题：其代理负责人常常进行私人贸易，失误频频，或是干脆诈骗公司。然而从一定程度上来讲，这些行为由一种补偿机制所遏制，这种补偿机制将酬金与投资和销售业绩挂钩，首先强调交易额而非净利润。当地商业因此而兴盛。到17世纪20年代，50艘荷兰联合东印度公司的帆船从亚洲满载商品而归；到17世纪90年代，船只规模扩大到156艘。1700~1760年间，返航绕道好望角的荷兰船舶总吨位上涨1倍，到1760年大约是英国船舶吨位的3倍。

荷兰联合东印度公司的政治地位和经济地位不断上升，可以归因于它的股票价格。过去，阿姆斯特丹股票市场波动性很强，关于战事、议和以及海上事故的传言，都会让投资者有所反应，这些反应都生动地记载在《混沌中的混沌》（1688 年）一书中。该书的作者是西班牙裔犹太人约瑟夫 · 彭 · 德拉维加，书名是由他精心拟定的。但是，在荷兰联合东印度公司成立之后的一个多世纪，公司股票价格长期的发展趋势是向上的。1602~1733 年间，公司的股票由标准价格（100）蹿升到创纪录的 786，尽管从 1652 年到光荣革命这段时间，荷兰联合东印度公司面临着来自英国方面的严峻挑战。持续升值的资本再加上定期的股息和稳定的消费者价格①，使得像德克 · 巴斯这样的大股东变得非常富有。早在 1650 年，荷兰联合东印度公司总股利已经达到了最初投资的 8 倍，这也意味着每年有 27% 的增长率。然而，荷兰联合东印度公司泡沫的产生也是从未有过的，这一点是最令人惊奇的地方。与 1636~1637 年的郁金香期货泡沫不同，荷兰联合东印度公司股票价格的攀升是缓慢的，持续了一个多世纪。尽管后来股票迅速跌落，但是足足等到 60 年后的 1794 年 9 月，股价才回落到 120。这一升一降，切实反映了荷兰帝国的兴衰。其他贸易垄断公司的股票，表面上与联合东印度公司类似，但是其表现却大相径庭，往往数月之间便经历了蹿升和狂跌。要想了解其中的原因，我们必须重新研究约翰 · 劳。

金融体制的革命

对于约翰 · 劳这位叛逆的苏格兰人而言，荷兰的金融发展仿佛是一种

① 阿姆斯特丹银行成功的佐证之一便是消费价格通胀率从 1550~1608 年的年均 2%，下降到 1609~1658 年的年均 0.9%，而到了 1659~1779 年，通胀率则仅为年均 0.1%。因此，与现代股票市场除去通货膨胀因素后的表现相比，荷兰东印度公司股价将近 8 倍的涨幅着实成绩斐然。

启示。联合东印度公司，外汇银行以及股票交易之间关系错综复杂，令他十分着迷。好赌的他发现，位于阿姆斯特丹的证券交易所比任何赌场都要刺激。交易所里短线卖主动作滑稽夸张，传播负面新闻，试图压低荷兰联合东印度公司的股价。那些“风中成交”的专家从事股票投机交易，而他们自身却并不拥有这些股票。这些情形都让劳感到眼前一亮。金融上的新花样无处不在。劳的脑中浮现出一个天才的计划，确保荷兰国家债券的持有者免于提取空头支票。

然而，劳认为荷兰的金融体系是不健全的。一方面，限制联合东印度公司的股票数量似乎是错误的，因为市场对股票的需求很大。另一方面，阿姆斯特丹外汇银行的保守态度让劳也大为不解。阿姆斯特丹外汇银行发行的“银行货币”已经证明取得了巨大的成功，但是仅仅限于银行账簿上的几行数字而已。除了出示给商人的收据能够证明其将钱存到了银行，但这些钱根本没有实体存在。于是，将垄断贸易公司的资产存入某家公立银行，并以英格兰银行的名义发行银行票据这种对现有金融体系进行大刀阔斧改革的想法在劳的脑海中形成了。不久，他便渴望在一个具有足够信誉的国家试行一种全新的金融体制。但是，在哪个国家呢?

劳首先尝试在热那亚碰碰运气，从事外国货币和证券的交易。而后，他在威尼斯逗留了一段时间，白天做股票交易，晚上赌博赚钱。他还与艾莱伯爵合伙投资，在伦敦股票市场建立了大量的投资组合。(曾经是罪犯的劳人脉极广，但是人们对其生活作风仍存质疑。班伯里伯爵的女儿凯瑟琳·诺尔斯成了劳的妻子，还为他生育了两个孩子，尽管她曾经有过一段婚姻。)1705 年，劳向苏格兰议会提交了成立新银行的申请，之后冠以《货币和贸易审议》的标题将其出版。他的中心思想是，要求新成立的银行发行带有利息的票据，以取代金银硬币进行流通。但是在苏格兰与英格兰签订联合法案之前不久，该项提议遭到苏格兰议会的否决。带着对故国的失望，劳前往都灵，终于在 1711 年得到了萨沃伊公爵维克多 · 阿玛迪斯二世（Victor Amadeus II）的赏识。《皮埃蒙特备忘录》中记载，劳再次阐述了发行纸币的原因。在他看来，唯有信任才是公众信誉的基石；有了信任，纸张票据能和金银硬币一样顺利流通。“我已经发现了点石成金的秘密所在，”劳告诉他的一位朋友，“那就是点纸成金。”可是后来，据说公爵并未采纳其意见。公爵说：“我的钱还不足以让我毁灭自己。”

第一次泡沫

约翰 · 劳为什么能够得到在法国试验其金融魔法的机会？法国人清楚劳的本来面目：1708 年，时任路易十四外交大臣的托尔西侯爵就曾称劳为职业赌徒，还有可能是间谍。问题的答案就在于，当时法国的财政状况十分糟糕。路易十四连年征战，法国政府负债累累，在不到一个世纪的时间里三次濒临破产。我们有必要去审视这个王国的负债状况。法国政府要减免大多数债务，其实无异于拖欠偿还。即便如此，为了弥补财政赤字，法国政府仍需发行 2.5 亿附息新国债。另外，法国政府试图减少金银硬币的流通量，则必将导致经济衰退，整个国家形势也就变得更糟。对于以上这些问题，劳声称有解决办法。

1715 年 10 月，劳关于建立发行公共票据银行的申请首次递交法国皇家委员会，其中提出银行应该充当皇室的收银员，征收所有赋税的意见。由于诺阿耶公爵反对这些大胆的建议，申请遭到否决。劳第二次申请只是提出建立私人银行，因此得以顺利获准。在劳的监管下，法国兴业银行于1716年5月建立，规定发行的票据由实物（金或银）偿还，期限是20年。股票总价值定为600万里弗尔（1 200股，每股5 000里弗尔），其中3/4用以偿还多少有些贬值的国有债券（所以有效的资本接近285万里弗尔）。这起初似乎只是很小的产业，但是劳的心中一直酝酿着宏伟的规划，他决定将其资产卖给奥尔良公爵（即路易十五幼年时期的摄政王）。1717年，他又更进一步规定，法国兴业银行的股票可以用来支付所有的赋税。这起初在某些地方遭到抵制，但是在政府的干预下得以有效实行。

劳立志通过建立荷兰模式的公有银行，以重新树立法国的经济信心，而唯一的不同点是法国的公有银行将会发行纸币。由于货币都被投入银行之中，政府的巨额债务就会得以控制，同时，纸币的流通会刺激法国的贸易发展，进而重振其经济实力。“银行并不是我的唯一，也不是我最宏大的想法。”劳告诉摄政王，“我要完成一项工作，它所带来的剧变将会震惊整个欧洲。这种剧变无疑是有利于法国的，它将会产生比发现印度更为强大的冲击力。”

劳曾经在荷兰共和国学习金融学，而从一开始，他便认为绝对专制的法国是其理想体制的最佳试验地。“我认为，”劳写道，“比起权力受限的君主，一位深谙权术的专制君王能够将其信誉传播得更远，也能够以更低的利息获取需要的资金。”这是一种专制主义的金融理论，其根据是“无论是信誉还是军事、法律权威，绝对权力必须集中在一个人身上。”其中的关键在于，即使国王举债勉强维持战事，也要使王室的信誉比过去更有效。在劳的体系里，君主可以将信誉有效地传授给“贸易公司，使之成功吸纳王国内所有的贸易物资，积聚成一体”。整个国家，就像劳说的那样，“会变成一个贸易体，由皇家银行提供货币，进而使商业、货币和商品重新结合起来。”

在荷兰的例子中，帝国在劳的心目中扮演了关键的角色。他认为，法国在开辟海外领地方面努力甚少，因此提议接管法国同路易斯安那地区的贸易。那时，路易斯安那是一片广袤却未曾开发的土地，从南端的密西西比河三角洲一直向北延伸到北美洲中西部地区，其面积基本相当于今天美国国土面积的1/4。1717年，一家新成立的“西部公司”获得了路易斯安那的商业垄断权，期限是25年，公司资金限制为1亿里弗尔。这个数目在法国是从未有过的。公司股票每股定价为500里弗尔，鼓励各个阶层的法国公民以及外国人用国债前来购买（分批）。这些国债即将退市，可以统一兑换为4%的公债（永久债券）。劳的名字赫然位列公司董事会之首。

最初有些人对劳的体制提出抗议，这是事实。圣·西蒙公爵就曾明智地评论道：

> 建立这种体制本身也许是好意，但是仅限于共和国或是像英国一样的君主立宪国，在这些国家里，控制财政的人同时也是供给财政的人，并且根据个人意愿决定供给量。而像法国这样积贫积弱、摇摆不定的专制国家稳定性不足；国王可能会废除银行，这种诱惑是极其巨大的，操作起来也很容易。

就像是要证明上面所说内容的预见性一样，1718年年初，法国新任财政大臣热内·阿尔让松宣布金银硬币贬值40个百分点，紧接着巴黎议会就对他（也对劳的银行）进行了猛烈的抨击，声称这项决议造成的“混乱规模庞大，把局面搞乱了，以至于无法看清事情的真相”。而与此同时，由劳的竞争对手帕里斯兄弟创办的公司较之西部公司更成功地吸引了投资者。然而，摄政王以一种极为专制的方式强硬地重申了王室的特权。这十分符合劳的利益，令他满心欢喜。（“专制力量是多么强大，”他写道，“尤其是在一个机构成立之初，面对着尚未习惯新事物的国民反对之时。”）另外，从1718年年末开始，法国政府授予西部公司诸多特权，旨在增强其股票的市场吸引力。8月，西部公司取得了烟草买卖征税权，12月又获得了在塞内加尔的优先经营权。为了进一步巩固劳的地位，法国兴业银行随后取得了皇家审批权：1718年12月法国兴业银行改组为皇家银行，实际上成为法国首家中央银行。为了增加市场吸引力，皇家银行的纸币既可以用银行的埃居（代表固定数量的银币）兑换，也可以通过更为流行的图尔里弗尔（一种计量单位，其与金银的比率会变动）进行兑换。然而到了7月，埃居停止在法流通，而1719年4月22日颁布的一项法令规定银行票据不会像银币一样经历周期性贬值。法国从金银硬币时代向纸币时代的转变开始了。

与此同时，西部公司继续扩张，于1719年5月接管了法国在东印度和中国的公司，合并成为印度公司，也就是为世人所知的密西西比公司。同年7月，劳取得了皇家铸币厂9年的利润所有权，8月又从竞争对手那里夺取了间接税的包税租赁权，而他的对手刚刚拥有这项权利才一年。9月，密西西比公司决定借给国王12亿里弗尔，用于支付整个王室债务。一个月之后，劳又控制了直接税的征收权。

劳对自己创造的体制十分自豪。他写道，之前的体制无非是一种“货币接受和支付的手段。你拥有一连串彼此印证的想法，这些想法越来越能揭示出其思想的本源。”用现代的话说，当时劳试图推行的是“通货再膨胀”。1716年的法国经济已呈衰退迹象，而劳用发行银行票据扩大资金供给量的做法明显给经济注入了急需的强心剂。同时，他试图（并非盲目地）将管理低下、负担重重的公债转变为由私人征税支撑的垄断贸易公司的资产。如果他能够成功，法国王室财政困难的历史便会结束。

但是，劳不清楚何时收手。随着自己成为公司的控股股东，劳对放任货币供应扩张产生了强烈的个人欲望。自家的银行可以发行货币，刺激财产泡沫的扩大，从中牟取暴利，这就如同一个人在同时主宰美国所有的500强公司、美国财政部以及美联储。这样的人会冒着大规模投资份额缩水的风险，提高公司税或利率吗？进一步讲，劳的体制要么创造经济泡沫，要么走向灭亡。劳兼并其他各类企业和包税公司，用的并非自己公司的利润，而是简单地发行新的股票。到了1719年6月17日，密西西比公司发行了5万新股，每股售价550里弗尔（尽管每只股票面值500里弗尔，同之前的西部公司同一标准）。为了保证发行顺利，劳亲自签名担保，他自己承认，这次类似赌博的交易让他整夜未眠。为了避免公众指责股价上升而自己独吞利润，他给予西部公司的股东购买这份新股的专购权（这些新股被戏称为“女儿股”，而公司的最初集资股则为“母亲股”）。1719年7月，劳第三次发行了5万新股（孙女股），此时售价已经升到每股1 000里弗尔，结果共筹得5 000万里弗尔，用以支付皇家铸币厂的运营。从逻辑上讲，这种对现有股东的稀释作用应当使

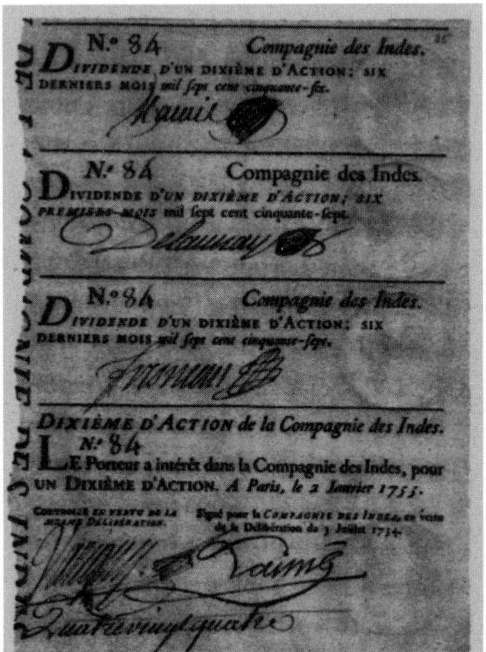
N.° 84 Compagnie des Indes.
DIVIDENDE D'UN DIXIÈME D'ACTION: SIX DERNIERS MOIS mil sept cent cinquante-six.

N.° 84 Compagnie des Indes.
DIVIDENDE D'UN DIXIÈME D'ACTION; SIX PREMIERS MOIS mil sept cent cinquante-sept.

N.° 84 Compagnie des Indes.
DIVIDENDE D'UN DIXIÈME D'ACTION: SIX DERNIERS MOIS mil sept cent cinquante-sept.

DIXIÈME D'ACTION de la Compagnie des Indes.
N.° 84
LE Porteur a intérêt dans la Compagnie des Indes, pour UN DIXIÈME D'ACTION. A Paris, le 2 Janvier 1755.

▲投机目标：密西西比公司仅余1/10的股票

单只股票价格下降，而劳是怎么让股票发行价翻倍的呢？

从表面来看，更高股价的产生是由于密西西比公司对未来从路易斯安那可能获得的利润回报作出了承诺。这也是为什么劳如此费力地鼓吹殖民地的美好前景，将其比做真正的伊甸园的原因：园内居住着友善的蒙昧民族，那些异邦之物可以装船运往法国。为了开展贸易，密西西比公司在密西西比河口建造了一座新城市——新奥尔良，如此命名是为了谄媚于多情善感的摄政王。正如我们所知，这份理想的图景并非毫无根据，但要真正实现则需要多年努力。的确，数千来自莱茵兰、瑞士以及阿尔萨斯的德国贫民被征调过来，扮演了殖民者的角色，但是这些不幸的移民在到达路易斯安那之时，看到的却是一片潮湿闷热、蚊虫滋生的沼泽地。不到一年，他们当中的80%便死于饥饿或热带疾病，比如黄热病[①]。

短期之内，劳需要用一种新的方式来支付40%的股息。这个问题通过发行纸币得以解决。从1719年夏天开始，那些希望持有“女儿股”和“孙女股”的投资人得到了皇家银行的慷慨资助，后者允许股东借钱，并用所持股票作为担保品，将所得的资金用于投资更多的股票。可以预见的是，股票价格飙升。最初的“母亲股”价格从8月1日的2 750里弗尔涨到8月30日的4 100里弗尔，然后于9月4日达到5 000里弗尔。这轮升值诱使劳又在市场上投放了10万新股。之后的9月28日和10月2日，劳又分别投放了相同数量的股票，紧接着，两天后的10月4日又小规模投放了24万新股(尽管这次并未公开发行)。1719年秋天，公司每股价格越过9 000里弗尔大关，并于12月2日创下新高（10 025里弗尔）。1720年2月的非正规期货

① 今天，劫后余生者的踪迹在圣查尔斯、圣雅各和圣洗礼约翰的阿卡迪亚教区仍依稀可寻。

市场中，交易支付价格甚至达到 12 500 里弗尔。公众欢快娱乐的心情很快变得近乎疯狂。

有人似乎感到事出蹊跷。“所有的巴黎人都疯狂了吗？”1719 年伏尔泰在给蒙·得·热内维尔的信中写道：“这是一场捉摸不透的混乱。”爱尔兰银行家和经济学家理查德·坎蒂隆确信劳建立的体制终将崩溃，他变卖家财，于 1719 年 8 月初离开巴黎。在伦敦，丹尼尔·迪福的态度更显蔑视：法国人只是在“追逐一阵装饰精美的空气”。劳的事业代表了一种新的成功的生活方略，对此迪福讥讽道：

> 你需手握长剑，砍死一两个花花公子，然后被抓进监牢，判处绞刑。如果你本事够大，可以越狱而逃——谨记这条路：前往某个陌生国度，倒卖股票，发行密西西比股，使整个国家一片泡沫，不久你就成了伟人。当然，你也得有超凡的好运。

大多数富裕起来的巴黎人经不住劳的诱惑。劳手握自己印制的叠叠钞票，提出要延期支付养老金，而实际上却提前支付，这得到了权贵阶层的绝对拥护。1719 年 9 月，成群的股民涌向坎康普瓦大街。这条大街其实是夹在圣马丁大街和圣丹尼斯大街之间的狭窄通道，密西西比公司的股票发行办公室就设在此处。一位英国使馆的职员形容道：“从清晨到深夜，这里聚满了王族子胄、大臣公爵以及贵夫人，一言以蔽之，囊括了整个巴黎的体面人物。他们变卖资产，典当珠宝，为的是购买密西西比公司的股票。”玛丽·沃特利·蒙塔古夫人曾经于 1719 年造访巴黎。她这样写道：“我很高兴能在巴黎遇见一个彻底的英格兰人（至少是英国人），我是指劳先生，他对待那些法国公爵和重臣是如此傲慢，而他们对他却是无比尊崇和屈就。”

▲1719年坎康普瓦大街街景一角，选自雕刻作品《愚蠢的大场面》

就在这样一个狂乱的年代，“百万富翁”（millionaire）一词首次出现（和企业家一词一样，百万富翁一词也是诞生在法国）。

为了获取担任公共官职的资格，约翰·劳皈依天主教，因此他出现在那年12月10日的弥撒祭礼上也就不足为怪了。他有许多理由要感谢上帝。接下来的一个月，劳被任命为财政大臣。功德圆满的他目前控制着：

法国全部间接税的征收权；

法国全部国债；

法国26座铸币厂，生产帝国需要的金币、银币；

路易斯安那殖民地；

密西西比公司，该公司垄断了烟草的进口和销售；

法国与加拿大的毛皮贸易；

法国同非洲、亚洲以及东印度地区的贸易。

凭着自身的头衔，劳还拥有：

位于黎塞留大街上的尼维斯酒店（现在是法国国家图书馆）；

马札然宫，公司的办公所在地；

征服广场（后改为路易大帝广场）超过 1/3 的建筑；

20 多座乡间地产；

路易斯安那的几家工厂；

1 亿里弗尔的密西西比公司股票。

法国国王路易十四曾经说过："朕即国家。"约翰·劳也可以宣称："我就是经济。"

约翰·劳也可以宣称："我就是经济。"

泡沫破灭

事实上，约翰·劳更喜欢赌博，而不是祈祷。例如，1719 年 3 月，他曾与波旁公爵下注 1 000 个金路易，赌那年冬天和春天不会结冰（结果他输了）。还有一次，他下注 1 万金路易在一点来跟一个朋友打赌，说他不可能用六个骰子一次掷出想要的点数（那次他很可能赢了，因为赌胜的可能性是 6 的 6 次方比 1，即 46 656 比 1）。但是，他最大的赌注压在了自己创造的金融体系上。1719 年 8 月，据一位不安的英国外交官报道，劳在"每日话语"中说道，他要使"法国达到比以前更高的层次，能够对整个欧洲发号施令；他希望随时可以毁掉英格兰和荷兰的一切贸易和信誉；希望毁掉我们的银行以及东印度公司，只要他心中有这样的念头"。为了证实自己所言非虚，劳与伦敦德里伯爵托马斯·皮特（首相威廉·皮特的叔叔）打赌说，英国股价将在未来的一年下跌。之后他出售了面值 10 万英镑的英国东印度公司股票，得到18万英镑的收入（即股价是180英镑，超过面值80%），并于1720年8月25日进行交割（1719年8月末的股价是194英镑，偏离了劳最初关于价格下降的预期）。

然而，劳的信心并未持续受挫。就在他出任财政大臣之前，我们前面所说的泡沫循环中五个阶段中的第四个阶段的现象首次开始呈现。1719年12月，密西西比公司的股价开始下跌，于12月14日降至7 930里弗尔。劳利用应急办法，使股价重新攀升。他在皇家银行设立部门，用以保证股票买卖的最低价格为9 000里弗尔。2月22日，似乎是为了简化一切交易程序，劳宣布密西西比公司接管了皇家银行，并且斥资提供期权，赋予期权拥有者在接下来6个月内以1万里弗尔购买一股的权利（11 000里弗尔是有效的价格，要比1月8日实际最高值10 100里弗尔还多900里弗尔）。这些举措足以使密西西比公司股价保持在9 000里弗尔之上，直到1月中旬（尽管股价下跌使期权的引入毫无效用，但是劳仍然慷慨地允诺股东以每股10倍的利率转化股票）。

尽管如此，股票市场外的通货膨胀仍在不断加速。在1720年9月通货膨胀最严重的时候，巴黎股票价格与两年前相比已基本翻番，尤其是在这之前的11个月内增长极为迅速。这种现象反映出，劳主张的货币流通规则引发了物价极为罕见的增长。在仅仅一年多一点的时间里，流通中的货币便翻了一番。截至1720年5月，法国货币总供应量（包括公众持有的现金和股票，因为后者可任意转化为现金）已基本上增长为原来的4倍，这是相对于里弗尔来说的，而不是法国旧货币制度中的金银硬币。不足为奇的是，有些人开始预见到货币的贬值，而将货币兑换成金银。作为专制主义者，劳的最初反应总是实施强制措施——钞票成为了法定货币，金银被禁止出口，金银产品也被禁止生产和销售。截至 1720 年 2 月 27 日，私人持有 500 里弗尔以上的金银硬币都会被视为非法行为。该措施被政府授权有关部门通过挨家挨户搜索的形式强制实施。伏尔泰称为“最不公平的法令”以及“专制谬论的极限”。

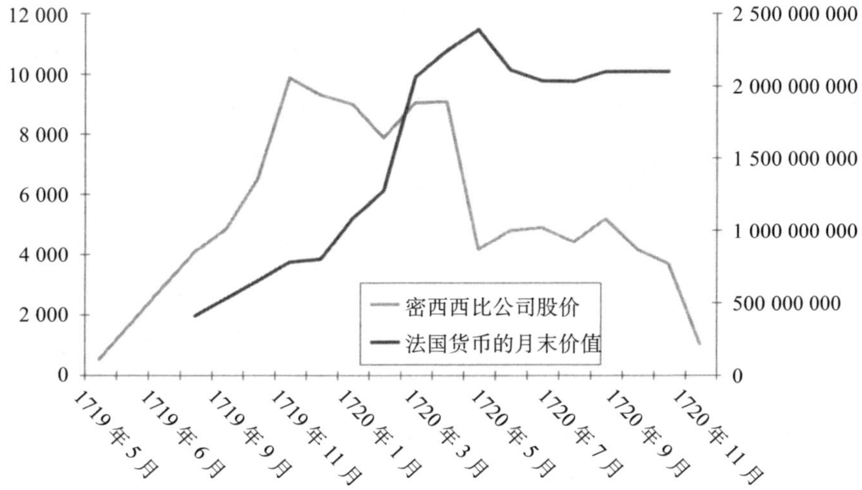

密西西比公司泡沫：货币和股票价格（里弗尔）

与此同时，劳通过提高金银价格，强制性地调整钞票与金银之间的汇率。1719 年 9 月~1720 年 12 月，官方金价上涨了 28 倍，而银价至少上涨了 35 倍。所有这些举措，都是为了提高钞票在公众中的吸引力。然而，这个有些矛盾的调控，有时只会使公众更加不知所措——它告诉人们的是，一个专制政权只会制定适合自己的经济政策。后来有人回忆说：“一个个单词通过全新的魔法，组成了无人理解的法令，空气中充满着模糊的打算和奇想。”金银曾经可以自由出口，然而突然有一天却不可以了。印刷厂的印刷速度有多快，钞票就可以印得多快，然而突然有一天，劳却将钞票供应量限制为120万里弗尔。密西西比公司股票价格的底价曾为9 000里弗尔，然而突然有一天却不是了。当2月22日底价发生变化的时候，股票价格不出意料地暴跌，到该月月底便已跌至7 825里弗尔。也许是由于摄政王施加了压力，到3月5日，劳的做法出现了一个U形回转，重新将底价定为9 000里弗尔，同时允许以该价格进行购买。然而，尽管规定“钞票是一种不可改变价值的货币”，尽管在这之前有120万里弗尔供应量的限制，该措施却意味着货币供应的限制得以取消。现如今，对于精明的投资者来说，没有什么比将他们的股票以每股9 000里弗尔的价格兑换成现金更让他们高兴的事情了。与此同时，公众的股票持有量已经暴跌至总发行量的1/3以下。由此看来，在不久的将来，股票市场将必然会摆脱密西西比公司的束缚，并远离通货膨胀浪潮的影响。

5月21日，在为避免金融危机而进行的最后一搏中，劳说服政府制定了一项通货紧缩法令，以使股票的法定价格在一个月内由9 000里弗尔降至5 000里弗尔，同时将流通中的钞票供应量减半。劳再度使钞票贬值，从而使之前保证不会再改变货币价格的法令失效。这就是当时王朝专制制度的弊端，劳的金融系统基础突然变得非常不牢固。就在发表该声明6天后，迫于公众强烈抗议的压力，法国政府宣布该法令无效，然而，公众信心却遭到了严重破坏，并且这种破坏在当时是无法挽回的。在经历了一段最初的平静之后，密西西比公司股票价格已从9 005里弗尔（5月16日）下滑至4 200里弗尔（5月31日）。愤怒的人群拥挤在很难满足货币需求的银行门口。他们扔石块，砸玻璃。一位英国评论家写道：“这个国家的人们遭受到了前所未有的损失，银行业形势也受到了严重影响。这场危机给人们所带来的惊骇和绝望，是无法用语言来描述的，亲王们和所有的大人物对此都表示非常震惊。”在一次最高法院的特别会议上，劳遭到严厉指责。最后摄政王作出让步，宣布5月21日发布的法令无效。劳递交了辞呈，并于5月29日离职。劳被软禁了起来，他的敌人想把他关押在巴士底监狱中。劳面临着生命中的第二次入狱——甚至有可能是死刑（一个调查委员会很快便找到了劳发行钞票破坏当局权限的证据，从而找到了起诉基础）。皇家银行也因此关门停业。

约翰·劳不仅是一位骗子高手，同时也是一位逃亡大师。没过多长时间，表面上看来，除了劳，没人有机会避免金融系统的全面崩溃——这毕竟是他设计的系统。他重新恢复了权力（在国家商务部中担任相对不算高的职务）并一度使证券市场回稳，密西西比公司的股票价格于6月6日回到了6 350里弗尔。尽管如此，这只是暂时的缓和。10月10日，政府部门被迫在国内交易市场中重新加入了金银物品的交易。密西西比公司的股票价格在接下来的一段时间里持续下滑，于9月份下滑至2 000里弗尔，12月份下滑至1 000里弗尔。全面性的恐慌已经不可避免。就在这个时候，劳最终在公众的贬低声以及媒体的讽刺声中逃到了国外。在离开之前，他与奥尔良公爵召开了一次“感人至深的告别会”。劳说道：“殿下，我已经意识到我犯下了严重的错误，我犯下这些错误主要是因为我只是一个普普通通的人，而所有的凡人是都会犯错的。但是，我保证我的所有行为都不是出于恶意或不诚实。另外，在我的整个行为中也没有显现出任何这类特征。”尽管如此，只要他还在接受调查，他的妻子和女儿就不允许离开法国。

密西西比公司泡沫现在已经破灭了，而整个欧洲的空气中都充斥着逃跑的声音。一位荷兰投资者也同样被激怒了，他有一套专门从中国定做的盘子，其中一个盘子上的铭文写道：“我的上帝，我的所有股票一文不值。”另外一个则更直接：“股票和风的交易纯粹是狗屁。”对于阿姆斯特丹的投资者来说，密西西比公司交易的东西跟风一样没什么实质内容——特别是与荷兰的东印度公司（该公司实实在在地交易了香料或布料等货物）相比。正如讽刺传单上的打油诗所说：

> 这是一块令人惊叹的密西西比土地，
> 它因股票交易而出名，
> 这个交易充满了欺骗和狡诈，
> 挥霍了数不尽的金银财宝，
> 尽管如此，人们还是十分关注股票，
> 它是风，是烟，虚无缥缈。

一系列幽默的、富有寓意的雕版印刷品被制作出来，并以《愚蠢的大场面》为题出版。该系列印刷品赤裸裸地描述了这样一幅景象：股票经纪人吞食货币、抛售密西西比公司股票，疯狂的投资者在逃离疯人院之前带着愤怒狂乱奔跑，劳自己坐在两只脏兮兮的法国小公鸡拉着的马车上穿梭于城堡内外。

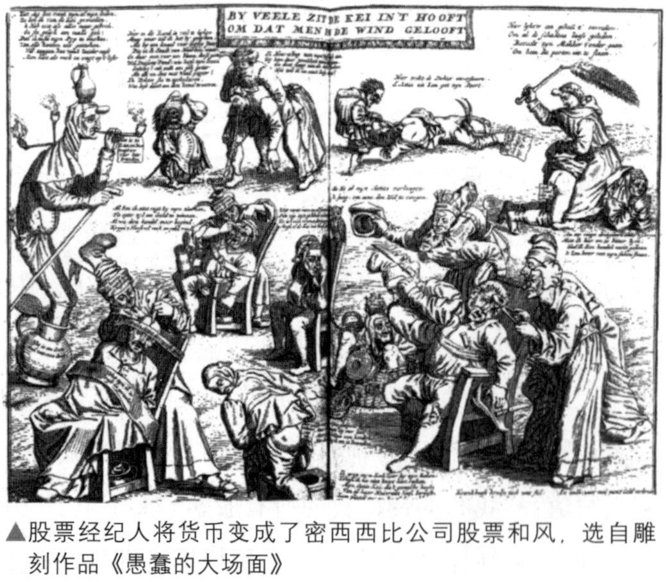

▲股票经纪人将货币变成了密西西比公司股票和风，选自雕刻作品《愚蠢的大场面》

劳在离开法国时，自己也遭受了

很大的经济损失。他离开法国时几乎一无所有，这主要是由于他打赌英国东印度公司的股票将下滑至每股 180 英镑。但到 1720 年 4 月为止，该股票价格已经涨至每股 235 英镑并且还在继续上涨，因为投资者退出了巴黎市场而转投更为安全的伦敦市场（有南海泡沫）。到 6 月时股票价格为每股 420 英镑，在 8 月劳的赌注到期时仅下滑至每股 345 英镑。劳在伦敦的银行家乔治·米德尔顿同样也因履行委托人的职责而破产。尽管如此，法国的损失却不仅仅在金融方面。劳制造的泡沫及其破灭对于法国金融业的发展来说无疑是个非常沉重的打击，夺走了好几代法国人的钞票和股票。法国政府的财政危机一直没有得到解决，甚至在路易十五及其继承人路易十六在位期间还都依然存在，他们的王权基本上仅够维持生计，不断从一个失败的改革到另一个失败的改革，直到王权垮台时才会促成一次彻底变革。这场灾难的惨重程度，用伯纳德·皮卡特精心制作的备受后世尊崇的《献给后来者的纪念碑》（1721 年）来描述可能最好不过了。在这幅雕版作品的左边，一群贫穷的荷兰投资者表情忧郁地进入了诊所、精神病院和救济所。然而，作品右边有关巴黎人的场景却更加具有启示性。赤裸的命运女神福尔图娜下了一场密西西比股票和期权的雨，雨下在了一群甘康普瓦大街上充满悔恨的人身上，而一辆由印第安人拉着的大车则冲进了会计师人群，这辆车有充满运气的巨大的轮子，前面还有两个人在争吵。

相比之下，英国同时期的南海泡沫的影响就要小一些，波及人数也相对少一些——这不只是因为南海公司从来没有像劳控制皇家银行那样控制英格兰银行。从本质上来说，劳在英国的同行约翰·布朗特的南海计划就是转换各种不同形式的政府债务，其中产生的大部分资金都用于资助西班牙王位继承战争，被注入到一家与南美洲西班牙王室进行贸易的公司中。在年金及其他债务工具的转化价格方面达成一致之后，如果南海公司能够让政府中现有的股票持有人以一个较高的市场价格接受南海公司股票的话，公司董事便可因此而获利，因为这将使公司董事获得一些剩余股票，而这些剩余股票则可向公众出售。南海公司在这个成功获利的过程中使用的一些策略与劳在巴黎使用的策略非常相似。股票分四个部分出售给公众，股票价格从1720年4月的每股300英镑涨到了6月的每股1 000英镑，允许分期付款。贷款则通过股票抵押贷款的方式进行发放，需付大量股息。正如诗人亚历山大·波普所观察到的，快乐理所当然地给狂热让路，这是“一种不光彩的行为，如果（在充满希望与财富的时代）不去投资”。

劳制造的泡沫及其破灭对于法国金融业的发展来说无疑是个非常沉重的打击，夺走了好几代法国人的钞票和股票。

尽管如此，与劳不同的是，布朗特及其合伙人必须与英格兰银行进行竞争，这迫使他们通过提供年金去提高条件。他们还要与国会内的反对派辉格党人较量，这又迫使他们不得不加大对政府进行贿赂的力度，以确保立法对他们有利（单单是财政大臣就要得到249 000英镑的股票收益），这点也与劳不同。另外，与劳不同的是，他们不能垄断股票及信贷市场。与之相反，1720年，新公司犹如雨后春笋般诞生——共计190家。为了寻求更多的资本注入，南海公司的董事们不得不在国会中寻求同盟，通过了著名的《泡沫法》，以限制新公司的筹办[①]。与此同时，当南海公司第三认购方的资金需求大于市场资源时，董事们除了注入额外的流动资金外别无他法。事实上，南海公司的银行，也就是刀片公司（the Sword Blade Company），于9月24日

① 《泡沫法》规定：在法定权责不明的情况下建立新公司为非法行为，该法律同时禁止现有公司从事章程中未包括的活动。

▲伯纳德 · 皮卡特的《献给后来者的纪念碑》(1721)

以失败而告终（与英格兰银行及皇家银行不同，它发行的货币不是法定货币）。在经历了4月的困难时期之后（内部人员和国外投机者取得利益的时候），5月和6月的狂热期以及7月的恐慌期接踵而来。“大多数人都认为崩溃要到来了，”不幸且变得更加贫穷的斯威福特悔恨道，“但是没人为此作好准备，也没人会想到它来得会像午夜之贼那样突然，说来就来。”

然而，南海公司泡沫破裂造成的破坏要远远低于海峡彼岸的国家遭受破坏的情况。从起点到最高点，南海公司的股票价格增长至原来的9.5倍，而密西西比公司的股票则增长至原来的19.6倍。其他股票（英格兰银行和东印度公司）的增长幅度则明显要小得多。当伦敦股票价格回落到水平线的时候，除受到由《泡沫法》规定的未来合股公司的限制之外，金融系统并没有遭到持续破坏。南海公司本身还依然存在，政府债务的转化也没有彻底改变，国外投资者也没有将资金从英国证券市场转移出去。而对于法国来说，整个国家都受到了劳引发的通货膨胀危机的影响，英格兰普通民众则似乎并没有受到南海泡沫危机的影响。在这两个有关泡沫的故事中，法国受到的影响明显要严重得多。

牛市与熊市

1929年10月16日，耶鲁大学经济学教授欧文·费雪表示，美国的股票价格已经“处于一个貌似永久不变的高地上”。在8天后的“黑色星期四”，道·琼斯工业平均指数在一天内下降了2%，按照一般说法，这便是华尔街金融风暴的开始，尽管事实上，股票市场早在9月份便已开始下滑，10月23日更是下降了6%。在“黑色星期一”(10月28日)，道·琼斯工业指数暴跌13%，第二天又暴跌12%。在持续三年的金融风暴中，美国股票市场惊人地下降了89%，于1932年7月达到最低点。道·琼斯工业指数直到1954年才重新回到了1929年的最高点。更糟糕的是，资本价格的紧缩与历史上最严重的经济萧条竟同时发生（如果经济萧条不是由资本价格的紧缩所引起的话）。在美国，生产量暴跌1/3。失业人数达到了总劳动力的1/4，如果以失业新定义进行计算的话，甚至接近1/3。这是一场全球性的灾难，尽管只有德国与美国的经济危机一样严重，但几乎全球经济的股票价格和生产量都有不同程度的下降。由于很多国家都徒劳地寻求躲避关税和出口限额的方法，全球贸易量萎缩了2/3。在债务拖欠、资金管制以及货币贬值的混乱中，国际金融体系支离破碎。只有经济独立并实施计划经济的苏联在这场金融风暴中幸免于难。这场金融风暴爆发的原因何在？

从某种程度上来说，可以认为经济大萧条源于发生在1914年的经济危机所造成的全球性经济紊乱。

有些金融风暴的爆发有着比较明显的原因。有证据表明，1914年7月发生了一场更为严重的股票市场风暴，第一次世界大战的爆发对这场风暴产生了重要影响，导致全球主要的股票市场（包括纽约市场）都不得不闭市。

闭市从当年8月一直持续到1914年年末。当1914年12月12日纽约市场重开时，它已经下降了近24%。这是因为一场世界大战对金融市场的影响，就好比是晴天霹雳一样。而1929年10月的金融风暴则比较难解释。在“黑色星期四”的前一天，《纽约时报》头版的重要文章还是对法国总理阿里斯蒂德·白里安的下台和美国参议院有关化学品出口关税投票的报道。历史学家们有时会看到，德国在第一次世界大战之后的战争赔偿陷入僵局，而美国因为担心经济萧条不断加强贸易保护主义。但是，《纽约时报》头版关注的是前一天风暴袭击东海岸的报告。也许历史学家应把华尔街的崩溃归咎于恶劣的天气（这种主张也许并不牵强。伦敦城的许多老股民还记得“黑色星期一”——1987年10月19日的上一个星期五，强烈的飓风意外地席卷了英格兰东南部地区）。

处在同时代的人感受到了在危机中存在着心理尺度的作用。富兰克林·罗斯福在其发表的就职演讲中，认为所有美国人都不得不恐惧的事情便是“恐惧本身”。约翰·梅纳德·凯恩斯谈到了“思想中的非物质意志的失败”。这两个人都暗示危机或多或少地与金融行为不规矩有关。罗斯福在演讲中猛烈抨击了华尔街“不择手段的货币兑换商”的行为，凯恩斯则在他的《货币通论》中把股票市场形象地比做赌场。

从某种程度上来说，可以认为经济大萧条源于发生在1914年经济危机所造成的全球性经济紊乱。在第一次世界大战期间，欧洲之外的农业和工业生产迅速膨胀。当世界恢复和平的时候，欧洲工业又开始正常投产，长期的生产力过剩导致在1929年之前的一段时间里初级产品价格一度下降。对于那些有着大量战争债务的国家（包括背负大量战争赔偿款的德国）来说，想得到更多的硬通货以偿还国外债主的利息就变得更加困难。这场战争使大多数参战国的工会影响力有所增加，这使得根据价格下降来下调工资标准也变得更加困难。因为增加工人薪水使得公司利益空间越来越小，公司只能被迫裁员，否则就要面临破产的风险。尽管如此，当这场经济危机袭来的时候，对于处在危机中心的美国来说，国内经济的很多方面反而得以整顿。在两次世界大战之间的一段时间里，杜邦（尼龙）、宝洁（洗衣粉）、露华浓（化妆品）、美国无线电公司（无线电）及IBM（计算机）等公司所采取的促进生产力的技术革新有利于经济发展。欧文 · 费雪说："未来收入前景看好的一个主要原因是，我们美国正在前所未有地将科技与创新应用到工业生产中去。"在经营管理方面，也有像通用汽车的艾尔弗雷德 · 斯隆那样的人进行彻底改革。

然而，也许正是这些改革为一个经典的股票市场的泡沫提供了初始条件。越来越多的美国家庭都向往着能拥有汽车和耐用消费品——在他们力所能及的范围内可以通过分期付款的方式进行支付。20 世纪 20 年代的科技股美国无线电公司的股票在 1925~1929 年之间竟不可思议地上涨了 939%，在股票市场达到最高点时，它的价格收益比为 73%。首次公开发行股票的公司尝到了甜头，1929 年发行了价值 60 亿美元的新股票，其中有 1/6 都是在 9 月份发行的。一些被称做投资信托公司的金融机构瞬间激增，其职能在于核定股票市场上涨的资本额。（高盛于 1929 年 8 月 6 日宣布了公司的"扩张计划"，即成立高盛贸易公司。因为它是一个独立的实体，它后来的倒闭才没有连累高盛公司本身。）与此同时，许多小的投资商（就像欧文 · 费雪本人）都通过股票经纪人的贷款购买股票或保证金（经常是一些股份公司而不是银行所提供的），依靠杠杆作用来增加股市的投资，这样只需要使用他们自己的一小部分钱。在这方面有很多典型的例子：1719 年和 1929 年，像国家城市银行的查尔斯E·米切尔或通用公司的威廉·克莱帕·杜兰特一样不择手段的内幕交易者；像格鲁乔·马克斯一样天真的外部投资人；1719年，为扩大和传递股票服务的金融市场之间的热钱流动；1719年，正是金融部门的一些行为，决定了金融危机爆发时泡沫及其影响的规模。

在美国经济史上可能最重要的出版著作中，米尔顿·弗里德曼和安娜·施瓦茨认为，正是美联储应为1929年的经济危机转变为经济大萧条负首要责任。他们并没有抨击联邦政府应为泡沫本身负责，而是抨击了本杰明·斯特朗所在的纽约联邦储备银行。纽约联邦储备银行为了维持金本位制，打破了原来合理的美国国际债务的平衡；为了维持价格稳定，打破了国内债务的平衡。通过对大量流入美国的黄金进行“封存”（以防止它们引起通货膨胀），美联储可能确实阻止了泡沫的继续增大。纽约联邦储备银行还通过引导大规模（未授权的）公开市场业务（从金融部门购买债券），阻止其流入市场的方法，对1929年10月的经济恐慌进行了有效回击。尽管如此，1928年10月斯特朗死于肺结核之后，华盛顿的联邦储备委员会开始主导货币政策，结果却损失惨重。第一，针对由银行倒闭而引起的信贷收缩所采取的措施远远不够。这个问题在股票市场风暴来临的几个月前便已显现出来了。那时，商业银行停止支付的款项超过8 000万美元。尽管如此，当1930年11月和12月608家银行倒闭的时候，该类款项已经到了非常严重的程度——共计高达5.5亿美元的存款，在这其中也包括美国联邦银行，它的存款数超过了总存款数的1/3。原本可能会拯救银行的并购谈判失败了，这是经济大萧条历史上的一个重要时刻。第二，在1913年前的体制下（在联邦政府创造的系统之前），这类危机可能会导致其限制将银行存款转化为黄金。然而，联邦政府降低信贷余额的做法使结果更加恶化（1930年12月至1931年4月)，该措施使得越来越多的银行疯狂地出售资产以增加流动性，导致债券价格下降，整体形势更加不利。发生在1931年2~8月的第二波银行倒闭潮，使商业银行的存款降低了27亿美元——占总存款额的9%。第三，英国于1931年9月放弃金本位制，促使国外银行争先恐后地将其所持有的美元转化为黄金，联邦政府分两步将再贴现利率提高到3.5%。该措施阻止了黄金的流失，却将更多的美国银行赶到了悬崖边上：1931年8月至1932年1月，有1 860家银行倒闭，倒闭时共有存款14.5亿美元。不过联邦储备银行现在却有了用不完的黄金。就在英镑脱离金本位制的前夜，美国的黄金储备一度升至47亿美元，占世界黄金储备总量的40%。即使在10月份的最低点，美国联邦储备银行的黄金储备也超过其法定标准10亿多美元。第四，受政治压力的重大影响，1932年4月联邦政府便开始大规模地开放市场采购——这是回应清偿危机的第一步。这对于避免发生在1932年最后一个季度的最后一波银行倒闭浪潮来说还不够，最终导致了第一个国家“银行休业日”的出台（全美国范围内所有银行暂停营业)。第五，有谣言说罗斯福新政权将让美元贬值，结果掀起了又一轮国内外资金从美元兑换黄金的新高潮。联邦储备银行再一次提高了贴现率，为罗斯福在1933年3月6日（就职两天后）宣布全美国性银行休业作好准备，5 000家银行中的2 000家便从此永远“放假”了。

联邦储备银行没能成功避免总数约达10万家银行的倒闭，这是非常关键的，不仅是因为这对丢掉存款的消费者以及丢掉股本的股东来说是一个沉重的打击，还因为它对货币供应以及信贷供应市场产生了广泛的影响。1929~1933年，公众现金持有量提高了31%，商业银行的准备金则几乎没有改变（事实上是幸存下来的银行积累了过量准备金)，而商业银行的存款和贷款额则分别下降了37%和47%。实实在在的数字显示出“大紧缩”的致命性。公众手中现金量增加了12亿美元，而付出的代价是银行存款下降156亿美元、贷款下降196亿美元，相当于1929年国内生产总值的19%。

有一段时间，历史学家们在说“历史会给我们带来经验教训”这句话时，自己都感觉有些牵强。这种感觉是经济学家们所没有的，两代经济学家都在努力正确解释“经济大萧条”，以防止它再次发生。在所有这些集体努力得来的经验当中，以下这点最为重要：随着资产价格大幅下降而出台的不适宜或刚性的货币政策，会将正确的经济发展路线转变为经济衰退，将经济衰退转变为经济萧条。根据弗里德曼和施瓦茨的观点，联邦政府应当从1929年开始便积极寻求对策，通过大规模开放市场业务以及扩张（而非收缩）贴现窗口的借贷等形式来提高银行系统的流动性。他们还建议，不要在黄金流出量上浪费太多精力。最近，人们认为两次世界大战期间实施的金本位制货币政策本身就存在问题，该政策会在全球范围内传播经济危机（正如1931年的欧洲银行和货币危机）。历史给我们的第二个教训是，稳定的汇率所带来的利益，弥补不了国内通货紧缩带来的损失。如果现在还有谁怀疑历史能给我们带来经验教训的话，那么他还需要做很多功课，而不仅仅是比较和研究相关著作以及美联储现任主席的现行政策。

肥尾传说

有时，更具历史意义的重大事件往往是那些在当时并未发生的事件。经济学家海曼·明斯基对此作了精辟的论述：“第二次世界大战以来，这个时代最重大的经济事件是那些还没有发生的事，也就是说，意义深远而长久的衰退还未到来。”这可真是令人吃惊，因为在这个世界上，“黑色日子”并不少。

在统计学上，如果股市的运动变化像人类的高度变化一样，那就不会有那些“黑色日子”了。人类的高度大部分都会集中在平均数左右，极高或极低都很少。毕竟，我们中间低于4英尺，或高于8英尺的人并不多。如果为我的金融历史班上男学生的身高（按身高数值出现的频率）画一张曲线图，结果将是一条典型的钟形曲线——几乎每一个人都在美国人平均身高上下5英寸左右。但是，在金融市场并不是这样。如果你画一张道·琼斯工业指数月度变化图，聚集在平均线的点就很少，大起大落的情况却很多，这种现象被统计学家们称为“肥尾”。如果股市沿着“正态分布曲线”或“钟形曲线”变化（像人类高度变化一样），那么每500年才会发生一次年降幅达10%或以上的情况（然而，道·琼斯工业指数每5年就会发生一次这样的情况），并且股市降幅达20%或以上将是闻所未闻的事，就像一个人只有一英尺高一样罕见。但事实上，在过去的一个世纪里，这样的股市大跌发生了9次。

更具历史意义的重大事件往往是那些在当时并未发生的事件。

1987年10月19日，在这个可怕的“黑色星期一”，道·琼斯工业平均指数降了23%，仅4天中就有一天单盘交易降了10%以上。第二天《纽约时报》头版就提到：“1987年是否就是1929年？”从峰顶到谷底，股票价格跌了近1/3，相当于损失近万亿美元。在当时，对股市崩盘的原因争论不一。而真相是，美联储在几个月前将利率从5.5%提高到6%。临危受命的尼古拉斯·布莱迪把过失推到“一小撮金融机构和公共基金集团以及一部分活跃的交易机构”（经过考验的）身上，说他们利用证券保险，以“非敏感性价格”出售股票，来应对赎回。之后纽约证券交易所自动交易系统出了故障，并且缺乏“断路开关”（它可以阻断期货和期权市场下跌），情况就变得更糟了。但值得注意的是后来发生的事，更确切地说是没有发生的事——并没有导致20世纪90年代出现大衰退——尽管瑞斯·莫格勋爵预警过。在1988年，甚至没有出现一次衰退（只是到1991年稍有不景气）。在不到一年的时间里（黑色星期一的那一年），道·琼斯工业平均指数就回到了下跌前的水平。一些信用贷款必须还给中央银行，而这时正是美联储新任主席艾伦·格林斯潘从保罗·沃尔克那里刚接手工作两个月。格林斯潘的反应迅速而有效。他在10月20日简明扼要的声明中断言：美联储已准备就绪，它将作为一个流动资金的源泉来支持财经系统。这给了市场一个信号，特别是纽约银行，那就是：如果情况真的变糟，美联储会拯救它们的。在公开市场，政府债券人气旺盛。美联储向银行系统注入了急需的现金，把借款成本在16天内降了近2%。华尔街又松了一口气，这就是明斯基所说的：“那事”还没发生呢。

在那以后，格林斯潘曾一度很苦恼，在他的脑海里有一个进退两难的选择：下一次，是否抢先行动（美联储有强制收购权），以防止痛苦一块儿来？这一进退两难的局面离得不远，就像20世纪90年代中期股市泡沫形成一样。这一局面被技术领域和软件产业爆发的革新所取代，因为个人电脑遇到了互联网。但是，像所有泡沫一样，善于适应新环境的货币政策扮演了一个重要角色。联邦基金利率[①]从1995年6月的6%降到了5.25%（1996年1

① 银行间通常按照这个利率，以一天为期限相互拆借在美联储的结余。由7位美联储理事会理事和12位地区性联邦储备银行行长组成的联邦开放市场委员会，在例行会议上确定目标利率。纽约联邦储备银行负责通过公开的市场操作（在纽约市场上进行债券交易）使该利率生效。

月至1997年2月)；它曾经在1997年3月升到5.5%，然而在1998年9月至11月又回落到了4.75%。这一水平一直保持到1999年5月，当时道·琼斯工业平均指数已经突破了10 000点。直到1999年7月，利率再也没有上调。

为什么美联储放任20世纪90年代的疯狂？早在1996年12月5日，道·琼斯工业平均指数上升到了6 000点，这时让格林斯潘向“非理性繁荣”的股市发出预警[①]，对此他自己也感到不快。1997年3月利率上调了0.25%，但这对于扑灭“非理性”的烈焰显得苍白无力。对此，一部分原因可能是，格林斯潘与他的同僚们低估了科技泡沫的发展势头。早在1995年12月，随着道·琼斯工业平均指数突破5 000点，美联储公开市场委员会的委员们就推测：市场也许接近了峰值。另一部分原因是格林斯潘感到美联储用不着担心资产价格上涨，而只需为消费品价格上涨担忧。对此，他相信在技术革新的基础上，生产力得到很大改善，可以使消费品价格下降。还有一部分原因是，股市泡沫频繁发生，国际上有压力（1998年8月，俄罗斯因拖欠债务而引发危机突至)，需要反向行动。再有一部分原因就是(用格林斯潘的前任威廉·迈克泽森·马丁的话来说)，格林斯潘和他的同僚们认为：从宴会上把潘趣酒碗拿走不是美联储的任务。可以说，格林斯潘“及时的货币政策”扭转了股市崩盘。日本所经历的也一样。那时，日本中央银行有意识地刺破资产泡沫，结束了股票市场大跌之势（股市跌幅达到80%）和10年的经济停滞。但这一策略也付出了代价。在股票市场历

① 格林斯潘的措辞模棱两可：“很明显，持续的低通胀显示未来不确定性较低，而低风险溢价意味着股价走高……但我们如何知晓非理性繁荣导致资产价值过度攀升……如果资产泡沫破裂不会影响实体经济，央行则大可高枕无忧……但我们不应低估资产市场和经济相互作用的复杂性，更不应滋生自满情绪。”

史中，资产价格泡沫为不法行为和不切实际的想法创造了一个美好的环境。这不是第一次。

对于一些神经紧张的观察员来说，20 世纪 90 年代似乎不可思议地重现了兴旺的 20 世纪 20 年代，确实，90 年代股市的轨迹几乎和 20 年代的一模一样。而在某些方面，它更像 18 世纪 20 年代的回归。约翰 · 劳的密西西比公司所达到的泡沫顶峰启动了 18 世纪，另一家公司以达到泡沫顶峰来结束 20 世纪。那是一家给投资者的许诺远远超出所梦想的财富的公司，是一家声称已经对整个金融系统进行了彻底改造的公司，也是一家充分利用其和谐的政治关系，在行情看涨的市场中一路跑到顶端的公司，它被《财富》杂志连续 6 年评为“美国最创新的公司”(1996~2001)。这家公司就是：安然公司。

精心策划的骗局

2001 年 11 月，艾伦 · 格林斯潘受到荣誉表彰，他的名字与戈尔巴乔夫、科林 · 鲍威尔和纳尔逊 · 曼德拉一起被列入了光荣名单之中。这个奖励就是表彰在公共事务方面作出杰出贡献的：安然奖。格林斯潘理应获得嘉奖。从 1995 年 2 月到 1999 年 6 月，他只上调过一次联邦基金利率。商人开始叫他“格林斯潘怪人”，因为他在美联储中似乎具有“奇怪的”买卖特权(这种特权不包括把股票在将来卖个好价钱的义务)。自从 2000 年 2 月中旬以来，美国股票市场一直下挫，为格林斯潘关于“非理性繁荣”的警告作了过时的辩护。像 1987 年那样，没有出现“黑色日子”。确实，在 8 月，由于联邦基金利率从 6.5% 统一下调到 3.5%，经济似乎软着陆了，最坏的情况不过是短暂的衰退。不过，在没有预警的情况下，“黑色日子”的的确确在纽约开始出现了——不是以金融崩溃的形式，而是以两架飞机故意撞毁纽约世贸大楼的形式出现了。人们谈起战争，担心会出现1914年那样的市场停滞，格林斯潘又将联邦基金利率从3.5%下调到了3%，而后下调、下调、再下调，一直下调到2003年6月，达到历史的最低点——1%。“9·11”恐怖袭击事件之后，美联储挤出的流动资金比“9·11”恐怖袭击事件消防车喷出的水还要多。但这没能挽救安然公司。2001年12月2日，就在格林斯潘荣获安然奖两个星期之后，安然公司申请破产。

退一步说，约翰·劳（密西西比公司泡沫的始作俑者）的事业，与安然公司的首席执行官肯尼思·雷的相同之处是惊人的。约翰·劳点“纸”成金的哲学让他用纸造出了黄金，而肯尼思·雷用汽油造出了黄金。约翰·劳的计划是要对法国政府财政进行改革，肯尼思·雷是要改革全球的能源业。多年以来，能源业被控制在大型公共事业公司的手中，它们为自己提供能源，制造汽油，提供电力，然后把它卖给消费者。肯尼思·雷的妙策（由麦肯锡咨询公司顾问弗里·斯基林提供）是建立一种能源银行，这个银行将充当供应商与消费者之间的中介人。像约翰·劳一样，肯尼思·雷是密苏里州一个穷传教士的儿子，出身低微，而安然公司也只是内布拉斯加州奥马哈的一家规模不大的汽油公司。肯尼思·雷更改了公司①的名字，并把公司的总部设在得克萨斯州的休斯敦。也像约翰·劳一样，肯尼思·雷在上层人士中间有朋友，小布什总统长期以来就是得克萨斯能源行业的支持者，在1992年支持对这一行业解除管制立法，并取消了政府的

① 公司原定以Enteron命名，然而《华尔街日报》指出“enteron”一词源于希腊语，意为“小肠”后，他们随即打消了这个念头。

价格管制。安然公司将大约660万美元政治捐款的3/4给了共和党，其中来自肯尼思·雷和他妻子的35.5万美元投在了2000年的竞选活动上。1996年接受安然公司竞选捐款的第二人是参议员菲尔·格瑞姆——他强烈提议缩小国家对经济干预的范围。

到了2000年年底，安然公司已经是美国第四大公司，有21 000名雇员。它控制了美国1/4的天然气业。趁着全球能源部门的私有化浪潮，这家公司在全世界抢购资产。在拉丁美洲，只有这家公司对哥伦比亚、厄瓜多尔、秘鲁和玻利维亚感兴趣，（我们已经看到）安然公司从那里穿过大陆，把输油管一直铺到了巴西。在阿根廷，随着肯尼思·雷的私人朋友小布什的干预，安然公司买下了全世界最大的天然气管道网的控股权。但最重要的是，安然公司不仅是在以能源做交易，事实上，它是在以所有古老的元素做交易：陆地、水和空气。它宣称可以通过互联网做交易。电影《骗中骗》中有这样一幕：雇员们坐在电脑前假装在做互联网交易，银行分析师通过虚假交易平台被保护起来。密西西比公司又复活了。如同1719年一样，投资者对极为诱人的报酬是无法抵挡的。1997年之后的3年

▲艾伦·格林斯潘与肯尼思·雷

里，安然公司的股票涨了近五倍，从每股不到20美元涨到每股90多美元。安然公司的高管们普遍被股票期权所“激励”。在安然公司存在的最后一年，公司付给140名高管平均每人530万美元。豪华汽车销售喧嚣不停，橡树河一带的地产也一样。那里成了休斯敦最高贵的领域。“对此我想了很多，”斯基林（他在1997年成了安然公司的首席执行官）谈论道，“所有一切都与钱有关……你可以用钱买到忠诚，这样肮脏的事比起金钱来就显得不重要了。这就是业绩的驱动力。”当我在已经倒闭了的安然公司休斯敦的总部外碰到沃特金斯时，他回忆说：“你得到了数倍于基本工资的钱，你真的很少去想是否得到好处，即使它只有你基本工资的75%。哦，你正在获利，你想成倍增加，你想得到两倍、三倍甚至四倍于基本工资的奖金。”在充满幸福感的1999年4月，“休斯敦太空人队”甚至将他们的棒球场改名为“安然运动场”。

只有一个问题，就像约翰·劳的金融系统一样，那就是，安然公司的“系统”是一个精心策划的骗局，基于市场操纵和篡改了的记录。在一盘2004年公开的录音中，可以听到安然公司的交易员要El Paso电力公司停业以维护价格。在另一交易中，有人抱怨说：“你们这些家伙从加利福尼亚那些可怜的祖母那儿偷来了所有的钱。”这种骗局的结果，使安然公司得到了它想达到的高价格，也造成了消费者的电力供应中断。在缩小国家对经济干预范围的规定生效后的6个月中，加利福尼亚经历了不低于38次电力供应中断。(在另一盘录音中，正在看电视转播加州森林大火的交易员们大喊：“烧，孩子，烧！”高压电塔在大火中变得弯曲然后倒下。）用了这样的市场手段，安然公司的资产和利润大幅度增加，而它的债务和亏损则被隐藏于“特殊目的实体”（SPEs）中，特殊目的实体的情况并未包括在公司的合并财务报表中。每个季度，公司高管们都必须使用更多的烟幕和虚假消息，使实际亏损像个利润缓冲器。斯基林对于使用新的金融方法，如“市值计价会计方法”和债务证券化，达到了登峰造极的地步。但即使是首席财务官安德鲁·费斯通，也不能将亏损篡改成利润，特别是他正利用“特殊目的实体”而中饱私囊。到了20世纪90年代中期，安然公司的国际业务大面积亏损，特别是取消了在印度的主要发电项目之后。安然在线（Enron Online）是第一家基于网络的商品交易系统，营业额非常高。但它赚到钱了吗？在休斯敦，愉快的心情在消退，内部人员觉察到了第一个危难征兆。费斯通的“特殊目的实体”日益被冠以不吉利的名字：“头号猛禽”、“魔爪”。在行情看好的时候，费斯通和同僚们秘密地抛售了价值924万美元的安然公司股票。

投资者们确信，安然公司的股票价格不久就会达到每股100美元。就在这时，（出于个人原因）斯基林出乎意料地在2001年8月14日宣布辞职。安然公司使尽浑身解数，股票价格还是降到了每股40美元以下。同一个月，沙朗·沃特金斯写信给肯尼思·雷表示她的担心：安然公司将“在一场会计丑闻浪潮中崩溃”。此话不幸应验。10月16日，安然公司报告第三季度亏损6.18亿美元，并且股东净资产减少了12亿美元。8天后，费斯通下台，辞去首席财务官的职位，这时证券交易委员会的调查还未得出结论。11月8日，安然公司不得不追查前5年的利润。谎言被识破，安然公司谎报利润达5.67亿美元。当安然公司在12月2日申请破产时，披露出公司审计过的资产负债表故意隐匿了250亿美元的长期债务：事实上，长期债务不是130亿美元，而是380亿美元。危难变成了巨灾，令人痛苦万分。到2001年年底，安然公司的股票价格只有每股30美分。

2006年5月，肯尼思·雷被提出10项指控，并被判决有罪，其中包括密谋策划造假账、假报表、证券欺诈和银行欺诈。在对费斯通的27项指控中，其中18项被判决有罪。肯尼思·雷被判决之前，在科罗拉多度假时去世了。费斯通被判入狱24年4个月，并被要求偿还安然公司养老基金2 600万美元。总计有16人对于与安然公司相关的指控服罪，（到目前为止）另有5名其他人员也被判有罪。安然公司的审计机构安达信公司也毁于丑闻。但是首要的输家还是那些普通雇员以及小股东，他们的储蓄付之一炬，变成了“风”，就像在密西西比公司倒闭中人们损失了数百万里弗尔一样。

400年前首创的股份公司、有限责任公司确实是一个奇迹，就像现在的股票市场，所有权在这里可以买卖。纵观金融历史，诈骗公司层出不穷，非理性的市场发展起伏曲折。确实，这二者总是齐头并进——因为当市场牛气冲天时，老百姓也最容易驾驭。可是，至关紧要的大角色总是要由银行来扮演，它本应该只做掌控牛群的牛仔。显然，没有皇家银行，约翰·劳就永远不会达到他的目的。同样，没有20世纪90年代美联储宽松的货币政策，肯尼思·雷和斯基林现在还在为安然公司股票每股升至90美元而努力呢。不过相比较而言，大萧条给了我们一个惨痛的教训，即在股市崩溃期间，实行过度的货币紧缩政策是危险的。为了避免大萧条的出现，似乎任何手段的使用都是正当的。最早的股份公司——荷兰联合联合东印度公司的历史可以证明，有了阿姆斯特丹外汇银行提供的稳妥的货币支持，市场泡沫和经济萧条是能够被防止的。

最终，金融市场的道路永远不会像我们希望的那样平坦。只要人们对未来的期望总是在变——从过分乐观到过分悲观，从贪婪到恐惧——而股票价格就往往会沿着一条捉摸不定的路线行进。实际上，这条路线不会像安第斯山脉蜿蜒曲折的山峰一样。作为投资者，当你不得不从狂欢的峰顶下来时，你会希望那只是个小滑坡，而不是悬崖绝壁。

对于保护我们免受现实或潜在的下跌之苦，我们无能为力吗？关于这个问题，就像我们将在第四章中所看到的，产生于18世纪的不太完美的保险衍生品，给我们提供了应对这个问题的一系列答案，每一个答案至少都为我们提供了一些保护，使我们免于冲向悬崖绝壁，帮我们摆脱金融历史上的肥尾。

第四章

保险：风险的回归

THE ASCENT OF
MONEY
A Financial History of the World

保险是保护我们远离风险的唯一方式吗？
福利国家有什么局限？
套期保值是冒险世界里的好买卖吗？

THE ASCENT OF MONEY

导读

生活中充满了不确定性，没有人能够预知未来。

不管是由于气候变化，恐怖袭击事件增加，还是美国外交政策失误，各种突发事件导致的“恶果”，常常出人意料。人们无法完全保护自己的财产和生命，而他们能够做到的是，让别人一起来分担自己的损失。现代金融引入了保险的概念，这使得货币的崛起不再仅是财富的集聚，而包含了风险的分担。

很多人并不知道，现代保险业的真正先驱是数学家而非商人，并且还需要牧师们将理论转化为实践。当然，对于梦想福利国家的人们来说，他们也难以明白，“从摇篮到坟墓”，究竟是福还是祸？

在这个灾害频发的世界里，人们对安全的需求更加强烈。商业保险与福利国家制度的发展，为人们提供了多种选择。然而，社会福利的完善，在为人们编织安全网的同时，却加重了纳税人的负担。在公平与效率间摇摆不定，一直贯穿于公共决策的博弈过程中。谁来为我们养老？医疗费用会不会成为无底黑洞？福利制度会不会削弱社会的创新动力？这需要政策制定者和纳税人一同寻求答案。而我们也需要知道，保险公司到底是怎样的机构？保险究竟是社会的稳定器，还是投机的温床？保险机构的投资是否存在风险？保险与储蓄的区别在哪里？保障与保值是否具有同样的功能？

所有金融驱动力中最基本的一点便是要避免预测未来，因为未来无法预知。这个世界是一块危险之地。我们当中很少有人能够一生都不会遇到一点霉运，事实上，其中一些人到最后会发现自己一生走了很多“背运”。通常情况下，这只是因为他们在错误的时间处在了错误的地点，譬如2005年8月最后一周的密西西比河三角洲，当时那里遭到卡特里娜飓风的两次袭击。最初，风速高达每小时140英里的飓风呼啸而来，当地许多修建在水泥地基上的木制房屋顷刻之间片瓦无存。之后，过了大约两个小时，30英尺高的龙卷风接踵而至，先后摧毁了用以保护新奥尔良免受庞恰特雷恩湖以及密西西比河侵袭的三道防洪堤坝，数百万加仑的急流旋即涌入城市。这便是错误的地点、错误的时间。再比如2001年9月11日的世贸中心，或者2003年美国入侵伊拉克以来巴格达所经历的每一天，或者圣安德烈亚斯断层发生真正的大地震时的旧金山。

这里只有多种多样无法预知的未来，它们永远会让我们大吃一惊。

当萨达姆·侯赛因的倒台在伊拉克首都引发一场肆无忌惮的疯狂劫掠，而彼时美国前国防部部长唐纳德·拉姆斯菲尔德仍在漫不经心地夸夸其谈时，不尽如人意的事情便这样发生了。有人说现在这类事情发生的可能性相比以往更大了，不管是由于气候变化，或者恐怖袭击事件增加，还是由于美国外交政策失误所导致的“恶果”。但问题是：我们如何应对这些风险和不确定性呢？难道要个人来承担避免天灾人祸的责任吗？当事情发展到不可收拾的地步时，我们还应依靠我们那些同胞成立的非官方慈善机构吗？或者，当洪水袭来时，我们能够指望国家——换句话说，我们这些纳税人的义务捐款来拯救自己吗？

风险管理的历史表现为一种长期的较量，较量双方分别是我们保证金融安全（如苏格兰遗孀基金公司客户那样的安全）的徒劳愿望以及实际上并不存在的某种“未来”的严酷现实。这里只有多种多样无法预知的未来，它们永远会让我们大吃一惊。

失效的保险

在孩提时期看过的美国西部电影中，那些“幽灵城镇”——被美国边疆地区快速变化的步伐遗弃的那些生命短暂的居所令我尤为着迷。但直到在卡特里娜飓风之后来到了新奥尔良，我才见到了首座完全演变成美国“幽灵之城”的城市。

我对曾在那里自由自在的经历有着愉快而模糊的记忆。作为一个 10 多岁的年轻人，我在新奥尔良首次体验了高中升大学之间的假期所带来的自由，那里是美国唯一让我在还未达到法定饮酒年龄便能够尽情享受啤酒的地方，这一切使得新奥尔良典藏厅里那些老年爵士乐手的演奏极为悦耳。如今时隔 25 年，那场严酷的飓风袭击已经过去将近两年，现在的这座城市仍然只是原来风貌的一个凄凉剪影。圣伯纳德教区是当时遭受飓风袭击最为严重的地区之一，大约 26 000 家住户中，只有 5 家幸免于难。卡特里娜飓风总共导致 1 836 名美国人死亡，其中绝大多数都是路易斯安那的人。仅在圣伯纳德，死亡人数就达到 47 人。现在，你依然能够在当地废弃房屋的屋门上看到标记，用以区分是否发现了屋主人的遗体。这种做法效仿了在中世纪遭遇“黑死病”袭击时的英格兰。当我在 2007 年 6 月再次到访新奥尔良时，市政官员乔伊 · 迪法塔以及圣伯纳德其他市政官员仍在他们原来办公大楼后面的拖车上工作，原办公大楼内部在那场灾害中遭到了洪水破坏。风暴袭击过程中，迪法塔始终坚守在他的办公桌旁。后来，随着洪水水位不断上涨，他被迫撤退到了办公大楼顶上。在那里，迪法塔和他的同事们只能眼看着他们挚爱的家园消失在深褐色污秽浑浊的洪水之中而束手无策。飓风过后，目睹美国联邦紧急措施署的工作不力，他们感到非常气愤，于是下定决心自己重建被灾难破坏的一切。从那以后，他们开始了不知疲倦的工作，以期重建曾经紧密团结的社区（他们中的许多人，比如迪法塔，都是早年从加纳里群岛来到路易斯安那的移民后代）。不过，劝说数千难民返回圣伯纳德并非易事。风暴袭击已过两年，圣伯纳德教区的人

▲卡特里娜飓风之后的新奥尔良，这里是保险公司失败的地方

口仍然只有卡特里娜飓风袭击之前的1/3，其中问题主要在于保险。事实上，位于圣伯纳德以及新奥尔良其他地势低洼地区的住房现在根本不可能获得保险。没有房屋保险，也就无从获得抵押贷款。

新奥尔良全部住宅中有将近3/4都在飓风中受损，因此几乎所有卡特里娜飓风幸存者都在这场灾难中失去了财产。飓风过后，受灾地区财产以及人员伤亡方面的索赔金额达到至少175万美元，预计保险损失将会超过410亿美元，这使得卡特里娜飓风成为美国近代历史上代价最大的一场灾难。不过，卡特里娜飓风并非只是摧毁了新奥尔良，它还暴露出当地保险体系的弊端。这种在1965年贝齐飓风之后引入的保险体系对保险责任进行了划分，其中私人保险公司负责飓风所致损失的保险，而联邦政府则负责洪水方面的保险。灾难过后，数千名保险公司评估人员分散到了路易斯安那以及密西西比河沿岸地区。据当地居民称，他们的工作并非帮助受灾的投保人，而是旨在明确投保人所遭受的财产损失源于洪水而非飓风，以此避免向投保人赔付保险金①。不过，保险公司未能战胜他们的投保人之一、前美国海军飞行员以及知名律师理查德·F·斯克鲁格斯——一位有“民事诉讼之王”称号的闻名遐迩的人物。

① 一个典型的针对墨西哥湾地区房屋所有者的政策就是“飓风免赔协议”。该条款承诺任何“由飓风引起或导致的风、阵风、冰雹、雨、台风或龙卷风对所保财产造成的直接损失或损坏”有一定比例的免赔金。这个条款后通常还附有一个免责条款：“我们……对在下列任何一项或几项免责情况不存在便不会发生的损失不予理赔。”这些情况包括“水损坏，指……洪水、表层水、波浪、潮水、海啸、湖浪、某一水体满溢或泼溅等一切损失，无论是否由风造成”。还有就是“针对这些损失，我们拒绝理赔时将不考虑：(a) 这些免责情况产生的原因；或者 (b) 其他损失的原因；或者 (c) 是否其他因素与免责情况同时或先后发生造成了损害；或者 (d) 免责情况是突然发生还是逐渐产生”。这个例子很说明问题：保险人就是通过这种附属细则来减少其自身的责任，而受保人却不能一下子看穿其伎俩。

斯克鲁格斯从 20 世纪 80 年代开始声名大噪，当时他代表因吸入大量石棉导致肺部受到致命损伤的造船厂工人发起诉讼，最终赢得 5 000 万美元的赔偿。不过，这同他后来受理的烟草公司赔偿案比起来还不值一提：他让烟草公司向密西西比州以及其他 45 个州支付了总额 2 000 多亿美元的赔偿金，以弥补在同吸烟有关的疾病方面耗费的医疗支出。这场诉讼（后来被拍摄成电影《局内人》而记录了下来）使斯克鲁格斯成为一个富有之人。据称，他在烟草共同诉讼案中的酬金高达 14 亿美元。换句话说，他的律师事务所在处理这一案例的过程中，每小时便有 22 500 美元进账。正是利用这笔酬金，斯克鲁格斯在帕斯卡古拉的海滨大道上购置了滨河住宅，那里距离他在牛津和密西西比的办公室路程较近（当然是乘坐私人飞机）。卡特里娜飓风后，这套住宅只剩下了水泥地基以及几处因受损过于严重而不得不在随后被夷平的断壁残垣。尽管保险公司（明智地）对他进行了赔付，但斯克鲁格斯获悉其他投保人受到的待遇之后颇为惊讶。于是斯克鲁格斯决定为他们提供代理诉讼服务，其中一位受到帮助的人便是他的妹夫特伦特 · 洛特，他是美国参议院前共和党多数派领导人；另外一个人就是斯克鲁格斯的朋友、密西西比州众议员吉恩 · 泰勒。这两人都在卡特里娜飓风中失去了房产，而且都受到了各自保险公司的冷遇。在其后代表投保人的一系列诉讼中，斯克鲁格斯坚持称保险公司（主要涉及州农场保险公司和奥尔斯泰特保险公司）试图推托他们本应承担的法律义务。斯克鲁格斯及其“斯克鲁格斯卡特里娜小组”进行了详尽的气象学研究，显示帕斯卡古拉等地几乎所有损失都是由洪水来袭几个小时之前的飓风所致。另外，斯克鲁格斯还受到两位愿意主动揭露真相的保险损失估价人员的协助，两人作证说，他们所工作过的保险公司曾经擅自修改报告，以便将损失归因于洪水而非飓风。保险公司在 2005 年和 2006

年间获得了创纪录的收入，这进一步刺激了斯克鲁格斯索赔的胃口[①]。一次，我们在那片他原来住宅的所在地（现在已经废弃了的荒地）见了面，他告诉我："这与个人息息相关。这关乎我的家人、朋友以及从小一起长大的人。我每天凌晨3点半就会醒来，然后思索如何处理这个案子。"（引文有所修改）截至当时，州农场保险公司已经偿清了斯克鲁格斯代理的640个案例，赔偿总额达8 000万美元，这些投保人之前的索赔要求都遭到了拒绝；同时，州农场保险公司还同意就另外36 000个索赔要求进行复核。如此看来，保险公司做出了让步。然而，斯克鲁格斯的诉讼行动在2007年11月戛然而止，并以失败告终。当时，斯克鲁格斯、其子扎卡里以及另外3名同事被告上了法庭，原因是他们试图在一起卡特里娜诉讼案酬金分配纠纷案中向州法院法官行贿[②]。现在，斯克鲁格斯面临着最高5年的牢狱之灾。

这听起来似乎仅仅是发生在美国南部的又一个道德败坏的故事——或者是有些人聪明反被聪明误。然而，不管斯克鲁格斯如何从一个行善之人沦落为一个罪犯，现在的事实是，州农场保险公司和奥尔斯泰特保险公司已经宣布将墨西哥湾沿岸的绝大部分地区划为"非保险"区域。对于一个自然灾害频发，而且灾害过后保险公司又要疲于应付斯克鲁格斯之流的地区，为何还要冒险继续推行这类政策呢？这似乎包含着一种强烈暗示，即为帕斯卡古拉

① 美国的财产和伤亡保险公司在2005年和2006年的税后净收入分别为430亿美元和640亿美元，而这一数字在之前的3年里平均不到240亿美元。

② 斯克鲁格斯的同犯泰摩西·鲍度西向莱基法官行贿4万美元时被人录了下来。"这个世界上知道这件事的人除了我和你，就是斯克鲁格斯。"鲍度西当时这样对莱基说，"就像我说的，世上就我们三个人知道这件事，而其中的两个就坐在这里，另一个就是斯克鲁格斯。他和我，怎么说呢？在过去的五六年里，有几个人死了，死在哪里只有我和他知道（表示威胁）。"2007年11月1日，鲍度西给斯克鲁格斯打电话说莱基法官现在"比之前更明白事理了"，并且问斯克鲁格斯是否打算"再抓紧点，你知道的，（再加个）大概1万左右"。斯克鲁格斯回答说他会"搞定的"。

和圣伯纳德等地的居民提供庇护已经不再是私营保险公司应该负责的事。然而，美国立法官员们是否已经准备好通过进一步扩大公共保险范围来承担相关义务，情况也远未明朗。2005 年飓风所导致的全部无保险资产损失最终可能将会耗费联邦政府至少 1 090 亿美元的灾后救援资金以及 80 亿美元的税收减免。如纳奥米 · 克莱恩所述，这就是一种功能失调的“灾难资本主义综合体”的症状，它将为部分人带来私人利益，但是却要广大纳税人承担灾难的真正损失。面对数额如此庞大的账单，到底什么才是正确的处理方法呢？当保险公司失效之后，难道唯一的选择就是将所有自然灾害国有化，从而为政府制造无止境的负担吗？

保险的起源

当然，生活中总是危机四伏。飓风总会出现，正如战争、瘟疫以及饥荒总是无法避免一样。灾难既可能是较小的私人事务，也可能是重大的公共事件。每天都会有人生病、受伤或者突然失去工作能力。我们终将变老，最后连维持日常生计的力气都会消失。一些时运不济的人可能从出生之日起便无法自理。我们迟早都要离开人世，身后抛下一两个亲人。关键问题是这些天灾人祸中没有多少是随机事件。飓风的发生有其自身的规律性。疾病和死亡的发生同样具有各自的规律。 从 19 世纪 50 年代开始的每 10 年间，美国都会遭到 1~10 场次数不等的强烈飓风袭击（定义为风速超过每小时 110 公里、所掀起的海浪高于 8 米的风暴）。20 世纪 40 年代美国曾经遭到了 10 场飓风袭击，最近的 10 年是否会打破这个纪录还未可知。 借助涵盖了过去一个半世纪之久的数据资料，测算飓风发生概率以及规模成为可能。美国陆军工程兵部队形容卡特里娜飓风为“396场飓风之一”，意即任意一年美国遭受如此强度飓风袭击的可能性约为0.25%。不过，一家名为风险管理方案的公司提出了另外一种差别较大的观点。该公司在卡特里娜飓风袭击的数周之前作出判断，称如此规模的飓风“每4年发生一次”。这些意见相左的评估结果表明，如同地震和战争一样，与那些已经得到正确认识的风险相比，飓风具有更多的不确定性。对于人类面临的绝大多数其他风险，这种概率能够得到更为精确的计算，这主要是因为这些风险发生的更为频繁，所以统计方法更容易进行测算。据统计，美国人一生中因包括各种自然灾害在内的自然外力作用而遭受的平均死亡风险为1/3 288，因建筑物发生火灾而导致的死亡风险为1/1 358，每个美国人遭遇枪击致死的可能性为1/314。但是，他们自杀的可能性更高（1/119）；同时更可能死于致命性交通事故（1/78），而可能性最高的则是死于癌症（1/5）。

在以前农业社会中，几乎每个人都面临着由于营养不良、疾病甚至是战争而提前死亡的严峻风险。同后人相比，那个时代的人们所采取的预防措施少之又少。他们更多地依赖于神灵或上帝的抚慰，因为他们觉得是神灵或上帝在掌控饥荒、瘟疫以及外敌入侵的发生与否。经过一个漫长的过程，人们才逐渐认识到关于天气、农作物产量以及传染病等方面的可测量性规律的意义。直到距离现代更近的时期——18~19世纪——他们才开始系统化地记录降雨量、农作物收成以及死亡率，这使得概率测算成为可能。不过，即使是在开始记录之前，他们便已经具备了储蓄的智慧：把钱储备起来，以备众所周知的（在农业社会一成不变的）极度“困难时期”使用。即使是在最原始的社会中，人们都至少知道贮存食物以及其他给养，用以帮助自己渡过难关。从远古时代开始，我们的氏族部落便依靠直觉懂得了集中资源共同使用是一种合理做法，因为只有群居才能保障真正的安全。考虑到我们祖先身体的脆弱性，保险的最早形式可能就是殡葬协会，这种协会通过贮存资源，保障部落成员死后可以举办一场体面的葬礼。（在东非一些最为贫穷的地区，这种协会依然是当地唯一形式的金融机构。）无论是要应对死亡、年老还是疾病或突发事故，为应对未来可能遭遇的困境提前作好储蓄是保险的基本原则，其中的技巧在于明确储蓄数量以及如何动用这些储蓄——不像卡特里娜飓风之后的新奥尔良——以保障灾难来袭时拥有足够的共同资金应对损失。但要做到这一点，你需要超乎寻常的精明。这为保险业历史源于何处提供了一个重要线索。除了迷人而精明的苏格兰，还能有什么地方呢？

保险业的先驱

人们都说苏格兰是一个浸染着悲观主义的民族，这或许与苏格兰的天气有关——经常灰蒙蒙的、阴雨连绵。《预定论》并非一部特别令人振奋的信仰文献，尽管从逻辑上讲，无所不知的上帝已经知道我们哪些人（蒙拣选信徒）将会升入天堂，哪些人（绝大多数无望的罪人）将会沉入地狱。实际上，享受保险业发明者殊荣的应该是苏格兰长老教会的两位牧师，他们在距今 250 多年前的 1744 年创立了第一份真正的保险基金。

的确，保险公司在那之前的岁月里已经存在。“船舶抵押契约”——商船船基（即船身）的保险——是保险业作为商业分支的最初源头。有人认为第一份保险契约的签订时间可以追溯到 14 世纪早期的意大利，从那时起，安全保险方面的款项开始出现在商业文件中。不过，最早时候的这些协议具有向商人提供条件性贷款的性质（如同古巴比伦时期一样），如遇意外可能便会被取消，而非现代意义上的保险凭单。在《威尼斯商人》中，安东尼奥的"船队"显然没有获得保险，使他身陷夏洛克的阴谋诡计。直到14世纪50年代，真正的保险合同才开始出现，那时的保险费按照投保金额的15%~20%收取。到了15世纪，这个比率进一步下调到了10%以下。保存在当时的大商人弗朗西斯科·达蒂尼档案馆中的一份典型合同规定，保险公司同意承担源于以下方面的风险："上帝、大海、人类战争、火灾、投弃以及国王、城市或其他人导致的延误、报复行为、被捕，和其他可能发生的任何损失、危险、灾难、受阻或困厄，但包装以及进出海关除外"。直到投保货物安全到达目的地并卸载完毕。逐渐地，这种合同实现了标准化——这一标准在被纳入了《商人习惯法》之后，沿用了数个世纪之久。不过，那时的承保人并非专业人士，他们也是商人，同样从事着各自领域的贸易活动。

从17世纪末期开始，一种更具专业特征的保险市场开始在伦敦成型。人们对于保险市场的关注无疑源自1666年那场导致13 000多户房屋被毁的伦敦大火[①]14年之后，尼古拉斯·巴尔邦创立了首家火灾保险公司。大约同一时间，一个专门的海运保险市场在爱德华·劳埃德位于伦敦塔街（后来是朗伯德街）的咖啡屋中发展起来。从18世纪30~60年代，前往"劳合社"（劳埃德咖啡屋）交流信息的做法变得更为普遍。到了1774年，一家新的"劳合社"在当时的伦敦皇家交易所成立，首批吸纳了79名终身会员，每位会员缴纳了15英镑会费。同之前的垄断性贸易公司相比，"劳合社"只是一个内部构造简单的实体，本质上说是一个由市场参与者组成的自治组织。其

① 人类"亡羊补牢"的心态在火险历史中得到了充分的体现。美国各州要求保险公司必须保持充足的责任准备金是1835年纽约大火之后才开始的。再保险业务也是在1842年汉堡大火之后才发展起来的，目的是为了让保险公司分担重大灾难的一部分风险。

中，“保险业者”（他们要在保险合同下方签名，因此又被称为“劳合社”的“承保社员”）的责任无任何法律限定。那时的财务安排就是我们现在所说的“量入为出”——目标就是每年募集足够的保险费，用于支付“劳合社”当年的支出，并从中赚取利润差额。1710 年，专门从事火险业务的太阳保险办公室成立；10 年之后（正值“南海公司泡沫”的鼎盛时期），专注于生命和海运保险的皇家交易保险公司和伦敦保险公司相继成立。直到此时，保险行业才引入了法律责任限定。不过，上述三家公司的经营依然建立在“量入为出”的基础之上。据伦敦保险公司的数据显示，该公司的保险费收入通常（但并非总是）高于财务支出，其中英法战争期间两项数额双双达到了顶峰（因为在 1793 年之前，伦敦保险公司向法国商人出售保险是相当正常的事情）。和平时期，保险业务逐渐恢复常态；而到了第一次世界大战前夕，绝大部分德国商业船队都购买了“劳合社”的保险服务。

同样的，生命保险早在中世纪便已存在。佛罗伦萨商人贝尔纳多 · 坎比的账簿中便记载了关于教皇（尼古拉斯五世）、威尼斯总督（弗朗西斯科 · 福斯卡里）以及阿拉贡国王（阿方索五世）等人生命的“保险”。不过，这些保险似乎与赌钱并无二致，类似于坎比在赛马上下赌注一样。事实上，所有这些形式的保险——甚至包括那些缜密的船运保险——全都是一种赌博。当时还不存在对投保风险进行评估的足够的理论基础。随后，经过一波极为显著的知识创新，从 1660 年左右开始，这些理论基础开始逐渐形成。总的来说，总共出现了以下 6 个方面的决定性突破：

1. 概率。法国数学家布莱兹 · 帕斯卡尔认为，提出“灾害造成的恐惧应当不仅仅与灾害的严重程度，同时还应与事件的发生概率成相应比例”这一见解的应该是波尔 · 罗亚尔修道院的一位修道士（记载于帕斯卡尔的

《思想录》)。帕斯卡尔和他的朋友皮埃尔 · 德 · 费马曾经对概率问题进行了多年并不怎么严肃的研究，但对于保险业的演进来说，那是极具决定性的一点。

2. 平均寿命。《思想录》问世的同一年（1662 年），约翰 · 格朗特出版了他的《关于死亡公报的自然与政治观察》一书。在这本书中，格朗特试图依据伦敦官方的死亡人员统计来评估人们死于某种特定原因的“可能性”。不过，格朗特的数据并没有涵盖死亡人员的年龄问题，因此无法获得本应从中导出的信息。随后，同格朗特一样同为英国皇家学会会员的埃德蒙德 · 哈雷运用普鲁士布雷斯劳镇（现在波兰境内的弗罗茨瓦夫）向英国皇家学会提供的数据在这方面取得了重大突破。依据 1 238 个出生记录以及 1 238 个死亡记录，哈雷得出了一个生命统计表，揭示了每年非死亡性“赔率”：“每年之中一名 20 岁男子的非死亡性赔率为 100 : 1，而一名 50 岁男子的赔率为 38 : 1。”这成为保险精算数学的基石之一。

3. 确定性。雅各布 · 伯努利在 1705 年提出：“在类似条件下，一件事情未来的发生（或不发生）频率将会与过去得出的情况保持一致。”他的“大数法则”表明，通过抽样调查，我们可以对一个装满两种球体的罐子的全部情况作出具有一定确定性的推断。这为统计显著性的概念以及附带特定置信区间（例如，如果罐子里面有 40% 是白球，置信区间为 95%，那就表明其准确值应介于 35%~45% 之间——40% 的正负 5% 范围内）的现代概率程式奠定了基础。

4. 正态分布。亚伯拉罕 · 德 · 莫弗尔告诉我们，任何迭代过程的结果都可以沿一条依据他们与均值或标准偏差之间的方差形成的曲线来分布。德 · 莫弗尔在 1733 年写道：“尽管随机导致了非规律性，但比率还是将会无比显著。经过一定时间，那些非规律性将在原本固有规律的周期性复现中变得微不足道。”我们在第三章中见到的钟形曲线便代表着正态分布，其中68.2% 的结果都处在均值的一个标准偏差（正或负）之内。

5. 效用。瑞士数学家丹尼尔 · 伯努利在 1738 年提出“事物价值不能建立在其价格上，而应取决于它所产生的效用”，并且“财富方面的小幅增长所产生的效用与此前已占有的财产数量成反比”——换句话说，同一个对冲基金经理相比，100 美元对于一个中等收入人士来说更具价值。

6. 推断。托马斯 · 贝叶斯在《关于求解一个随机理论问题的随笔》中(发表于 1764 年，当时作者已经去世)，他给自己提出了这样一个问题：“给定一项未知事件已经发生和失败的次数，求证该事件每次测试时的发生概率介于两个指定数额之间的机会。”然后，他又对这个问题作出了解答——“任意事件的发生概率都是依据事件发生预期所估算出来的价值与预期事件发生机会的比率”——这预示了一个现代公式，即期望效用等于事件发生概率乘以事件所带来的收益。

简而言之，现代保险业的真正先驱是那些数学家而非商人。不过，这确实还需要将理论转化为实践。

保险的推广

如今，位于爱丁堡老城中心山上的灰衣修士教堂墓园因为那只守着主人坟墓的斯凯犬“忠狗巴比”而闻名遐迩。另外，这个墓园广为人知的另一个原因在于那些盗墓者——所谓的“掘墓盗尸人”，他们于 19 世纪早期来到这里，为爱丁堡大学医学院提供用于解剖的尸体。不过，灰衣修士教堂在金融史上的重要性主要在于这座教堂的牧师罗伯特 · 华莱士以及他的朋友、托尔布斯教堂牧师亚历山大 · 韦伯斯特所从事的早期数学研究。他们同爱丁堡的数学教授科林 · 麦克劳林一道，成功创立了首个建立在正确保险精算以及金融准则（而非商业赌博）基础之上的保险基金。

居住在那时候因臭气熏天而被赋予“老雾都”绰号的苏格兰首都，华莱士和韦伯斯特都对人类健康的脆弱性有着敏锐的觉察。他们两人都活到了高龄：分别是 74 岁和 75 岁。但麦克劳林仅仅 48 岁便离世，他在 1745 年苏格兰人民起义中试图躲避詹姆斯党人时不慎落马，从而暴露了身份。苏格兰高地地区的天主教派入侵只是 18 世纪中叶爱丁堡居民面对的危险之一。到 19 世纪，英格兰人的平均预期寿命只有 37 岁，那时爱丁堡的情况不可能好于英格兰，甚至可能同 18 世纪晚期居民平均预期寿命只有 23 岁的伦敦一样不容乐观——鉴于苏格兰首都声名狼藉的恶劣卫生条件，情况或许还会更为糟糕。 在华莱士和韦伯斯特看来，其中一个群体尤为容易受到过早死亡。按照《安妮法》（1672 年）规定，已故苏格兰长老教会牧师的遗孀和子女只能获得牧师去世之年的半年薪俸。从那之后，他们便会面临困窘的生活。尽管爱丁堡的主教在 1711 年又颁布了一个补充方案，但仍然是建立在传统的“量入为出”的基础上。华莱士和韦伯斯特知道这还无法达到人们要求。

我们倾向于将苏格兰牧师想象成谨慎、节俭、提防可能因为任何微小过错招致上帝惩罚的典型形象。但事实上，罗伯特 · 华莱士是一个极其嗜酒之人，同时还是一位数学奇才。他喜欢和兰肯俱乐部同样好酒的密友们推杯换盏，这个俱乐部的成员过去经常在兰肯旅店会面。[①]亚历山大 · 韦伯

① 华莱士也是爱丁堡哲学学会的成员。他向该学会提交的论文《论古代与现代的人口数量》在某些方面的发现要先于马尔萨斯的《人口论》。

▲保险精神：正在爱丁堡布道的亚历山大·韦伯斯特

斯特的绰号是“善良的大酒瓶”，据说“烈酒的力量几乎无法影响韦伯斯特先生的思维和四肢”。不过，当面对预期寿命的计算问题时，两人便清醒得鲜有他人能比了。韦伯斯特和华莱士提出的计划独具匠心，这反映出他们不仅仅受到了此前加尔文主义宗教改革的影响，同时也受到了苏格兰18世纪文艺复兴的影响。他们认为，除了要求那些牧师每年缴纳保险费，用于这些牧师去世之后照顾他们的遗孀和孤儿之外，这些保险费应该被用于创立一种基金，然后进行收益性投资。

那些牧师的遗孀和孤儿将会获得投资所得的回报，而不仅仅是他们的保险费。要使这项计划得以实施，唯一需要做的就是对未来将会出现多少遗孀和孤儿，以及赡养他们需要收入多少资金进行精确预测。现代的保险精算师们仍然对韦伯斯特和华莱士所作测算的精确性惊诧不已。“一定要通过独特经验以及细致计算，确定遗孀在其丈夫死后需要的金额比例。”华莱士在一篇草稿中写道，“不过，开始时可能需要她们的丈夫在世时每年缴纳3倍的保险费……” 随后，华莱士又开始研究他和韦伯斯特从苏格兰全境的长老会辖区搜集来的证据，并且发现“苏格兰在世的牧师人数似乎总是保持在930人的水平”。

> ……通过对过去20年的数据进行研究，我们发现每年（930人中）约有27名牧师辞世，其中18人留有遗孀，5人留有子女但没有遗孀，2人既有遗孀又有上次婚姻留下的未满16岁的子女；当遗孀全体数量统计完全时，3名领取养老金者又将去世或再婚，身后又抛下未满16岁的子女。

华莱士最初估算出来的任一时期遗孀的最多人数为279人，但麦克劳林对这种测算作出了纠正，指出假定遗孀死亡率恒定并不属实，因为她们不可能全部处于同一年龄。为了得出准确性更高的数字，华莱士转而求助于哈雷德的生命统计表。

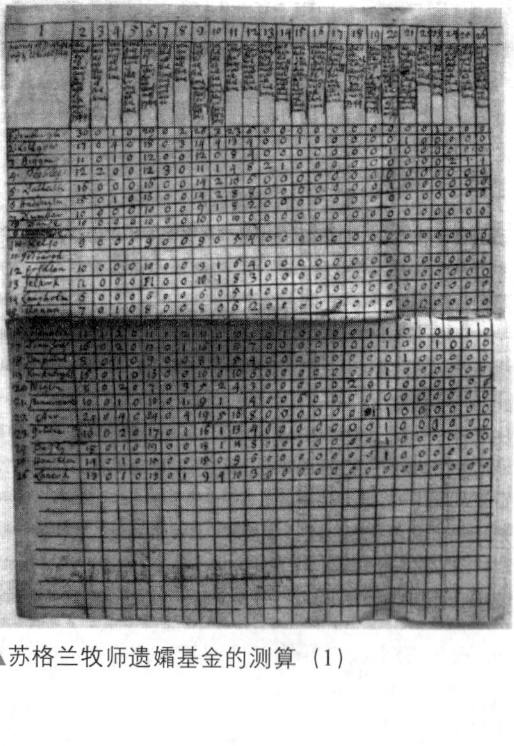

▲苏格兰牧师遗孀基金的测算（1）

时间将会对他们的测算予以检验。依据这项计划的最终版本，每位牧师每年将会缴纳的保险费共有4种等级以供选择，这些钱将被用于创立一项基金，然后通过收益性投资（最初是向较为年轻的牧师提供借贷）赚取足够的收入，以便依据所缴纳的保险费等级向新遗孀支付 10~25 英镑不等的养老金，同时涵盖基金的管理费用。换句话说，“为苏格兰长老教会牧师的遗孀和儿女提供准备金的资金”是首个按照“极大值原理”运作的保险基金。这种基金不断进行资本积累，最终达到利息和收益足够支付最大数量的养老金以及其他方面支出的程度。如果测算错误，基金可能出现超过（或是问题更为严重的低于）所需资金数额的问题。经过至少五次对基金增长率进行评估的尝试，华莱士和韦伯斯特最终得出了一组预测数字，即从 1748 年年初到 1765 年，基金总额将从 1 8620 英镑递增到 58 348 英镑。事实证明，他们仅仅出现了 1 英镑的偏差。到 1765 年，基金的实际自由资本达到了 58 347 英镑。华莱士和韦伯斯特在有生之年见证了他们的测算被验证。

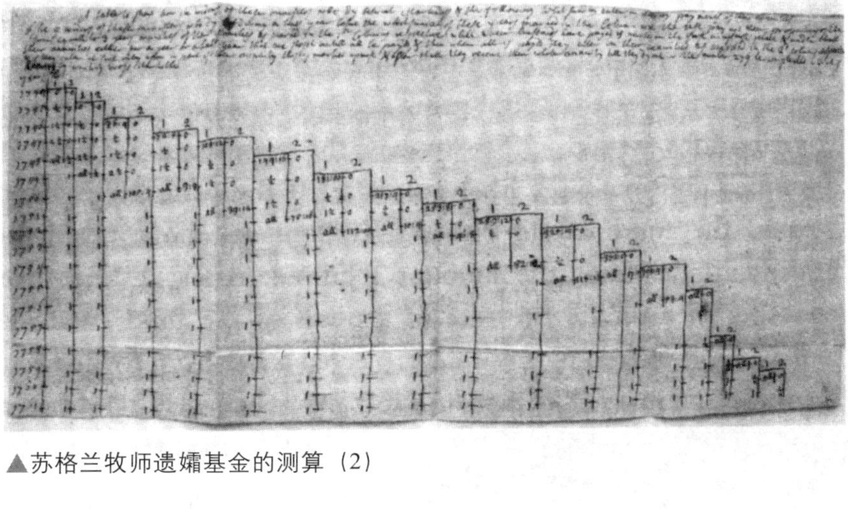

▲苏格兰牧师遗孀基金的测算（2）

1930 年，德国保险专家阿尔弗雷德 · 马内斯给保险下了一个简明的定义，即：

一种依托于交互原则的经济制度，建立目的是提供一种资金储备，这种需要源于一种发生概率可以预先评估的偶发事件。

苏格兰牧师遗孀基金是同类基金中的首例，该基金的建立的确是金融史上的一座里程碑，不仅仅是为苏格兰的牧师，同时也为渴望防范过早死亡风险的每一个人树立了模板。甚至在该基金完全投入运作之前，爱丁堡、格拉斯哥以及圣安德鲁斯的各所大学已经申请加入了。其后的20年间，依照相同模式建立起来的类似基金如雨后春笋般在英语国家相继涌现，其中包括费城长老会牧师基金（1761年）、英国公平公司（1762年）以及为苏格兰工匠的遗孀提供赡养费用的圣玛丽礼拜堂的联合公司（1768年）。

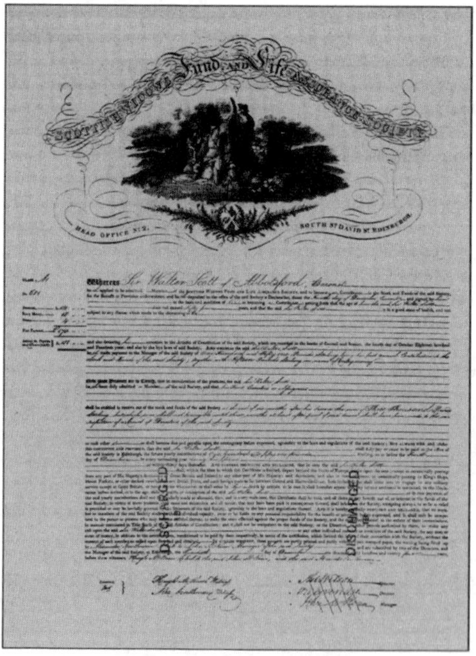
Scottish Widows' Fund and Life Assurance Society
Head Office No 5, South St David St Edinburgh
Whereas Sir Walter Scott of Abbotsford, Baronet
DISCHARGED
DISCHARGED

▲沃尔特·斯科特先生的人寿保险政策

到1815年，保险原则已经广泛流行，甚至那些在与拿破仑战斗的过程中殒命的人们都接受了保险服务。滑铁卢战役中，一名士兵牺牲的概率为1/4。如果上了保险，他便知道即使战死沙场，自己的妻子和孩子也不会流落街头，这给他们带来了一些慰藉。

到了19世纪中叶，投保已经同到教堂做礼拜一样，成为了一种名望的象征。即便是小说家——他们通常在财务方面并无远见——也加入了。1826年，沃尔特·斯科特先生推出一项政策，向投保人保证即使遇到他去世的情况，投保人仍然能够拿回他们的保险金[①]。就是这样，一个原本计划用于保障几百位牧师遗孀生活的基金，稳步发展成为如今我们所知的经营一般保险和养老基金的“苏格兰遗孀基金公司”。尽管现在苏格兰遗孀基金公司仅仅是一家金融服务提供商，并且已于1999年被劳埃德银行收购，但它仍被视为加尔文主义盛行所带来的益处的典范。这在很大程度上也源于那场在金融史上最为成功的广告运动[②]。

风险防范

人们在18世纪40年代未能料到的是，通过不断增加缴纳保险费的人员数量，保险公司及其“近亲”抚恤基金将会一跃成为世界上规模最大的投资者之一——即如今那些统治了全球金融市场的所谓“机构投资者”。第二次世界大战后，当保险公司获准开始投资股票市场时，它们以迅猛之势购买到了英国公司的绝大部分股份。到了20世纪50年代中叶，主要英国公司中

① 斯科特是第一次拉美债务危机（见第二章）引发的金融危机的受害者，也许是对房产的衷爱害了他。斯科特在阿伯兹福德的乡村别墅耗资不小，为了赚钱他成了曾出版过其著作的詹姆斯·巴兰坦公司及其附属的詹姆斯·巴兰坦出版社的一名悠闲的合伙人。他也是自己的出版商阿奇柏德·康斯坦布尔的投资者，因为他觉得证券市场的回报要比版税高。他对这些事守口如瓶，认为其与自己法院院长和郡长的身份不符。詹姆斯巴兰坦公司和阿奇柏德康斯坦布尔公司在1825年破产，这让斯科特背上了11.7万~13万英镑的债务。然而斯科特并没有卖掉阿伯兹福德的房子，反而发誓要通过写作来偿还债务。他最终成功了，可是身体大受影响，1832年便去世了。如果他早些离世的话，债主们将会成为苏格兰寡妇政策的受益者。

② 1986年的这条广告当时是由戴维·巴拍摄的，而扮演风情万种的苏格兰寡妇的则是演员罗杰·摩尔的女儿狄波拉·摩尔。

的1/3都已成为他们的资产。如今，仅苏格兰遗孀基金公司的管理资金便超过了1 000亿英镑。保险费在发达经济体国内生产总值中的权重也在稳步提升，从第一次世界大战前夕的2%左右增长到了现在的近10%。

正如罗伯特·华莱士在250多年前意识到的那样，规模对保险至关重要，因为依据平均律，人们投入基金的保险费越多，那么对每年将要支出的资金进行预测便会变得越发容易。尽管无法提前获知具体某个人的死亡日期，但保险精算师可以利用华莱士、韦伯斯特以及麦克劳林率先使用的原理，对一个较大个人群体可能的平均预期寿命作出惊人准确的测算。除了投保人可能在世多长时间之外，保险公司还需要了解他们的基金投资能够获得多少收益。它们应当利用投保人缴纳的保险费购买什么呢？是伦敦保险公司首席精算师A·H·贝利等维多利亚权威人士推荐的相对安全的债券？还是存在较大风险但可能带来更高收益的股票？换句话说，保险就是日常生活的风险和不确定性与金融领域的风险和不确定性交集的部分。无可否认，精算科学赋予保险公司一种相对于投保人的固有优势。现代概率理论诞生之前，保险公司只是赌徒；现在，它们则变成了赌场。这样说的理由是——正如斯克鲁格斯沦落之前那样——胜负比率现在已经处于对下注者/投保人不公平的状态。不过，正如经济学家肯尼斯·阿罗很久以前曾经指出的那样，收益微小（不缴纳保险费）对非确定性巨大损失（灾难之后无法获得赔付）的赌博相比，人们更青睐于那种损失微小（每年缴纳保险费）对较小概率的巨大收益（灾难之后获得的保险赔付）的赌博。这就是为什么基思·理查兹和蒂娜·特纳分别为他们的手指和玉腿上了保险的原因。一些保险公司有计划地未对那些下了赌注的人们

现代概率理论诞生之前，保险公司只是赌徒；现在，它们则变成了赌场。

作出赔付，这将使它们因苏格兰式的远见所积聚的长久声誉转变为吝啬的恶名。要是不是这样就好了。

不过，这里仍然存在着一个令人费解的问题。作为现代保险业的发明者，英国人仍然是世界上保险投入最多的民族，英国超过12%的国内生产总值都用做了保险费，这比美国人在保险方面的支出高出了1/3，同时是德国人保险支出的将近两倍。这似乎并无不妥之处，不过，稍加思考便会产生这样的问题：为什么会是这种状况呢？同美国不同，英国很少受到恶劣天气事件侵袭；我在有生之年遭遇的最类似于飓风的事件就是1987年10月的那场风暴。英国没有城市像美国旧金山那样位于地质断层线上。而且，同德国相比，苏格兰遗孀基金公司成立以来的英国历史始终保持着令人几乎无法想象的政治稳定。那么，为什么英国人购买这么多的保险呢？

问题的答案在于另外一种风险防范形式：福利国家。

从福利到福利

无论建立多少类似于苏格兰遗孀基金公司的私人基金，终究还是会有一些人处于保险覆盖范围之外，这些人要么过于贫穷，要么就是从未打算为可能出现的“困顿时期”进行储备。这些人的命运极度艰难：依靠私人慈善机构或管理森严的劳动救济所。在位于伦敦诺森伯兰大街上的规模巨大的圣玛丽勒本劳动救济所，“跛足、无能、年老以及失明”的穷人在困难时期总数可以达到1 900多人。当天气条件恶劣，工作机会稀少以及食物价格高涨时，男女“临时工人”将屈从于这种监狱一般的体制。《伦敦新闻画报》1867年曾经作出如此描述：他们先是经过大量冷热水和肥皂冲洗，然后获得一份包括 6 盎司面包和一品脱啤酒的晚餐；晚餐过后，他们的衣服将被收走进行清洗和消毒，同时会被提供温暖的羊毛睡衣然后被送去睡觉。《圣经》诵读者将会诵读祷文，整个晚上宿舍都要保持严格秩序和安静。……床铺包括一个椰皮纤维填塞的床垫，一个枕头以及一小块毛毯。夏季早晨 6 点，冬季早晨 7 点，他们便被唤醒，按照命令参加劳动。女人们被安排清扫病房，或整理旧麻绳；男人们则去干苦力。总之，用罢与晚餐种类数量一样的早餐之后，所有人在救济所的滞留时间不会超过 4 个小时。已经过消毒和寄生虫处理的衣服将在上午归还他们，那些选择对破烂不堪的衣服进行修补的人们将被提供针线以及用做补丁的布料。如果有人病了，救济所的医疗人员会对他们进行治疗；如果病情过重以至于无法动弹，他们将被送进医务所。

▲ 1902 年伦敦劳动救济所中的两幅场景：他们整理旧麻绳以备船舶建设中使用。

这份报告的作者最

后总结道："'业余临时工人'们无可抱怨……这些乐善好施的人已经做到了他们所能做到的极致。"不过，到了19世纪晚期，认为那些生活中的失败者应当过得更好的观点开始增强。应对风险问题的新型方法的种子开始生根发芽——这种方法最终演变成为福利国家。这种国家体制保险的目的是通过覆盖每位公民从出生到死亡的全部过程，最大程度地开发规模经济。

我们倾向于认为福利国家是英国人的一项发明。同时，我们还认为这是一种社会主义或至少自由主义的发明。但事实上，历史上首例医务国家健康保险和养老金并非起源于英国，而是起源于德国。20多年后，英国才开始效仿德国的做法。同时，这也不是出自"左派"之手——事实正好相反。如奥托·冯·俾斯麦自己在1880年所述，他的社会保险立法目的是"通过让为数众多的无产阶级意识到自己享有养老金的权益，从而使他们产

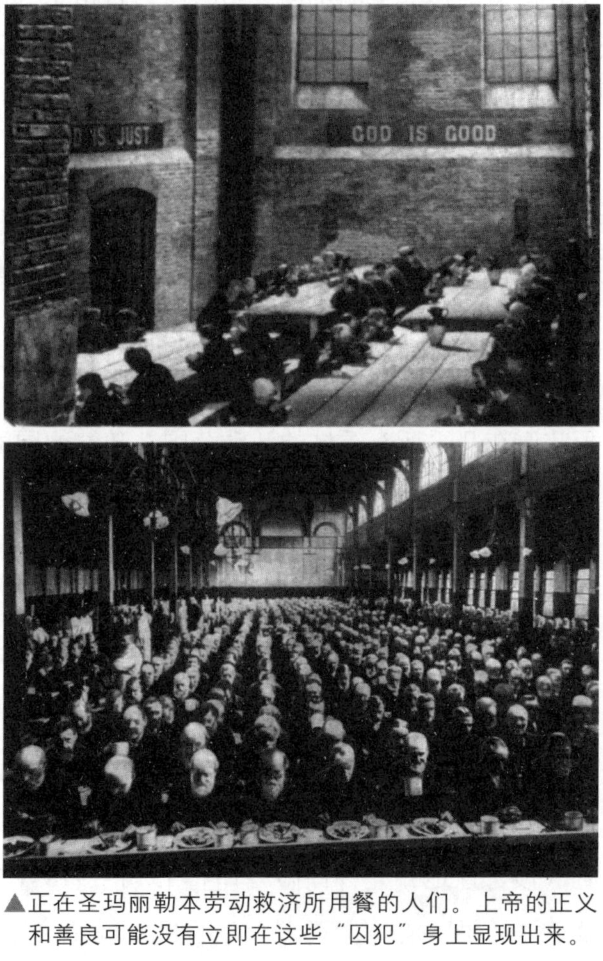

▲正在圣玛丽勒本劳动救济所用餐的人们。上帝的正义和善良可能没有立即在这些"囚犯"身上显现出来。

生一种保守的思想状态”。在俾斯麦看来：“一个年老之后享有养老金的人相对于没有养老金的人更容易对付。”使其自由主义对手颇为惊奇的是，俾斯麦竟然公开承认这是“一种国家——社会主义思想！社会绝大多数必须承担责任，为无产阶级提供帮助”。不过，俾斯麦的动机并不是为他人着想。他曾评论说：“任何接受这种思想的人都将执掌政府。”直到1908年，英国人才开始追随俾斯麦的先例，当时信奉自由主义的英国财政大臣戴维 · 劳埃德 · 乔治引入了一种针对70岁以上公民、谨慎的、需要经过入息审查的国家养老金。随后又在1911年通过了《全民健康保险法》。尽管身为一名“左派”人士，但是劳埃德 · 乔治赞同俾斯麦的见解，即在一种选举权急速扩张的体制中，这些措施将成就选举获胜者。富裕人口数量多于贫困人口。当准备通过直接征税来支付国家养老金时，劳埃德 · 乔治将他1909年的财政预算标榜成为“人民的预算”。

福利国家从政治活动中孕育而生，它在战争中走向成熟。世界大战拓展了政府在几乎所有领域的活动范围。随着德国潜艇致使总量至少7 759 000吨的商船运输货物葬身海底，应对战争风险显然已经超出了私人海运保险公司的能力所及。事实上，以前标准的“劳埃德方针”已经经过修改（1898年），从而将“对抗或战争性行动所导致的后果”排除在保险范围之外（所谓的“F.C.S”条款：“对俘虏和夺取不予负责”）。不过，随着战争的爆发，那些经过修改以期规避这种排除条款的各项政策纷纷被撤销。这时候，国家适时插手，实际上是效仿美国实现商业运输业的国有化，并且（预言性地）允许保险公司将1914~1918年间任何船只的受损情况纳入战争“后果”范畴。 随着和平的到来，政治家们又赶紧在1920年引入了失

福利国家从政治活动中孕育而生，它在战争中走向成熟。

业保险方案，以便对劳动力市场遣散所引发的后果起到缓冲作用。这个过程在第二次世界大战期间以及之后再次重演。英国的社会保险形式在《社会保险及有关的事业部会联合委员会报告：1942》中得到极大扩展，这个由经济学家威廉·贝弗里奇担任主席的委员会建议通过制订多种国家计划，向“短缺、疾病、愚昧、贫困以及失业”发起一场范围广泛的进攻。在1943年3月的一次广播讲话中，丘吉尔作出如下总结：“覆盖所有阶层的、全方位的、从摇篮到坟墓的国家强制保险。”通过政府政策废除失业，这种政策能够“根据情况所需施行或废止，从而对事态发展起到平衡作用”；“国家所有制和企业规模扩大化”；更多公共性保障住房；公共教育改革以及得到较大程度扩展的健康和福利服务。

对于国家保险的争论并不仅限于社会公平问题。首先，国家保险可以涉足私人保险公司惧怕触碰的领域。其次，全体以及有时是强制性的参保成员数量避免了对耗资巨大的广告和销售活动的需要。再次，作为20世纪30年代的顶级权威，“多种数据的集结应当可以使统计经验更为丰富，从而得出更为稳定的平均值”。换句话说，国家保险应用了规模经济；因此，为何不使国家保险尽可能广泛化呢？《贝弗里奇报告》不仅在英国，而且在全世界都受到了狂热的追捧，这多少可以解释为什么人们现在仍然认为福利国家带有“英国制造”的标签的原因。然而，世界上的首个“福利超级大国”——最为深入地贯彻福利原则并取得最大成功的国家并非英国，而是日本。没有什么能够比日本的经历更为清晰地阐释战争国家与福利国家的密切联系。

日本的保险业

20 世纪前半叶，日本遭遇了连续不断的灾难袭击。1923 年 9 月 1 日，一场剧烈地震重创日本关东地区，导致横滨和东京两座城市受到严重破坏。灾区共有超过 12.8 万栋房屋完全被毁，同样数量的房屋部分受损，900 多栋房屋被海水卷走，另外还有大约 45 万栋房屋在地震之后的火灾中烧毁。不过，日本人都上了保险。1897~1914 年，日本保险业从一无所有最终发展成为一个生机勃勃的经济组成部分。从事该行业的 30 多家公司提供覆盖大海、死亡、火灾、征兵、交通事故、入室盗窃等方面损失的大概 13 种完全不同门类的保险服务。譬如，大地震发生的 1923 年，日本公民购买了总额为 699 634 000 日元（当时约合 3.28 亿美元）的新生活保险，平均每份保单为 1 280 日元（当时约合 600 美元），而该地区大地震造成的损失总额为 46 亿美元。6 年之后“经济大萧条”来袭，随即将一些农村地区逼到了饥饿的边缘（这个时期，日本 70% 的人口都在从事农业，这部分人口中的 70% 总共的土地占有量仅有 1.5 公顷）。1937 年，日本对中国发动了耗资巨大但最终却毫无所得的战争。随后，1941 年 12 月，日本又投入了同世界经济“巨人”美国的战争，并最终以在广岛和长崎付出致命代价收场。除了在日本毁灭性的帝国征途中牺牲的大约 300 万生命之外，到 1945 年，日本的全部股本价值已经被美国的轰炸机摧毁得干干净净。依据《美国战略轰炸调查》的统计，60 多个日本城市中，至少 40% 有经过规划建设的地区遭到破坏；250 万栋房屋被毁，致使 830 万人无家可归。实际上，当时唯一一座完整幸存下来的城市（尽管并非毫发无损）便是曾经的日本帝都京都——一座仍然浸透着日本以前的气质的城市，同时也是迄今为止仍然保存着日本传统木质市政建筑“町屋”的最后处所之一。只要瞥上一眼这些又高又单薄的建筑，看看它们的滑门、纸质屏风、精致的梁柱以及草席，那么日本城市那时候“弱不经火”的原因便不言自明了。

如同其他穷兵黩武的国家一样，日本带来的教训很清楚：世界是一个如此危机四伏的地方，以至于私人保险公司根本无力应对。（即使是在美国，90%的战争损失风险都要由联邦政府通过战争损失公司来承担。这个公司是历史上利润最为丰厚的公共部门实体之一，因为众所周知，美国的大陆从来没有遭受过任何战争损失。）尽管在努力往好处去做，但是当时在日本，个人根本无法保护自己免受美国空军的伤害。几乎所有地方采取的措施都是由政府接管——实际上就是实现风险的国有化。当日本在1949年开始着手筹划全民福利体系时，他们的“社会安全咨询委员会”参照了英国的先例。作为一位全民保险制度的笃信者，近藤文治认为已经到了拥有日本的“贝弗里奇”的时候了。不过，他们在这个问题上比贝弗里奇所计划的更为深入。据“咨询委员会”的报告所述，他们的目的是：

> 创造一种体制，其中包括采取措施，通过国家付款来保障在疾病、受伤、生育、残疾、死亡、年老、失业、家庭成员过多以及其他贫穷诱因条件下的经济安全……（同时）贫困人口将会通过国家援助获得最低生活保障。

从现在起，福利国家将会保护他们的人民免受现代生活中所有意外情况之苦。如果他们生来多病，国家埋单；如果他们无法承受教育费用，国家埋单；如果他们无法找到工作，国家埋单；如果他们病情严重无法工作，国家埋单；如果他们退休了，国家埋单。当他们最后与世长辞，国家将会赡养他们抛下的家属。这无疑契合了战后美国占领的目标之一——“用一种福利经济取代封建经济”。不过，如果凭此臆断日本是在“一种外国势力的大力强迫之下”实施福利国家政策的，那就错了。事实上，日本人是自己为自己建立了福利国家——他们在第二次世界大战结束的很久之前便已经开始这样做了。这种行为真正的驱动力源于一个20世纪中叶国家渴求体格健壮的士兵和工人的贪婪欲望，而非社会利他主义。正如美国政治学家哈罗德·D·拉斯韦尔所言，20世纪30年代的日本变成了一个“卫戍之国”。那时的日本是一个作出了“战争–福利国家”承诺的国家，通过保障社会安全换取军队的牺牲。

那时的日本是一个作出了“战争–福利国家”承诺的国家，通过保障社会安全换取军队的牺牲。

20世纪30年代之前，日本已经存在一些基本社会保险：工厂事故保险以及健康保险（1927年专为工厂工人引入）。不过，这类保险的投保人数不足工业劳动力的2/5。令人记忆犹新的是，1937年7月9日，即同中国开战仅仅两个月之后，日本帝国政府批准了成立日本厚生省的计划。这项计划的首要步骤便是引入一种全民健康保险的新型体制，以弥补现有的工业员工保险项目。从1938年年末到1944年年末，这项计划覆盖的公民数量从刚刚超过50万人猛增到4 000万人，前后增长将近100倍。其目的一目了然：更加健康的民众将确保为天皇的武装部队输送更加健康的新兵。那句战时口号——“全民皆兵”被改编成了“全民皆有保险”。为了保证全民投保，医疗行业以及工业都要服从于国家。另外，日本在战争期间还引入了针对海员和工人制订的强制养老金计划，其中国家承担全部成本的10%，雇主以及员工分别缴纳员工工资的5.5%；同时引入的还有一些关于实施大规模公共住房供应的初始步骤。因此，战后日本发生的事在很大程度上是战争–福利国家的延伸，“全民皆有保险”。日本推行失业保险，而不再是早期那种即使是在拮据时期也要向员工支付工资的家长式做法。部分日本人倾向于从民族主义的角度考虑福利问题——一种民族提升的和平方式，这不足为奇。事实上，那份在1950年提出的附有英国模式的建议报告遭到了政府的否决。到了1961年，即摆脱美国控制之后很长时间，这份报告中的绝大多数建议才最终得到采纳。到了20世纪70年代晚期，一位名叫中川八洋的日本政治家骄傲地夸耀日本已经变成“福利超级大国”，因为日本的体制的确不同于（当然是优于）西方模式。

当然，日本的体制在制度上并不存在什么独特之处。多数福利国家都是给予全民从摇篮到坟墓的保障。不过，日本的福利国家体制似乎创造奇迹般的效果。从公共健康方面来看，日本在平均寿命方面处于世界领先水平。同样，在教育方面，日本也在同领域具有领先地位。20世纪70年代中期，日本高中毕业人口达到了总人口的大约90%，相比而言英格兰只有32%。另外，日本还创造了一个与除瑞典外的任何西方国家相比更加公平的社会。同时，日本拥有世界最大规模的国家养老基金，以便每个退休的日本人在其理应享受的多年（通常是相当多年）休息期间，能够同时获得大量的红利和固定收入。这个福利超级大国同时还创造了一个节俭的奇迹。1975年，日本国民收入中只有9%投入了社会保险，而瑞典的这一比率达到31%。日本在税收和社会福利方面的负担大约只有英格兰的一半。在此基础上，这个福利国家的一切似乎都完全合情合理。日本已经实现了所有方面的安全——消除风险，与此同时保持快速的发展壮大，以至于到1968年就已成为世界第二大经济体。此前一年，赫尔曼·卡恩曾经预测说日本的个人平均收入将在2000年之前赶超美国。实际上，中川八洋认为，如果将福利计算在内，

“日本工人的实际收入（已经）至少超过美国人 3 倍”。福利正在这个战败国产生效果，使日本成为领先国家。其中的关键并不在于外国强权支配，而在于国内安全网络。

不过，这里还有一个隐情——在战后福利国家的设计之中存在一个致命性缺陷。福利国家可能在 20 世纪 70 年代的日本得到顺利运行，但在西方世界国家中并非如此。尽管在地形以及历史层面具有诸多相似之处（欧亚大陆附近群岛、帝国历史、头脑冷静、举止严谨），但日本和英国拥有截然不同的文化。表面上看，他们的福利体制颇为相似：依据原先“量入为出”模式实现资金供给的国家养老金、全民健康保险、失业津贴、农民补贴、严格管理的劳动力市场。但是这些制度在两个国家的运行方式迥然不同。在日本，平等主义是优先的政策目标，同时一种顺从主义的文化鼓励人们遵守相关规定。相比之下，英国的个人主义导致人们以一种玩世不恭的态度对待这一体制。在日本，公司和家庭始终在福利体制中扮演着坚实的支撑角色。雇主主动提供补充津贴，不愿解雇工人。20 世纪 90 年代，年龄在 64 岁以上的日本人中约有 2/3 同子女生活在一起。而在英国，雇主会毫不犹豫地在困难时期大幅削减工人工资，同时人们更有可能将年老的父母抛给慈悲的国家医疗服务制度。福利国家把日本缔造成了一个经济超级大国，但在 20 世纪 70 年代的英国却收获了相反的效果。

英国保守党派认为，最初的国家保险体制已经堕落成为一种国家施舍以及税收征敛的体制，这极大地偏离了其经济动机。1930~1980 年，英国的社会转移支出从最初只占国内生产总值的 2.2%升至 1960 年的 10%，随后在 1970 年和 1980 年分别达到了 13%和 17%，这比同时期的日本高出了 6%。卫生保健、社会服务以及社会安全耗费的政府财政支出达到了国防支出的 3

倍，但其结果却令人甚为沮丧。福利方面不断增加的财政支出伴随着经济的低速增长以及远远高于发达国家平均水平的通货膨胀。其中一个尤为严峻的问题是长期缓慢的生产力增长（1960~1979年，英国从业人员的实际人均国内生产总值增长仅为2.8%，而同时期的日本为8.1%），这反过来似乎又与英国工会的交涉技巧密切相关（相对于彻底的“罢工”，“怠工”是一种更好的选择）。同时，高收入以及资本收益方面超过100%的边际税率，也阻碍了传统形式的储蓄和投资。英国福利国家似乎剥离了那种资本主义一旦失去便无法正常运行的刺激因素：努力奋斗的人收获大量金钱的“胡萝卜”；懒散懈怠的人遭受艰苦生活的“大棒”。其结果便是一种“停滞性通货膨胀”：增长不景气加上高通货膨胀。同样的问题也在困扰着那时的美国，当时美国用于健康、医疗保险制度、收入安全以及社会保障方面的财政支出在国内生产总值中所占的比率从1959年的4%增长到了1975年的9%，并首次超过了国防支出。同样，美国的生产力也是鲜有增长，而且停滞性通货膨胀甚嚣尘上。怎么办呢？其中一个人——以及他的学生们——认为自己知晓答案。在很大程度上，正是由于他们的影响，过去25年间一种最为显著的经济趋向将在西方福利国家中土崩瓦解——从而再次使备感震惊的人们遭遇了他们认为已经摆脱了的反复无常的“恶魔”——风险。

福利国家怎么了？

1976年，一位身形矮小的芝加哥大学教授荣膺诺贝尔经济学奖。作为一位经济学家，米尔顿·弗里德曼的名誉很大程度上来自于他将“通货膨胀源于货币供应的无限量增长”这一思想唤回了人们的视野。正如我们所看到的，弗里德曼与他人合作写就了一本关于美国货币政策的有史以来最为重要的著作，在这本书中，他将“经济大萧条”的责任归结于美联储。不过，弗里德曼在20世纪70年代中期之前最为关注的问题却是：福利国家到底出了什么问题？1975年3月，弗里德曼从芝加哥飞往智利为这一问题寻找答案。除了出席讲座和研讨会外，他还前往位于圣迭戈的莫内达宫与奥古斯托·皮诺切特将军举行会谈。

仅仅18个月之前，即1973年9月，军方坦克刚刚轰然驶过圣迭戈，并推翻了智利信奉马克思主义的总统萨尔瓦多·阿连德。之前，阿连德曾试图将智利转化为一个共产主义国家，不料计划未成，反而导致国内经济的全面混乱，智利议会随即呼吁军方接管政权。当空军战机正在对莫内达宫实施轰炸的时候，总统阿连德的反对者们在附近卡雷拉酒店的阳台上举杯相庆，享受着美味的香槟。莫内达宫内，总统孤身一人进行着一场绝望的战斗，身边只有一杆AK47步枪——那是他始终都在努力看齐的菲德尔·卡斯特罗送给他的礼物。当他看到坦克轰鸣着向他驶来时，他意识到他的梦想彻底终结了。已被逼入总统官邸未被占领的角落中的阿连德最终决定饮弹自尽。如今35年已过，人们依然能够在广场周围的一些建筑物上看到那个时期留下的弹孔。

▲米尔顿·弗里德曼

智利政变只是战后福利国家在世界范围内面临危机的一个缩影，提出了关于互相对立的经济体制之间无可避免的抉择难题。伴随生产崩溃和通货膨胀高涨，智利的全民保险和国家养老金制度无法挽回地走向了破产。对于阿连德来说，问题的答案在于一种对经济生活所有方面完全的苏维埃式接管。那些将军及其支持者们知道他们反对这种制度，但是现状明显也已难以为继，他们到底应该支持哪一方呢？正在这个关头，米尔顿·弗里德曼来了。弗里德曼与皮诺切特举行了长达 45 分钟的会谈，随后为皮诺切特起草了一份有关智利经济形势的评估报告，敦促皮诺切特降低政府财政赤字，因为弗里德曼认为这是智利通货膨胀高涨的主要原因，那时候智利的年通胀率高达 900%。弗里德曼的访问结束一个月之后，智利军政府宣布将“不惜一切代价”制止通货膨胀。军政府将政府开支削减了 27%，同时放火焚烧大捆的纸币。不过，弗里德曼所提供的建议并不仅仅是他的专利性货币政策“休克疗法”。在返回芝加哥后写给皮诺切特的一封信中，弗里德曼指出通货膨胀的“问题”并非“新近所致”，而是源于“45 年前开始的追求，只不过是在阿连德政权期间达到了顶峰”。弗里德曼后来回忆说：“我当时的总体原则……就是他们现在的困难几乎完全源于长达 45 年的追求集体主义以及福利国家的趋向……”另外，弗里德曼还向皮诺切特保证：“通货膨胀的结束将会带来资本市场的急速扩张，从而为仍然掌握在政府手中的企业和相关业务向私有领域过渡提供极大便利。”

由于提供了这个建议，弗里德曼发现自己成了美国媒体公开指责的对象。毕竟，他是在给一个军事独裁者充当顾问，而这个独裁者曾经杀害了 2 000 多名真正的或是可疑的共产主义者，并对另外将近 3 000 多人进行了残酷折磨。《纽约时报》质问道：“……如果纯粹的芝加哥经济理论以镇压为代价在智利得到实施，那么它的始作俑者不应该承担相应责任吗？”

芝加哥在智利新政府中的角色并不仅仅只是米尔顿·弗里德曼的一次访问。从20世纪50年代开始，定期会有一批聪明年轻的智利经济学家通过圣迭戈天主教大学与芝加哥大学的交换项目前往芝加哥学习，并在学成归来之时带回了关于智利需要平衡预算、减少货币供应以及实现贸易自由化的信念。这些人便是所谓的“芝加哥小子”、弗里德曼的“步兵”：若尔热·考阿斯，先后担任皮诺切特政府财政部部长和经济“超级部长”；塞尔希奥·德·卡斯特罗，若尔热·考阿斯财政部部长职位的继任者；米格尔·卡斯特，先后担任劳工部部长和智利中央银行行长；还有另外至少8人学成于芝加哥，然后在皮诺切特政府中任职。甚至在阿连德政权沦陷之前，他们便筹备了一套因为手稿厚重而被称为“砖块”的详细改革计划。不过，智利军政府所采取的最为激进的措施，却出自一位之前选择前往哈佛大学，而非芝加哥大学学习的天主教大学学生，他的思想在同一代人中对福利国家的挑战最为深远。撒切尔和里根主义紧随而来，一场针对福利制度的强烈冲击在智利展开。

对于何塞·皮涅拉来说——皮诺切特攫取政权时，他刚刚24岁——从哈佛大学返回智利的邀请使他陷入了难以抉择的两难境地。一方面，他对皮诺奇特政权的性质不抱任何幻想。但另一方面，他又认为这是一个将其在来到新英格兰以来脑海中形成的各种思想付诸实践的良机。在他看来，关键问题并不仅仅在于抑制通货膨胀，其中必不可少的一步是要在财产权与政权之间建立联系，这是北美资本主义民主制度尝试取得成功的核心所在。皮涅拉认为，要实现这一步，最为有效的方法是要对福利国家进行彻底检查，其中首先需要改革的便是旨在支付国家养老金以及其他津贴的“量入为出”体制。如他所言：

> 最开始时的大规模保险系统俨然已经变成了一种征税体制，今天的保险费收入用于支付今天保险金，而不是积累成为一个基金以备日后之用。这种“量入为出”的方法已经取代了权益实践中的节约原则。……（这种方法）根植于有关人类行为的错误观念中。它在个人层面上损坏了缴纳保险费以及获取保险金的联系，换句话说，就是努力与回报之间的联系。无论这种方法在哪里得到大规模和长时间的实施，都将造成毁灭性后果。

1979~1981 年，作为劳工部部长（以及后来的矿业部部长）的皮涅拉为智利建立了一种全新的养老金制度，并且给予每位工人选择国家养老金制度的机会。他们可以不再缴纳工资税，转而将等量资金（他们工资的 10%）存入一个个人退休金账户，并且由私营以及竞争性的养老金管理公司（AFP）经营。到了退休年龄，工人们可以取出这部分钱购买养老保险；或者，如果他们愿意，他们可以继续工作和存钱。除了养老金，这项计划中还包含残疾以及人寿保险。这种做法是为了让智利工人感受到他们缴纳的那些钱确实是他们自己的资本。用埃尔南·布基（帮助皮涅拉起草《社会安全法》以及实施健康医疗改革）的话说：“社会计划必须包括促进个人努力以及逐渐为自己的命运负责的刺激因素。没有比导致社会寄生现象的社会计划更悲惨的了。”

皮涅拉冒了一次险。他给工人们一个选择机会：坚持“量入为出”的原有制度，或者选择新的个人退休金账户。他定期在电视中露面对工人们进行劝诱，安慰他们说“没人会夺走你们祖母的支票”。皮涅拉态度坚决，严厉摒弃那种由国家的工会而非工人个人负责为他们的成员选择养老金管理公司的建议。最终在 1980 年 11 月 4 日改革获得通过，并且——按照皮涅拉恶作剧般的建议——从次年的 5 月 1 日，即国际劳动节那天开始生效。公众的反应异常活跃。截至 1999 年，已有超过 70% 的工人转换到了私有制度。他们每个人都收到一个崭新的本子，里面记录着他们的缴纳金额以及投资回报。截至 2006 年，已有 770 万名智利人拥有了个人退休金账户；另有 270 万人加入了隶属于“预防医疗机构体系”的私有健康计划保险服务，该体系允许工人们在国家健康保险以及该体系推崇的私营提供商之间作出选择。这听起来可能不太真实，不过——同皮诺切特统治下实施的其他受芝加哥启发的改革一道——这项改革是和马克思主义者阿连德曾在 1973 年计划的行动一样巨大的革命。另外，这项改革引入之时，智利正处在由于判断失当所引发的经济极度动荡时期。1979 年，当通货膨胀已经得到抑制的时候，智利政府决定将智利货币与美元挂钩。美元利率旋即出现上扬，通货紧缩的压力迫使智利突然陷入经济衰退，并且可能被迫脱离“芝加哥–哈佛”的高速路。1982 年，智利经济骤缩了 13%，似乎证明了“左派”批评家弗里德曼的“休克疗法”。一直到 1985 年年末，这场危机才真正结束。到了 1990 年，这场改革的成功才逐渐清晰起来：福利改革使政府在这方面的财政支出从国内生产总值的 34% 下降到了 22%，降幅可观。

这值得吗？那些“芝加哥和哈佛小子们”值得冒巨大的道德风险，与一个凶残暴敛的军事独裁者共事吗？答案要看你是否认为这些经济改革为智利恢复持续民主铺平了道路。1980 年，即智利政变之后仅仅第 7 个年头，皮诺切特批准了一项新《宪法》，规定智利将在以后 10 年中过渡到民主制度。1990 年，皮诺切特在有关其领导权的全民公投中落败，随后辞去总统职务（尽管之后他仍然掌管军队长达 8 年之久）。民主制度得以恢复，同时仍在持续的经济奇迹对确保这种制度存在起到了协助作用。养老金改革在智利创造出了一个新的产权人阶层，其中的每个人都拥有自己的退休储蓄。同时，改革还为智利经济注入了一针强心剂，因为改革成果极大地提高了储蓄率（到 1989 年为止达到了国内生产总值的 30%，这在拉丁美洲堪称翘楚）。最初，政府强行设定上限，以防止养老金管理公司在海外的投资额度高于新养老基金的 6%（后来提高到 12%），这样做是为了保证将智利新的储蓄来源导入自身经济发展中来。2008 年 1 月，我曾到访圣迭戈，目睹了智利银行的经纪人正在忙于将工人缴纳的养老金投入智利的股票市场，投资结果令人印象深刻。个人退休金账户的年回报率已经超过了 10%，这反映了智利股票市场急速增长的业绩。1987 年以来，智利股市增幅高达 18%。

当然，这一体系也有不利的方面。管理和政府财政成本有时过高，而且并非每位公民都拥有正规的全职工作，因此也不是每个人最终都能加入这个体系。那些自由从业人员以及临时受聘人员都没有被要求向个人退休金账户预存资金，这导致很大比例的人口根本没有养老金保险，其中就包括居住在拉维多利亚地区的很大一部分居民，那里曾是一个反抗皮诺切特政权的民众抗议的滋生地——而且现在仍然如此，当地墙上依然画有切 · 格瓦拉的喷漆肖像。另一方面，如果部分公民工作了至少 20 年之后，账户储蓄依然不足以支付最低标准的养老金，那么政府将时刻准备提供补助，弥补差额。此外，智利政府还为没有获得补助资格的人们提供了一种“基本连带”保险。但最为重要的是，自从“芝加哥小子”实施改革以来，智利经济业绩的提高无可挑剔。弗里德曼来访之前的 15 年间，智利的经济增长率只有 0.17%。而在弗里德曼访问之后的 15 年间，这个数字变成了 3.28%，增幅将近20倍。而且，贫困率急剧减低到仅有15%，相比之下拉美其他地区达到了40%。如今的圣迭戈已经成为一座安第斯山脉中熠熠生辉的城市，同时也是拉美大陆上最为繁荣和最具吸引力的城市。

作为智利取得成功的一个标志，其养老金改革受到整个拉丁美洲乃至全世界的效法。玻利维亚、萨尔瓦多以及墨西哥照本宣科地复制了智利的方案。秘鲁和哥伦比亚也引入私有养老金，作为国有制度的一种替代选择。另外，哈萨克斯坦也效仿了智利。甚至连威斯敏斯特的英国国会议员们都开始采纳皮涅拉的改革方案。具有讽刺意味的是，智利的改革远比作为自由市场经济核心地带的美国曾经的尝试更为激进。不过，无论人们愿意与否，福利改革最终将会来到北美。

美国福利制度的局限

卡特里娜飓风袭击新奥尔良时，它也将美国制度中的一些人一直在竭力置之不理的现实暴露无遗。对，美国具有福利国家制度，可是这根本没有效用。里根和克林顿政府都曾实施了看似彻底的福利改革，降低失业津贴及其赔付时间。不过，再多的改革也无法使福利制度规避美国人口老龄化以及自费医疗成本螺旋式上升的问题。

美国拥有一种独特的福利制度，其中，社会保险制度为所有退休人员提供最低标准的国家养老金。同时，医疗保险制度覆盖老年人以及残疾人的全部医疗费用。收入保障津贴以及其他医疗保健支出将联邦福利计划的总成本推升到国内生产总值的11%。然而，美国人的医疗保健几乎全部是由私有部门提供。这种制度目前正处于鼎盛时期，已经发展到了最高水平，不过它的确不便宜。如果你在退休之前接受治疗，你便需要一份私营保险保单。但据统计，目前约有 4 700 万美国人没有购买私营医疗保险，因为这种保单只提供给那些拥有正规和正式工作的人。这种情况所导致的结果就是一种不够全面的福利制度，其覆盖面比欧洲国家的相应制度要小得多，但是却极其昂贵。1993 年以来，美国社会保险的财政支出始终高于国家安全支出。美国用于教育的公共支出所占国内生产总值比率（5.9%）高于英国、德国或日本一个百分点；公共医疗支出约为 7%，与英国持平；但自费医疗的花费则比英国高得多（8.5%，相比之下英国仅为 1.1%）。

这种福利制度在应对申请者人数快速增长时将会力不从心，而这恰恰是第二次世界大战后的“婴儿潮”一代如今开始退休时所面对的问题。据联合国统计，从现在到 2050 年，美国男性平均预期寿命可能将会从 75 岁增长到 80 岁。未来 40 年中，美国 65 岁或 65 岁以上人口的比例将从现在的 12% 增长到 21%。不幸的是，许多即将退休的人员还未对离开工作岗位之后的生活做好充足准备。依据 2006 年的《退休信心调查》，60% 的美国工人称他们正在为退休生活储蓄资金，而仅仅 40% 的工人说他们已经对应该储蓄多少资金进行了实际计算。许多还没有足够储蓄的人认为他们可以通过工作更长时间加以弥补。平均每个工人计划工作到 65 岁，但实际上他们最终可能 62 岁就退休了。的确，大约 40% 的美国工人先于他们的预期离开了工作岗位。这对联邦预算传达了一个严峻的暗示，因为这些进行了错误估算的人员最终可能需要通过这样或那样的方式伸手向纳税人要钱。现在，平均每位退休人员每年获得的社会保险、医疗保险以及公共医疗补助总额约为 21 000 美元。如果用这个数字乘以目前 360

只有一个国家的人口老龄化问题给自己造成了比美国更为严重的经济隐患，这个国家就是日本。

万老龄人口，你就知道为何这些计划耗费了如此大比例的联邦税收收入了。而且，这个比例一定还会上升，这不仅仅是因为退休人员的数量将会增加，同时还因为医疗保险等津贴的成本已经失控，正在以通胀率的双倍速度增长。2003 年，美国政府通过纳入处方药品扩大了医疗保险范围，但这只能使形势更加严峻。依据医疗保险受托管理人托马斯 · R · 塞夫利所作的一项预测，到 2009 年，仅医疗保险一项的成本就将消耗全部联邦所得税的 24%。现有数字同样表明，联邦政府还有比官方资料统计更多的未提供资金支持的责任。据美国审计总局最近统计，未来由社会保险和医疗补贴导致的可能缺口约为 34 万亿美元。这相当于联邦官方债务的近 4 倍。

具有讽刺意味的是，只有一个国家的人口老龄化问题给自己造成了比美国更为严重的经济隐患，这个国家就是日本。日本的“福利超级大国”如此成功，以至于截至 20 世纪 70 年代，日本的人均寿命已经达到世界最高

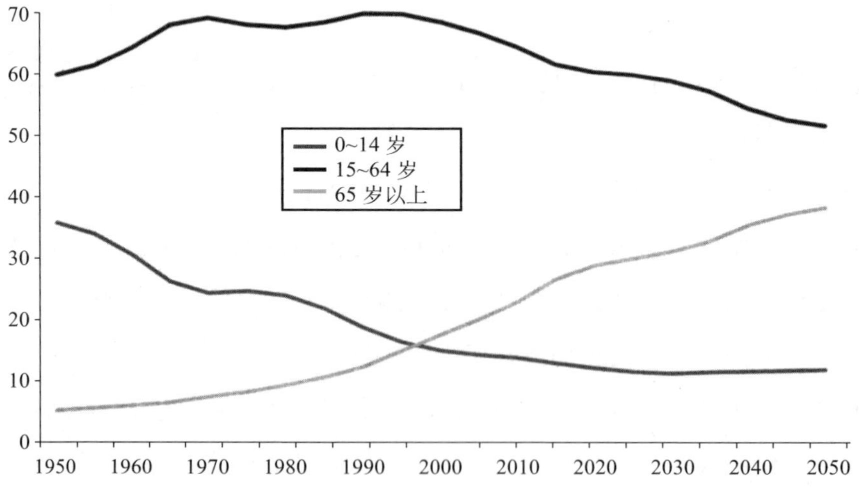

日本 1950~2050 年的人口福利危机（按照年龄组的人口百分比份额）

水平。这种长寿趋势加上人口出生率下降，终于使日本变成了世界上最年老的社会——65 岁以上人口比例超过了 21%。依据中前国际经济研究所统计，到了 2044 年，日本老龄人口数量将与工作人口持平。因此，日本现正在竭力解决其福利制度的严重结构危机，因为这种制度设计之初，并非针对日本人所说的“长寿社会”。尽管提高了退休年龄，但是日本政府至今还是未能解决国家养老金制度问题。（许多自由职业者和学生——更不用说一些知名政治人物——未能缴纳他们的社会保险费，使得事情更难处理。）同时，公共健康保险公司从 20 世纪 90 年代早期开始便已陷入财政赤字。现在，日本的福利预算已经达到税收收入的 3/4；其债务超过千万亿日元，大约是国内生产总值的 170%。另外，日本私营保险机构的处境同样艰难。从 1990 年的股市崩盘开始，日本人寿保险公司便陷入了挣扎之中，三家主要的保险公司在 1997 年到 2000 年之间相继倒闭。养老基金也陷入了同样的窘迫境地。现在，世界规模最大的养老基金资产总和（包括日本政府的养老资金、荷兰政府养老基金以及加利福尼亚州的公共雇员基金）超过了 10 万亿美元，2004~2007 年增长了 60%。但是，它们的负担最终是否将会大幅度增长，以至于如此庞大数目的基金都无法满足要求呢？

生命较长对个人来说无疑是好消息，但对于福利国家以及那些不得不劝说选民对其进行改革的政治家们来说则是坏消息。比这更坏的消息是，伴随着世界人口不断变老，世界本身也在变得更加危险。

保值与风险

如今基地组织仍在不断购买大规模杀伤性武器，面对恐怖主义仍然肆虐的频繁且致命的袭击，我们该怎么办？事实上，我们有充分的理由去恐惧它。考虑到2001年恐怖袭击的影响相对有限，基地组织会有很强烈的动机去试着制造一次“核能版的9 · 11恐怖袭击”。这个组织的发言人对此也毫不遮掩，他们还公开叫嚣要“杀掉400万美国人，其中包括200万儿童，还要让两倍于这个数字的人无家可归，无数的人变成伤残”。对此，我们绝不能只把它当做危言耸听而置之不理。格雷厄姆 · 埃里森认为：“如果美国政府和其他政府一样，只是重复做着今天做过的事情的话，那么到2014年以前，一场将发生在大城市的核恐怖袭击将很可能发生。”氢弹的研制者之一理查德 · 加文认为：包括美国和欧洲各大城市在内，现在每年发生核爆炸的可能性已经达到了20%。马修 · 波恩则给出了另外一个预测：在10年的时间里，核恐怖袭击得逞的概率高达29%。如果在一个美国的中等城市发生核爆炸，即使只是1.25万吨当量的核装置，也能置8万生命于死地。一个百万吨级的氢弹就可以夺走将近190万人的生命。而一个成功的带有炭疽病毒的生化武器袭击所产生的后果将更为致命。

全球变暖正在促使自然灾害发生率不断增加，我们该怎么办呢？在这方面也同样有一些使人感到不安的理由。根据政府间气候变化问题小组的科学专家们预测：由于人为活动所造成的全球变暖，导致“在很多地区，极端性降水事件正在不断增加”。一个很有力的证据就是自1970年以来，人们可以观察到高强热带气旋在北大西洋活动非常频繁。另据政府间气候变化专门委员会预测，卡特里娜飓风所引起的海平面上升问题将进一步增加洪涝损失。当然也并不是所有的科学家都接受这种美国大西洋沿岸的飓风活动次数在不断增加的观点（就像阿尔 · 戈尔在他的电影《难以忽视的真相》中所宣传的一样）。但是尽管如此，如果人们都把它看做一个错误，并高兴地认为事实并非如此，尤其是继续无所顾忌地在本来生态就很脆弱的地区继续增加住宅区建设的话，那就大错特错了。因为对于日益增加的沉重的福利工作，政府已经疲于应付，如果再加上大规模灾害的发生，政府将面临致命的财政危机。“9 · 11”恐怖袭击所带来的保险（和再保险）损失估计在300亿到580亿美元之间，这个数字不亚于卡特里娜飓风所带来的经济损失。在上述两起事件中，美国政府不能不赶来帮助那些私人保险公司来履行它们的义务，同时给予紧急联邦反恐保险，提供急救救助的巨额费用，并帮助进行墨西哥沿岸的重建工作。换句话说，正如在两次世界大战中一样，当那些保险公司无力承担保险金时，福利政策就不得不插手了。但如果是发生自然灾害，那么这个做法就不太恰当了。实际上，居住于相对安全地带的纳税人正在资助那些选择住在飓风多发地带的人。一个纠正这种不平衡的可能性办法就是创建联邦再保险项目，以应对那些“特大灾难”。这样那些纳税人就不用充当挽救灾难的主力军，而是由保险公司来收取不同数额的保险费（那些距离飓风区最近的人所交的保险金额要高一些），并用通过政府再承保风险的办法来消除另一个卡特里娜飓风所带来的风险。当然，这里还有另外一个方法。

套期保值

保险和福利不是购买保护以防止未来冲击的唯一方式。聪明的方法是购买“套期保值”。今天大家听到的“对冲基金”就类似于总部设在芝加哥的肯尼斯 · 格里芬的城堡投资集团。城堡投资集团现在是21世纪世界上最大的对冲基金，作为创始人，格里芬目前拥有约160亿美元的资产。虽然其中有许多所谓的“不良资产”（格里芬以最低廉的价格买下了安然等破产公司的所谓“不良资产”），但不能说格里芬喜欢冒风险。他只是在不确定性之下生活着。他在哈佛大学本科生的宿舍里就开始交易可转换债券，从那以后，他一直尽情地享受“肥尾”。自1998年以来，城堡投资集团的主要海外基金每年的回报率都在21%。2007年，当其他金融机构在信贷危机中失去了数十亿美元时，格里芬赚的钱却超过了10亿美元。他用艺术品装饰自己在北密歇根大街的公寓阁楼，这些艺术品中有一件是加斯泊·约翰的《错误的开始》，花了他8 000万美元；还有一件花费了6 000万美元的塞尚作品。当格里芬结婚时，婚礼在凡尔赛宫（法国的城堡，而不是伊利诺伊州的同名小镇）举行。套期保值在冒险世界里显然是一个好买卖，但它到底是什么意思，又是从何而来？

套期保值的起源（恰当地说）来自农业。对于农民种植的农作物来说，当收割完拿到市场上后，没有什么比他们的产品能卖多少钱更重要的事了。然而，价格有可能低于或者高于他们的预计。期货合约就是为了让他们的作物进入市场卖给商人时的价格和当时他们种下作物时认同的价格保持一致。如果当天交付的市场价格低于预期，农民就受到了保护。而商家自然希望市场价格能更高，这样可以获得一笔利润。由于美国草原被翻耕种植，且运河和铁路连接了这些草原和东北工业地区主要城市，于是那里成为了国家的粮仓。但是由于供应和需求变化的缘故，价格波动巨大。1858年1月~1867年5月之间，小麦价格从每蒲式耳55美分升至每蒲式耳2.88美元（每蒲式耳容量等于8加仑），1870年3月又下降到每蒲式耳77美分。最早保护农民的形式被称为期货合约，这只是买卖双方之间简单的双边协定。然而，一个真正的期货合约是一个由期货交易所发出的标准文书，从而进行交易。随着标准合同的发展，以及按照一套规则来解决问题，最终形成了有效的票据交换所——第一个真正意义上的期货市场诞生了。它的诞生地是风城芝加哥。芝加哥农产品交易所建于1874年，它是今天芝加哥商品交易所的祖先——成了美国商品市场“套期保值”的家乡。

理论上，套期保值可以完全消除价格风险，而由相应的投机商承担风险。然而，实际上，大多数做套期保值者在某种程度上更愿意从事投机活动，从期货的价格变动中获利。这一部分是由于公众对此的焦虑态度——认为期货市场不比赌场风险小。直到20世纪70年代，期货合约的标的物可以是货币和利率；直到1982年，期货交易合约才在股票市场上成为可能。

在城堡投资集团，格里芬召集了众多数学家、物理学家、工程师、投资分析师，采用先进的计算机技术进行预测分析。他们所做的这些事在财政上的花费和研究火箭的花费差不多，这样做其实深层的道理很简单。因为他们都是从标的资产的价值做推断，所有的期货合约在形式上都是“衍生品”。金融期货合约里通常所说的“期权”与期货紧密相连，却又有所不同。本质上说，期权的买方具有购买选择权，而没有义务在特定的时间（在截止日期前）向卖方（“合同起草者”）以一定的价格（通常指“执行价”）购买协议数量的某种商品或是金融性资产。显然，具有购买选择权的买方期望基础工具的价格在未来有所上升。当价格超出了约定好的执行价时，期权就成为了“实值期权”——买这种期权的人就是幸运儿。“看跌期权”就与此相反了：购买者有权利而并非义务向期权卖方卖掉已约定好数量和价格的某种商品。第三种衍生物是“掉期”。这是一种行之有效的赌博，例如双方在期货的利率上进行赌博。纯利率掉期原则上允许双方事先支付利率进行交易，允许把可变利率转换成固定利率，以防利率下跌。同时，信贷违约掉期也采取保护交易制度，以防一些公司不偿还银行贷款。然而，最有意思的或许是“气象衍生产品”，例如“自然灾害债券”，这让保险公司或是其他类似机构可以通过将所谓的“小概率风险”出售给像费马资本这样的套利基金，以此来抵消极端的天气或自然灾害带来的影响。实际上，巨灾债券的购买者就是在买保险。如果债券中列出的灾难发生了，购买者要支付约定的金额；债券卖出者要向购买者支付高额的回报。2006 年，气象风险衍生物的总名义价值高达 450 亿美元。

在以前，像这样的衍生品大部分是由交易所创造出来的标准化工具，比如芝加哥商品交易所在气象衍生品方面处于领先地位。而如今，占相当比例的产品是顾客直接定制的，而且是场外交易。这些产品由银行为客户提供服务，并收取可观的佣金。对于在国际范围内提供住房贷款的银行，仅 2007 年 12 月，交易双方根据特定标准进行的场外交易总额理论上竟然高达 596 兆美元，然而市场的总价值仅超过 14.5 兆美元①。尽管这些被像沃伦 · 巴菲特这样的传统投资家称为“应对大规模破坏的金融武器”。芝加哥学派的观点是，对于意想不到的金融冲击，世界经济体系并没有受到很好的保护。

然而事实是，金融革命把世界分成了两个部分：有保值者和无保值者。你需要金钱来保值。保值资金通常需要至少六七位数字的投资，并支付所投资金的 2% 的管理费和 20% 的利润。这意味着大公司可以采取保值以应对利息率、汇率和商品价格意外增加的风险。如果他们愿意，他们还可以通过出售巨灾债券或其他衍生产品对飓风灾害和恐怖主义活动进行保值。与之相比，普通家庭并不能承担保值，就是能够承担，也不知道如何来操作。我们这些相对弱势的群体需要依靠相对迟钝且昂贵的保险机制来应对人生中的突

① 也就是说在支付了所有衍生品之后所欠的房款大概是合同预计市场价格的 4.5 倍。

发灾难，或者寄希望于国家福利来摆脱困境。

当然，还有第三个更为简单的策略——老一辈的未雨绸缪策略。或者更确切地说，就是借钱购买资产，这些资产未来的增值将会对风险起到缓冲作用。近些年来，许多家庭在面对一个不确定的、未知的将来时做好了准备。他们采取了一种非常简单的形式——投资一所住房（通常采用融资的方式，也就是债务融资的形式），房屋的价值理应会持续增长，一直到负担家计的人退休的那一天。如果退休金计划未能得到满足，不要介意；如果医疗保险被用完，也不要担心。因为总有家，总有温馨的家作为你的避风港。

然而，即使作为健康保险抑或是退休金计划，这一策略也还是有很明显的缺陷。它意味着一种单向的、完全非对冲地，对某一个市场——楼市下赌注。不幸的是，正如我们将在下一章节中看到的，在房地产上下赌注远远不如在住房上下赌注安全。而且你不必住在新奥尔良，就能体会到其中的艰辛。

第五章

房地产：安居梦的破灭

THE ASCENT OF

MONEY

A Financial History of the World

房地产真有这么大的好处吗？

房地产的繁荣和萧条怎样发生？

房地产怎样成为一场赌博？

THE ASCENT OF MONEY

导读

中国的游戏叫买房子买地，西方人的游戏叫“大富翁”。两个游戏勾画了一样的梦想——拥有房地产。银行对住房的认识，产生了贷款方式的革命。住房按揭，让无数低收入者提早实现了住房梦。而贷款证券化则又促成次级贷款市场的发展。信贷提供了住房，住房掀起了信贷的革命。

“证券化”改变了华尔街，吹落了以往沉睡在债券市场上厚厚的尘土，并把证券市场引领到了一个全新的时代。证券化期望把风险转嫁给“那些有能力承受的人”，但后来的结果却是，这些风险留给了那些最没有承受能力的人。

记住，不是财产可以使你有物可押，而是财产增加了你的信誉度。真正的抵押物实际是稳定的现金流。

美国次贷危机的爆发，刺破了房地产市场泡沫，并引发全球性的金融危机。这场百年不遇的危机引起人们的思考：我们需要怎样的住房理念？房地产是永恒的财富象征吗？购买房地产到底是投资还是投机？房地产是不是最好的抵押品？信贷政策是否需要风险标准？杠杆率如何限制？怎样保障穷人居住的权利？

地产游戏

要说英语国家偏爱的经济游戏，那便是地产游戏。经济生活没有哪一个方面能够比得上地产在人们幻想的精神世界中受到的欢迎程度。没有哪一种资产分配能够如此之多地成为人们晚宴聚会谈论的话题。房地产市场是独一无二的。每个成年人——不管多么穷困潦倒——都有着自己对未来的憧憬。每个孩子——远在他们经济独立之前——就被教育如何为追求产权而不懈努力。表面上看，这种教育就是教导他们如何进行一场地产游戏。

《大富翁》，这个今天被广为人知的游戏，最早是在 1903 年由一位名叫伊丽莎白 · 菲利浦的美国妇女发明的，她是激进派经济学家亨利 · 乔治的忠实崇拜者。她幻想着生活在一个只按照土地价值征收税款的世界里。这个游戏的最初目的是要揭露一种不平等的社会机制，即少数地主通过征收地租获得利润。《大富翁》游戏前身被称为“地主游戏”。这个游戏有许多民众广为熟识的之处，如连续的矩形路径，“关监狱”惩罚等。但不足的是，这个游戏十分复杂，并且带有很强的说教性，因此很难在大众中普及。沃顿商学院的斯科特·尼尔林和哥伦比亚大学的盖伊·特格韦尔是这个游戏的早期介入者。这两位古怪的教授对游戏进行了修改并将其带入课堂。之后，一位名叫查尔斯·达罗的铅管工人在他的一位朋友向他推荐了该游戏的其中一款——以新泽西海边胜地亚特兰大城街道为背景的棋盘后，发现了这个游戏的商业价值。达罗重新设计了棋盘，新棋盘每个表示财产的方形区域都采用了不同的鲜艳颜色。此外，他还在方形区域内新设计了手刻的小房屋和宾馆，这样，游戏者就可以在他们赢得的方形区域内亲自“建造”这些建筑了。达罗不仅是一个创造游戏的高手（他可以在 8 个小时内创造出一种新的游戏），还拥有销售人员的“胆识”。他在 1935 年圣诞节期间成功地向费城百货公司和大型百货店之父约翰·沃纳梅克以及玩具零售商施瓦茨公司推销了自己制造的游戏。不久之后，他创造新游戏的速度已经满足不了市场的需求了。1935 年，美国棋盘类游戏公司帕克兄弟（早期“地主游戏”的传承者）从达罗手中买断了这款游戏。

对于那些即将获得地产的人而言，被编进《大富翁》游戏中的美国大萧条似乎在一个不该出现的时间爆发了。但是，也许游戏中那些五彩的假币正是人们关注《大富翁》的原因所在。1934 年 4 月帕克兄弟公司宣称，“正如游戏名称所指的那样”：

> 游戏者对房地产、铁路、公共设施进行买卖交易，力图通过从其他玩家手中获得租金的方式取得某部分财产的垄断权力。玩家的兴奋点随着如下几类常见情节的出现而逐渐高涨：从抵押、税收、社区福利基金、买卖特权、租用、利息、未开发房地产、旅馆、公寓、电力公司以及其他交易中获得股份的权利。

这个游戏取得了显著成功。到1935年为止，该游戏已售出25万套。4年的时间里，该游戏先后出现在英国（威丁顿游戏公司所在地，我最初玩过的那个伦敦版本就是由这家公司推出的），法国、德国、意大利和奥地利——尽管当时的法西斯政府对这款游戏具有的资本主义特征（在今天看来这些游戏确实具有资本主义特征）表现出了极度矛盾的态度。到第二次世界大战时，这个游戏变得非常普遍。英国陆军情报六局曾借助红十字军提供的《大富翁》棋盘为德国军营中的英国战犯成功传递了逃跑工具——包括地图和欧洲货币。美国失业者和英国俘虏喜爱《大富翁》游戏的原因类似。对于他们来讲，现实生活中的日子非常艰苦，而在玩“大富翁”游戏的过程中，他们可以梦想买到整条街道。尽管违背了发明者的初衷，但这个游戏告诉我们：拥有财富是一件非常奇妙的事情。拥有的越多，挣得就越多。“有钱能使鬼推磨”这句话在英语国家里尤为贴切。

“安全如家”这句话很好地解释了为什么全世界的人都向往拥有自己的房子。而在金融领域，这句话更恰当地表明只有靠抵押财产出借资金才最安全、最有保障。为什么这样说呢？因为如果债务人拖欠贷款，债权人有权占有作为抵押的房屋。即便债务人逃跑了，这些房屋也是跑不了的。正如德国人所说，土地和建筑是“不动”产。因此在美国，把企业家的房屋抵押，视其为开始一项新经营的唯一最重要的资金来源，并不是没有道理的。也正因为如此，金融机构破天荒地开始对那些为购房而贷款的人们敞开了大门。从1959年开始，美国总计未兑现抵押负债上涨了75倍。到2006年，美国业主拥有总计达美国国内生产总值99%的份额，而50年前这个数字仅为38%。到2005年为止，

在金融领域，这句话更恰当地表明只有靠抵押财产出借资金才最安全、最有保障。

这股借贷高潮大大促进了美国住宅投资业的繁荣，达到近50年来的最高峰。曾经有一段时间，房屋建设供给已经满足不了人们购房的需求。

英语国家这种对于财产的热情还为推出一项新的政治举措奠定了基础，即建立世界上第一批房产私有民主制的国家。65%~83%的家庭拥有自家居住房的产权。换句话说，美国大部分选民是产权拥有者。有人说，这种模式应在全世界推广。事实上，这种模式最近几年在全球迅速传播。房价不仅在那些以美英两国为首，并受其文化影响极大的英语国家（如澳大利亚、加拿大、爱尔兰、英国和美国）飞速上涨，在许多其他国家也同样如此，如中国、法国、印度、意大利、韩国、俄罗斯和西班牙。2006年，在经济合作与发展组织（OECD）的18个成员国中，有8个国家的名义房价通货膨胀率超过10%。2000~2007年，美国其实并未经历异常的房地产泡沫，荷兰和挪威的房地产价格也在进一步上涨。

但是地产真如房屋一样安全吗？或者这仅仅是一个房地产游戏？

英国：财产所有的贵族统治

如今，拥有房产只是英美贫困阶层的梦想，如格拉斯哥东区或底特律东郊的居民。在历史上很长一段时期内，拥有房产仅仅是少数高级贵族阶层的特权。财产、荣誉称号和政治特权都可以从父亲那里传给儿子，所有其他人都仅仅是付给这些“地主”租金的“佃户”。甚至选举权在最初的时候也是产权的一部分，普通人不能享有。在1832年前的英国农村，按照15世纪的法律条例，只有那些在特定区县内持有价值超过40先令不动产权的男性公民才有在该地区投票的权利。这就意味着，最多只有20万人拥有选举权——这个数字相当于英格兰总人数的 1/10，爱尔兰总人数的 1/20，苏格兰总人数的近 1/100。这些人中的大部分直接或间接通过复杂的赞助人际关系网与最富有的地主保持着某种联系。19 世纪早期，在 514 名议会下院的英格兰和威尔士议员当中，有 370 名议员是由 180 名拥有土地的资助者们选举出来的，超过 1/5 的下院议员是贵族后代。

这样看来，从那时开始英国就没有发生多大的变化。在 6 000 万英亩的土地中大约有 4 000 万被少数的 18.9 万户家庭占有。威斯敏斯特公爵以大约 70 亿英镑的资产成为英国第三富有的人，排在“财富榜”前五名的还有卡多甘伯爵（26 亿英镑）和霍华德沃顿男爵夫人（16 亿英镑）。不同的是，贵族阶级不再垄断政治体系。第 14 代休姆伯爵亚历克 · 道格拉斯–休姆爵士是最后一位由英国君主指定委任的首相，他于 1964 年离任（被他所说的“第 14 个威尔逊先生”打败）。事实上，多亏了上院的改革，世袭贵族制才最终在英国议会制中逐渐取消。

对于贵族政治力量逐渐消亡的原因有过多种解释，但最主要的原因在于财政。直到 19 世纪 30 年代，财富仍垂青于这些少数贵族分子，这 30 户家庭全年在土地上获得的总收入超过 6 万英镑。在拿破仑战争期间，人口压力以及战争通胀导致小麦价格成倍上涨，土地价值也因此飙升。自此以后，工业化给那些从事煤矿开采业和城市房地产开发业的人们带来了横财，而政治体系中贵族的统治更确保了金钱源源不断地从大众的口袋中流出。但即使如此，大富豪们仍竭尽全力掏空了口袋进行贷款。其中一些人这样做是为了增加他们的不动产，收揽土地，圈封公共用地。另一些人则是为了投资于一种炫耀性消费的生活方式。比如说德文郡公爵，他将年收入的 40%~50% 花费在兴趣投资上。在当时的 19 世纪，贵族们的借款算是非常巨大的，其一位律师顾问曾经抱怨说："你们真正需要的不是别的，而是一种自制力"。

问题在于，不管拥有多少抵押房产，这只是贷款人对借款人的一种安全防护措施。正如德莫利娜小姐在特罗洛普所著的《巴塞特最后的纪事》一书中所言："土地是跑不了的。"这就是为什么 19 世纪有那么多的投资者（地方律师、私人银行和保险公司）青睐于抵押行业—似乎这是一项无风险的投资。相比之下，债务人为防止财产流向债权人的唯一安全的防护便是自己的收入，只要有收入，他们就可以偿付贷款，抵押品就不会流入债权人的口袋。但是对于维多利亚时期英国的大地主们来说，不幸的是这些收入突然间消失了。从 19 世纪 40 年代以后，世界粮食产量大幅上涨，交通费用直线下降，贸易壁垒逐渐消失，尤其是 1846 年《英国谷物法》的废止使得情况更加恶化，地主的经济地位开始受到动摇。当粮价从 1847 年最高的每蒲式耳 3 美元滑落到 1894 年最低的每蒲式耳 50 美分时，来自农用土地资源的收入开始锐减。《经济学人》杂志指出了问题所在："之前没有哪一种安全防护更依赖于这种绝对的信任，没有什么比英国的土地更供不应求。"对于那些在爱尔兰拥有不动产的人们来说，日益动荡的政治格局也成了问题所在，而花费在建造斯托庄园上的资金更加剧了经济的衰退和萧条。

斯托庄园的宏伟无可否认。它有着恢弘的柱廊结构，华丽的凡布鲁式门廊以及令人愉快、"无所不能的"布朗花园。斯托庄园成为现存最好的 18 世纪贵族建筑之一。但是，今天的斯托庄园少了一些东西，或者更确切地说是少了许多东西。曾经在每个椭圆形大理石大堂的凹室内都有古罗马风格的雕像，但是现在没有了。曾经安装在礼宾用房内的华贵的乔治亚壁炉换成了廉价的小型维多利亚壁炉。装满了上等家具的房间如今变得空荡荡的。这是怎么回事呢？这个庄园的主人名叫理查德 · 普朗塔热内 · 坦普尔 · 纽金特·布里奇斯·尚多斯·格伦维尔，是英国第二任科巴姆子爵和第二任白金汉公爵。除此以外，他还是一位非常出名的饱受第一次近代地产危机迫害的受害者。

▲已被完全抵押出去的宏伟的贵族庄园——斯托庄园

斯托庄园仅仅是白金汉公爵及其继承者们拥有的众多地产中的一小部分。通过巧妙地联姻以及政治赞助，这个家族从男爵地位攀升到公爵地位仅用了125年的时间。白金汉公爵在英格兰、爱尔兰以及牙买加总共拥有大约67 000英亩的土地，这些地产对于维持他奢华的生活已是绰绰有余。他花钱大手大脚，就像生怕钱会过时似的。他把钱用在情妇和私生子身上，用来指控自己岳父的法定财产继承人，用来畅通仕途，用来反对《议会选举法》的颁布以及赞成《谷物法》的废止。只要是与他的身份地位相符的钱他都花。他自豪地称自己“成功地抵制了所有对农业生产不利的措施，不管这些措施是哪个政府出台的”。而事实上，在罗伯特·皮尔爵士那届政府中，白金汉公爵辞去掌玺大臣之职并不是为了支持废除《谷物法》。到了1845年——甚至在该世纪中期谷价大跌时期到来之前——他就已经资不抵债了。虽然拥有72 000英镑的年收入，但是他每年109 140英镑的花费使得他的负债累积高达1 027 282英镑。他大部分的收入都用来偿还利息（某些债务的利率高达15%）和支付人寿保险费，这些保险费用的兑现也许是他的债权人最想看到的，但对他来说，耗资巨大却无所收益，空欢喜一场。

为了筹备1845年1月维多利亚女王和亚伯特王子难得的到访，白金汉公爵从里到外重新装饰了斯托庄园，整座房子都配上了当时最时髦奢华的家具，王族浴室甚至用虎皮来装点。维多利亚女王略带嗔怒地评论道："我的两座宫殿没有一座比得上这个庄园奢华。"对于白金汉公爵来说，这些似乎还不够，他召集所有农户齐鸣炮火，对女王和王子的到来表示欢迎，花费都由他承担。为了向女王和王子致意，400个佃户骑马列队守候，数以百计穿戴整齐的劳工待命迎接，此外，还有三支军乐队和一支特意从伦敦调集的特殊的警卫派遣队。这是公爵财政的最后一根稻草。为了彻底挽救家族的没落，白金汉公爵的儿子尚多斯侯爵被建议一成年就接管父亲白金汉公爵的所有地产。经过激烈的法律纠纷之后，尚多斯侯爵接管了父亲的产业。1848年8月，整个斯托庄园以白金汉公爵的名义被拍卖。现在这所豪华古宅对全世界所有的投机商人开放，他们在这里竞买各种金银餐具、陈年佳酿、古老书籍以及瓷器艺术品等。《经济学人》杂志嘲讽道：白金汉公爵就像"一个破产的陶器经销商"。整个拍卖总计收入75 000英镑。没有什么能比这个数字更好地标志这个贵族时代的没落。

白金汉公爵长期受苦的苏格兰妻子多次背叛他，与伦敦多个郡的官员保持着关系。在与她离婚之后，白金汉公爵被迫搬出了斯托庄园，搬进了租来的住处。他整天在卡尔顿俱乐部中打发时间，撰写着一部不靠谱的回忆录，无可救药地与女明星或是有夫之妇纠缠。习惯了大手大脚无节制花钱的公爵痛苦地埋怨他的儿子，说他给自己的那点钱比起他这个阶层的全额收入来说根本微不足道，他现在除了靠儿子那点钱，没有什么别的来源了。

贵族统治：

第一次受封的白金汉伯爵：理查德·格林维尔（左上）

第二次受封的白金汉伯爵：理查德·格林维尔（右上）

第三次受封的白金汉伯爵：理查德·格林维尔（左下）

> 在危难时刻，他将父亲置于被忽视和受冷落的世界……在继承了房产和其他财产后，他把钱用来弥补那些因违背公正和名誉带来的伤害，以及造成的损失……他亲眼目睹了父亲的耻辱和堕落。

“你看到了吧！我被他们谋害并被洗劫一空。”白金汉公爵在卡尔顿俱乐部，只要遇见一个肯和他交谈的人，便这样悲痛地念叨。1861年，当公爵任期届满后，他靠儿子的资助生活在帕丁顿火车站一家名为“大西部”的旅馆里。那时，他那更加吝啬的儿子在伦敦和西北铁路公司担任董事长。在现代社会里，一份稳定的工作比一个世袭头衔更具有意义，也没人在乎你到底拥有多少土地！

白金汉公爵家族的没落标志着一个新的、更加民主的时代的到来。1832年、1867年以及1884年进行的选举改革，解放了英国政治中的贵族束缚。到19世纪末，年收入10英镑以上的房产主或年缴纳10英镑以上房租的房客都有选举权。选举人数达到550万，即男性成年人总数的40%。1918年，英国选举人经济资格限制被取消。1928年以后，所有成年人（无论男女）都有选举的权利，但是选举权的普及并不意味着地产私有权的普及。相反，到1938年，英国居民拥有私家房产的仍不足1/3。不过，一个真正的房产私有民主制国家即将在大西洋彼岸出现，值得指出的是，这个民主制是在这次历史上最为严重的经济危机爆发时诞生的。

美国：房产私有民主制

英国人的家就好比他的城堡。同样的，美国人也明白，尽管家看起来都差不多，但没有任何地方比得上自己的家（正如桃乐茜在《绿野仙踪》中所言）。英美人对于私有房产的渴求源于政治，更植根于文化。如果说建立在贵族财产所有制基础上的旧等级制度是英国式的，那么房产私有民主制则是美国式的。

▲ 1932 年 3 月底特律反饥饿游行示威

在 19 世纪 30 年代以前，拥有自己房产的美国家庭还不足 2/5。除非你是农民，否则每家每户都会涉及抵押贷款问题。在经济大萧条时期，少数在 19 世纪 20 年代借款买房的人陷入了极度的困境，尤其是那些一家之主失去了工作和收入来源的家庭。这些抵押往往是 3~5 年的短期抵押，因此不能分期偿付。换句话说，到贷款期结束时，人们偿付的只是本金的利息，并不是所借的本金，以至于到了最后，需要偿付的数额就像气球一样膨胀了许多。抵押率与高级公司债券收益的平均差异在 20 年代时是 2%，而在过去的 20 年里，这个差异变成了 0.5%（50 个基点）。抵押率也有巨大的地区差异。当经济暴跌时，紧张兮兮的出借人几乎不会再向借款人续借。1932~1933 年间，超过 50 万借款人失去了抵押赎买权。到 1933 年前半年为止，几乎每天都有超过 1 000 名借款人失去了抵押赎买权。房价下跌超过 20%。建筑行业被击垮了，暴露出更广范围的美国经济对住宅投资拉动经济增长的依赖程度

20 世纪之后的几次经济衰退也是如此。比起美国城市的困境，大萧条对于农村的影响也许是最致命的。对于农户来讲，尽管他们极力偿付租金，但到最后发现入账的仅仅是失业救济金。以底特律为例，汽车工业工人人数仅为 1929 年的一半，工资也如此。大萧条所带来的影响在今天看来几乎无法想象：大批人失业，导致生活穷困潦倒，救济贫民施舍点的景象极其悲惨。人们近乎绝望地游荡着寻找几乎不可能存在的工作机会，直到 1932 年经济大萧条终于结束。

1932 年 3 月 7 日，5 000 名被福特汽车公司解雇的失业工人在底特律中部地区游行示威，表示抗议。当这些手无寸铁的示威者走到迪尔伯恩福特红河工厂的四号门口时，发生了混战。突然间，工厂的大门打开了，一群手持武器的警察和安保人员冲出来向人群开火。5 名工人中弹身亡。几天过后，6 万民众哼唱着《国际歌》出席了这些死者的葬礼。共产党的报纸指责埃兹尔·福特（福特公司创始人亨利·福特的长子）是这场屠杀的罪魁祸首，文章指出：“你，一个提倡艺术的人，一位英国国教的信徒，无情地伫立在红河工厂边的桥上，冷漠地注视着工人被杀的惨烈

▲警察对反饥饿游行示威者动用催泪瓦斯

场面。你甚至都不出面阻止！”究竟能做点什么可以阻止这样的事发生呢？

埃兹尔·福特将目光转向了墨西哥壁画艺术家迭戈·里维拉，这个异常的举动被看做是一种缓和。里维拉曾受到底特律美术馆的邀请，为其制作一幅能够展现底特律合作，而非阶级冲突的经济体制的壁画。壁画的地点选在了该美术馆宏伟的花园庭院。里维拉非常满意这块地方，于是他决定不只在最初选定的两块庭院内壁上作画，而且是在所有 27 块庭院内墙上作画。埃兹尔深深地被里维拉勾画的草图所吸引，他决定投入大约 25 000 美元资助整个工程。1932 年 5 月，也就是在红河工厂冲突爆发后的两个月，里维拉开始作画。1933 年 3 月，整个壁画制作完成。正如福特所熟知的，里维拉是一个共产主义者，他梦想着生活在一个没有私有制、生产工具为公众共同所有的公有制社会里。在里维拉看来，福特公司红河工厂内发生的情景恰恰相反：在这种资本主义社会里，工人辛苦工作的劳动成果被在一旁冷眼旁观的资本家剥削。里维拉还试图通过壁画探究另一个底特律的显著特征：种族隔离，并将各种族的人比做炼钢所需的各种成分，正如他自己在一篇讽喻文中所作的解释：

> 黄色人种代表了沙子，因为沙子数量最多。最初移居底特律的褐色人种则像是铁矿石，因为它是炼钢需要的第一种必需材料。黑色人种好比煤炭，因为他们具有一种天生强烈的审美感，一种真实如火焰般的知觉，一种远古刻蚀的美丽以及一种与生俱来的节奏感和音乐感。审美感就如同火焰，而煤炭把自身坚硬的碳元素全都提供给了钢。白色人种则如同石灰，不仅仅是因为颜色的缘故，更因为石灰可以在炼钢过程中将有用的成分有机地组合在一起。所以，白种人被视为世界的组织者。

1933年，当这个壁画作品公之于众时，底特律城市的权贵们惊呆了。用马里格罗夫学院院长乔治·H·德利博士的话来讲就是：

> 里维拉先生无情地愚弄了他的资本家老板埃兹尔·福特。他被雇用通过壁画描绘底特律，可他却塞给福特先生和这个美术馆一个共产主义宣言。进入这个庭院，首先映入眼帘的那块主要的内壁表现了共产主义精神，起到了解释整组壁画并使之形象鲜活的作用。其中一部分壁画描绘了底特律的妇女，可是当这些妇女看到壁画上那一张张凶悍、阳刚、几乎分辨不出性别的脸庞时，会感到高兴和满足吗？这些壁画上的底特律妇女正神往地凝视着刻画在右方庭院内壁上的那些慵懒、婀娜的亚洲姐妹。

一位市议会议员说最好用白粉将墙壁粉刷遮盖起来，就好像在将来只要需要便可以再揭开一样。他希望里维拉的作品完全脱落，说它是“完全忽视了底特律文化和精神内涵的滑稽漫画”。在这之后，里维拉为洛克菲勒家族在纽约新洛克菲勒中心创作壁画时的情形也基本类似。当里维拉坚持在壁画上保留列宁肖像以及诸如“反对帝国主义战争”、“工人阶级联合起来”，甚至“摆脱金钱的束缚”的共产主义标语（事实上这些标语后来成为在华尔街游行示威的

▲ “粉碎福特–墨菲恐怖政策”：5名示威者死后的抗议

民众呐喊的口号）时，洛克菲勒先生非常反感，终于下令毁掉了整幅作品。

艺术的力量是强大的，但还应该有一股比艺术更强大的力量把那个被大萧条时期一分为二的社会重新联合起来。在美国，富兰克林·罗斯福政府意识到有一些新联邦机构和激进派人士正在计划重振美国衰退的经济，于是他开始推行新政。当新的政策推广开来时，人们往往忽视了其中那个关于房屋的非常成功且焕发着生机的新的理念，即罗斯福政府倡导的“房产私有民主制”。罗斯福政府从根本上为美国民众提供了更多购买住房的机会。事实证明，在那个年代，这个政策是成功的一剂良方。

从某种程度上说，新政的推行是美国政府插手经济市场溃败的一个新的尝试。新政下，美国政府加大了公共住房供给，这种在大部分欧洲国家推行的住房模式受到了一些新政推行者们的推崇。事实上，美国公共工程管理署在提供廉价房和减少居住贫民窟公民人数上花费了总预算的近 15%。但更有意义的是罗斯福政府采取措施挽救了日益衰退的抵押信贷市场。一家新上市的美国房主贷款公司开始向公众提供长达 15 年的抵押贷款。1932 年，一个名为美国借贷公司（又名美国储蓄机构）的联邦住宅贷款银行委员会在美国成立，这家机构的建立意在对债务人进行鼓励和监管。此外，还有如英国建房互助协会之类的互保会也纷纷成立。这些协会在吸纳存款的同时向购房者提供贷款。为给予在过去 3 年内因银行倒闭而遭受重创的存款人信心，罗斯福政府开始推行联邦储蓄保险。投资信贷抵押行业比投资房地产更安全，因为一旦债务人拖欠债款，政府就会掏腰包埋单。理论上讲，借贷公司不会出现电影中演绎的那种银行挤兑的状况。1946 年，在弗兰克·卡普拉导演的经典剧作《美丽人生》中，私营银行家乔治·贝利（由詹姆斯·斯图尔特扮演）经营的贝利储蓄贷款公司在一定极力挽救之后最终破产。剧中他的父亲对他说："你瞧，乔治，我觉得从一定程度上来讲，我们正在做着一件意义非凡的事情。我们满足了人们最基本的生活欲望。人类天生就希望拥有属于自己的房子，有顶棚，有墙壁，有壁炉。咱们这个看似微不足道的小公司帮这些人实现了他们的梦想。" 乔治深受父亲一席话的影响，一次他在老贝利死后与道德败坏的贫民窟地主波特的对话中这样说道：

波特先生，我的父亲从未替自己考虑……但他却成功地帮助一大批人搬离了您的贫民住宅区。这有什么错？这些人不也因此成为了地位更高的公民了吗？他们的消费水平不也在上涨吗？……要是像你说的……他们在攒够了钱之前不应该考虑买房这种事情，那么这"之前"到底是多久？要等到他们的孩子长大成人，经济独立吗？直到他们老得走不动路？你到底知不知道一个工人要攒 5 000 美元得花费多久的时间？考虑考虑吧！波特先生，你到底面对的是什么样的阶层！在这个社会中，这些人努力工作，辛苦偿付，维持生计直到最后死去！在带有浴室的大房子中这样生活，对于他们来讲是不是太贵了点！

这种关于拥有房子的好处的激进言论，也许是一种比较新的说法。但是，联邦住房署给美国的购房者带来了新的希望。通过向抵押放贷者提供官方保险，联邦住房署鼓励民众申请高额的（高达售价的 80%）、长期的（20 年）、完全分期等额偿付的低息贷款。这项措施的意义远不只重振抵押贷款市场这样简单，事实上，它改变了整个抵押贷款市场的运作方式。通过标准化长期抵押贷款，建立国家监管体制，联邦住房署为美国次级市场的发展打下了基础。1938 年，随着美国联邦国民抵押贷款协会（房利美）的成立，美国次级市场开始活跃。房利美通过发行债券获得收益，并从当地的储蓄

▲电影《美丽人生》海报

银行购买抵押贷款。这些在今天的美国要受到地域（出借人只能向居住在该公司50英里之内的借款人提供借贷）和支付存款利率（《联邦储备局条例》对存款利率的最高值进行了限定）的限制。美国住房署实施的这些新的举措意在减少公众每月所需偿付的平均还款额，比起以前，更多美国人能够拥有属于自己的住房了。因此，如果说整个美国从这个时候开始进入现代社会，并不过分。

20世纪30年代以后，美国政府有效地运作着信贷抵押市场，鼓励借贷者和还贷者紧密合作，这是致使第二次世界大战之后美国产权（即购房抵押债务）飞速上涨的原因。在美国，住房自有率从40%提升到了1960年的60%。只有一个限制，即并不是每个人都有购房资格。

1941年，一名房地产开发商穿过底特律“八英里”街道，建起了一堵高6英尺的水泥围墙，他在此筑墙是为了从美国联邦住房署获得建房贷款。只有在居住着白人的那边建房才能得到政府的资助，而居住着黑人的那边尽管居民人数众多，但却得不到政府的贷款，因为在他们看来，美国黑人不讲信用。从理论上讲，贷款靠的是信用等级评价，但实际上凭的却是皮肤的颜色。这种体制将美国社会一分为二。换言之，这种种族隔离的发生并非偶然，而是美国政局直接导致的结果。在联邦住宅贷款银行委员会的地图上，底特律黑人主要居住的地区，即下东区，以及所谓的西部和“八英里”街道的“殖民区”，被填充为红色，用字母“D”标记。而白人主要居住区则被标记为“A”、“B”或者是“C”。这种区别解释了现实等级评价中为什么用“红圈”勾画信用度低的地区。这种情况导致居住在D区的人们在赎回抵押物时需偿付比A区、B区和C区更高的利息。到了20世纪50年代，1/5的黑人借贷者需偿付8%或者更多的利息，而白人实际上支付的利息则不会高过7%。这成了内战时期黑人争取的在财政方面的隐性权利。

底特律造就了许多成功的黑人企业家，比如说摩城唱片公司的创始人贝里·戈迪。这个公司凭借巴瑞特·史特隆的一首《我需要的是钱》的歌曲而出名。这家公司打造的其他明星还包括阿撒·富兰克林和马文盖，她们现在仍居住在这座城市。但是，在整个20世纪60年代的10年时间里，人们一直对黑人存有偏见，认为他们极其不讲信用。这种经济歧视成为后来动乱爆发的导火索。1967年1月23日，底特律第十二街发生暴乱。在警察对一个名叫“盲猪”的非法经营的酒吧进行搜查后，总共5天的时间里，43人遇害身亡，467人受伤，超过7 200人被逮捕，将近3 000座建筑被打砸抢烧。这是黑人反对美国房产私有民主制将其视为二等公民的最明显的标志。即便是今天，你仍可以看到那些暴乱遗留下的空地。政府派出配有坦克和机械武器的常规军对这种被官方称为“起义”的暴乱进行镇压。

正如20世纪30年代一样，政界开始对暴乱采取措施。随着60年代《人权法》的颁布，政府采取了新的措施，增加了房产私有的可能性。1968年，房利美分成了两个部分：一部分是美国政府国民抵押贷款协会（或称吉利美），主要向贫困人群（如退伍老兵）提供福利性借贷；另一部分是重组的房利美，也就是最初为美国政府发起、现在被私有化了的企业。公司可以购买常规抵押贷款和政府担保贷款。两年后，为了带动次级市场竞争，美国联邦住房抵押贷款公司（房地美）成立，公司的成立仍然是为了拓宽次级市场的信贷，并且（至少在理论上讲）降低抵押贷款率。不必说，表示种族歧视的“红圈”依然存在。事实上，随着1977年美国《社区再投资法》的颁布，美国的银行迫于法律的压力，不得不向少数贫困群体放贷。由于受到房利美、吉利美和房地美的保障，房产私有民主制似乎变得更加公平。那些经营储蓄银行的老板可以按照“3–6–3”原则过着舒服的日子，即支付存款人3%的利息，收取贷款人6%的利息，每天下午3点前准时出现在高尔夫球场上。

飞涨的房价

在大西洋彼岸，人们的房屋拥有权比率上升得更慢。战后的英国，保守党和工党政治家普遍认为国家应该为工人阶级提供住房或者至少应该对其进行补贴。的确，哈罗德·麦克米伦力图每年建造30万（后来改为40万）栋房屋。1959~1964年间，英国约1/3的新房屋是市政委员会所建，工党执政的随后6年内建房率上升为1/2。现在，破坏英国大部分城市的那些丑陋的，造成社会性障碍的高楼街区和“住宅小区”应归咎于英国两党。左右两党仅有的实际差异在于保守党准备好了要撤销对私人租赁市场的管制规定，希望以此鼓励私人房东；而工党则是以同样的力度，但相反的决心再度加强租金管制，消除拉克曼式剥削（一种房东的剥削行为，以彼得·拉克曼为代表，利用恐吓威胁手段驱逐拥有租金受管制的房产的房客，以必须支付市场租金的西印度移民取而代之)。直到1971年，英国业主自住的房屋还不到一半。

在美国，公共住房一向没有如此重要。从1913年设立联邦个人所得税开始，抵押利息支付总是能够免税。正如罗纳德·里根所言，当减税特许的合理性遭到质疑时，抵押利息减免就会成为“美国梦的一部分”。这在英国发挥的作用不大，直到1983年，由玛格丽特·撒切尔领导的更加激进的保守党推行住房贷款贴息制度[①]（简称MIRAS），首次规定3万英镑的抵押限额。当尼格尔·劳森试图限制免税限额时（这样，多重借款人就不能都借此之机谋求房产免税），他很快就“因玛格丽特·撒切尔对保护最后一盎司抵押利息减免的热情投入而碰了壁”。MIRAS并非撒切尔夫人鼓励自置居所的唯一方式。她把议会的房屋廉价卖给150万个工人阶级家庭，以此来确保越来越多的英国人有自己的房子。1981年英国自有住房者有54%，而10年之后增为67%。自住房房产的股份也由1980年的1 100万飞速上涨到如今的1 700多万。

到20世纪80年代，英国政府鼓励贷款买房的措施对普通住房市场很有意义。的确，60年代末和70年代通货膨胀率上升超过利息率的趋势，给债务人提供了“免费午餐”，因为他们债务和所需支付利息的实际价值减少了。当70年代中期的美国购房者预计到1980年通货膨胀率至少是12%时，抵押放贷者正提供30年不变的9%或者低于9%的固定利率贷款。一时间，贷款人能及时还贷了。同时，1963~1979年房地产价格大约增长了两倍，消费者价格上涨了一倍半。然而，倒霉的事在后头。自诩忠诚于“财产所有民主制”的同一届政府要确保物价稳定，至少是通货膨胀较低，而要达到这一点

① 以购买住房为目的的居民从金融机构贷款时，政府可替住房缴纳一部分应缴利息。——编者注

就得提高利息率。这导致了房地产市场史上最惊人的繁荣与萧条。

从储贷协会到次级抵押贷款

当你从得克萨斯州的达拉斯出发，沿着30号州际公路驾车行驶时，你一定会注意到那些还没有完全建好的住宅和公寓。它们正是美国历史上曾经发生过的最大的金融丑闻所留下的痕迹——这件事使得那种把固定资产当成一种很安全的投资方式的想法成为人们的笑柄。以下讲述的主要是关于超实体资产的信息，当然也有一些关于房地产方面的东西。

储贷协会（英国建筑协会的美国版）是美国财产所有民主制所依靠的基石。储贷协会由储户共同拥有，并且同时受到政府条例的保护和限制。政府对达到4万美元的存款提供保险，不过保险金额只相当于1%的全部存款的1/12的收益率。另一方面，这些资金只能借给位于它们自己办事处半径50英里内的买房者。而自1966年起，根据《Q条例》，最高存款利率不超过5.5%的情况下，超过25%的银行可以从事储蓄存款业务。20世纪70年代末，这个几近沉睡的领域有史以来第一次被打破了平静。首先是两位数的通货膨胀，紧随其后的是急剧上升的利率。这次通货膨胀于1979年达到了13.3%的最高点。新上任的美国联邦储备委员会主席保罗·沃尔克为了抑制工资和物价的螺旋上升，采取了的放慢货币供应增长速度的政策，引起了利率的急剧上升。这个双重打击所产生的影响是非常致命的。当时由于通货膨胀和被高利率的货币市场基金所吸引造成的存款大量外流，美国的各个储贷协会在长期固定利率抵押贷款方面损失了很多钱。对此，卡特和里根两届政府所作出的回应是通过减税和放宽管制等措施来拯救这些储贷协会，同时他们也深信凭借市场本身的力量，这个问题就可以得到解决。当新法规被通过时，里根总统曾这样宣布："总之，我认为我们非常成功。"当然有那么一部分人确实成功了。

一方面，储贷协会能够向任何他们所喜欢的领域投资，而不仅仅是局限于长期抵押贷款方面，例如商业财产、股票、垃圾债券等。他们甚至可以发行信用卡。另一方面，它们可以自由设定为储户提供的利率，而不再有任何上限。这样有效地保证了它们的存款总额，存款的最大金额也从 4 万美元上涨到了 10 万美元。而且，如果普通存款不能满足需要的话，储贷协会还可以通过经纪商来获得经济存款——这些经纪商拥有并且可以出售 10 万美元的巨额定期存单。于是突然之间，这些经营储贷协会的人面临的风险消失了，经济学家们曾说这个典型案例中的风险就是"道德风险"。储贷协会加利福尼亚州分会的会长威廉 · 克劳福德曾经说过一句典型的话："抢劫银行的最好方法就是自己拥有一家银行。"接下来所描述的这件事，可以说是对这条法则的完美诠释。一些储贷协会利用它们储户的钱进行高风险投资，更有甚者，开始明目张胆地偷钱，就像放宽管制意味着法律不再监管它们一样。这种行为在得克萨斯州最为流行。

当得克萨斯州的居民还没有为他们那些具有南方特色的牧场进行庆祝时，达拉斯的牛仔们已经开始了他们的餐馆生意了。星期天早午餐的老主顾包括：唐 · 瑞 · 迪克森，他的维农储贷协会被监管人员冠以"害虫"的绰号，艾德 · 麦克伯尼的阳光地带储贷协会则被戏称为"枪战地带"。国家储贷协会的拥有者兼首席执行官泰瑞尔 · 巴克想告诉所有的房地产开发商："你带着泥土，我带着钱。"而这个同时带着泥土和钱这两样东西的人是卡车司机工会的纽约经纪人马里奥 · 任达，据称，他利用储贷协会帮助黑手党之类的秘密组织洗钱。当他需要更多的现金时，他甚至在《纽约时报》上做了这样的广告：

> 租钱——借钱、融资新妙招：让我们的存款基金和您的地方银行携手共度危机。

如果你想缔造一个房地产帝国，为什么只在嘴上说说呢？对于达拉斯的那群开发商来说，正是储贷协会给了他们一个不需要任何物质基础（或者在得克萨斯州的平地上）就可以发大财的机会。超实体主义的出现有以下两个标志性事件：其一是储贷协会的主席斯宾塞·H·小布莱恩与加兰镇的镇长詹姆斯·托勒之间展开合作，其二是一个令人瞩目的人物——丹尼·福克纳。这个中学辍学的孩子最后成了著名的房地产开发商。丹尼·福克纳的专长就是很会吸纳他人的钱财。这里所指的钱是以经纪存款的方式汇集起来的，因为福克纳对这些特别的存款储贷者给予了相当诱人的高利率。在雷·胡巴德的人工湖附近（大约是达拉斯以东20英里的地方），福克纳设立了第一个房产代理办事处。福克纳最善用的伎俩是“抛售”。他可以得到一大块花生地，再以通胀后的价格抛售给他的投资商们，而这些投资商的钱就是从储贷协会借入。例如福克纳以300万美元的价格买到一块地，几天之后，以1 478万美元的价格再转卖给他人。虽然福克纳本人宣称自己是个文盲，但是这样看来至少他还不是不识数。

到1984年，达拉斯地区的发展已经失控。沿着30号州际公路绵延好几英里的满是在建的公寓楼。这个城市的地平线也已经那些被当地人所说的透明办公大厦高层建筑扭曲。但是，这些楼还是一直在增加，因为那些由联邦政府担保的存款都直接进入了房地产开发商的腰包。有文件资料表明，储贷

▲丹尼 · 福克纳和他的喷气机

协会的总资产在短短两年的时间里已经从120万美元迅速增长到了2.57亿美元，但是许多投资者却从来没能见到他们的资产得到回报。福克纳总是乘坐他的私人直升机在他们的头上呼啸而过。似乎储贷协会的每个人都在挣钱，福克纳有价值400万美元的利尔喷气机、托勒有辆白色的劳斯莱斯汽车，布莱恩则有个4 000美元的劳力士还有那些资产评估员、体育明星投资商以及地区监管人员，其中许多男人都戴着金手镯，许多女人都披着貂皮大衣。一位相关人士曾表示：房地产就像个造钱机器一样，并且按照丹尼的需要而运转。如果丹尼需要一个新喷气机，我们就做一笔土地交易；如果丹尼需要一个新的农场，我们就再做一笔。丹尼做所有的事情直到最后一个细节都是为了他自己。人们都认为节俭和偷窃之间的界限就像一条无法逾越的鸿沟，但是对于福克纳和他的公司来说却只有一线之差。

问题是对于30号州际公路沿线公寓的需求总是跟不上福克纳、布莱恩及其朋友们所提供的公寓数量的增长。到20世纪80年代初，许多房地产经纪人调侃说，性病和公寓之间的唯一差别就是你可以摆脱性病，但不能远离公寓。另外，大部分储贷协会中资产额和负债额之间的不平衡现在变得极具灾难性，于是他们开始从外人那里借短期存款来弥补内部人的长期存款的不足。当监管人员于1984年开始其为时已晚的行动时，这些事实已经再也不容忽视了。在同年的3月14号，联邦住宅贷款银行的主席艾德文·J·格雷命令储贷协会停止营业，而因此所需用来保证储贷协会存款的费用总额达3亿美元。但是，这还仅仅只是一个开始。当其他公司也处于审查之下时，立法者就开始犹豫了，尤其是那些曾经接受过储贷协会提供的巨额竞选费用的人。然而，他们拖的时间越长，就会有越多的钱变得一文不值。截至1986年，联邦储蓄与贷款保险公司已经处于破产的境地，这一点是毋庸置疑的。

1991年，经过两次审理（第一次审理时陪审团并没有达成一致意见），福克纳、布莱恩和托勒被判犯有利用储贷协会从事欺骗性土地交易，并从中欺诈、夺取1.65亿美元。他们被判处有期徒刑20年，并赔偿上千万的损失。有一个调查人员称储贷协会为“一个最鲁莽的、最具欺骗性的土地投资方案”，可见他已经预见到了这一点。这一评价也同样适用于整个的储贷危机，艾德文·格雷称那是一个美国“国家银行业历史上最广泛的、最不谨慎、最具欺骗性的时代”。总之，近500家储贷协会自动破产或者被勒令关门停业；在由国会出面建立起来的信托公司的保护下，差不多同样数量的贷款机构被兼并。据一位官员预计：“将近一半的破产机构被内部人员认为有欺诈性和潜在的犯罪性。”到1991年5月，共有764人被以各种各样的罪名指控，其中有550人被宣布有罪，326人被判刑。被强制征收的罚款达800万美元。发生在1986年和1995年间的储贷危机总共造成了约1 530亿美元（大约是美国国内生产总值的3%）的损失，但是其中的1 240亿都是由纳税人来承担的。这也使此次危机成为了自大萧条以来付出代价最为惨重的危机。由于这场危机造成了许多建筑工程停工，你会发现残留建筑物几乎遍布得克萨斯州：那些用偷窃来的钱建造的无主房屋后来被推土机推倒或者被烧毁了。24 年后，30 号州际公路沿线的大部分地段成了得克萨斯州的另一块荒地。

崩溃与机遇

对于美国的纳税人来说，储贷协会的大崩溃是欠缺考虑的放宽管制这一冒险政策的非常惨痛的教训。而在信贷协会破产的同时，他们也为另一批美国人提供了一条成为百万富翁的捷径。对于所罗门兄弟公司和纽约投资银行的证券交易员来说，新政中资产抵押系统的崩溃非但不是一次危机，反而是一次绝好的机会。正如他们所说的，他们非常渴望利润。在所罗门兄弟公司中，自称“可以呼风唤雨的人”看到了一条利用 20 世纪 80 年代市场变动利率的方法。绝望的储贷协会开始徒劳地抛售其抵押品以期保持自己的偿还能力。而这场重要的抵押品交易使得所罗门公司的李维斯–拉涅利开始发达，当然，他以非常便宜的价格买下了这些东西。此后拉涅利那高大的身材、廉价的衬衫和一口布鲁克林区的俏皮话立刻成了新华尔街的形象代表，并且成为了那些穿着布鲁克林兄弟公司制服工作的预科实习投资银行家们的最佳对照。（拉涅利本人曾经为所罗门兄弟公司的邮房工作。）他所使用的办法是重新利用那些抵押品，并把它们整合在一起，成为新的、诱人的、可以与政府和公司的债券进行交换的有价证券的坚强后盾，简单来说，就是把抵押品变成债券。一旦它们被整合在一起，这些抵押品根据利息支付可以被分为不同期限和信用风险的“各种分割债券”。这种新型的有抵押债券（通称为“房产抵押贷款债券”）于 1983 年第一次正式发行，而这也标志了美国金融史上一个新时代的开始。

以上这个过程被称为“证券化”，这是一个使华尔街彻底发生转变的创新举动。它吹落了以往沉睡在债券市场上的厚厚的尘土，并把证券市场引领到了一个全新的时代，在这个时代里，匿名交易远比私人关系更具价值。但是，这一次又是联邦政府在时刻准备着承担存在于危机中的风险，因为大部分抵押品继续享有来自政府部门发起的房利美、房地美、吉利美等政府支持企业所组成的无条件担保。这就意味着那些以抵押品作为抵押的债券几乎成为政府债券，继而成为投资等级的代表。1980~2007 年间，那些以政府支持企业做后盾的按揭债券已经从两亿美元增长到了 40 亿美元。随着私人债务保险商的到来，像所罗门兄弟公司一样的公司可以将那些对于政府支持的企业来说“不合规格的贷款”证券化。截至 2007 年，这片私人资产领域已经成功地使 200 亿住房抵押债务证券化。1980 年，只有 10% 的住房抵押被证券化，但是到了 2007 年，这个数字已经上升到了 56%。

在一个证券化市场上（当然也只限于一定的区域），没有人会听到你的尖叫，因为你在你自己的世界里。

不只是人性的虚荣点燃了 20 世纪 80 年代华尔街的繁荣大火，电影《美丽人生》中所描述的交易方式的残留也促进了这一点。曾经，所有抵押贷款的贷款人和借款人之间都有一定的社会关系。吉米 · 斯图尔特就熟知他的存款人和借款人。然而不同的是，在一个证券化市场上（当然也只限于一定的区域），没有人会听到你的尖叫，因为你在你自己的世界里；而你之所以愿意用你的抵押品付款，正是因为那些真正收到抵押品的人对你一无所知。这些普通房主的转变所产生的影响在 20 年后变得越来越明显。

房产赌博

我们倾向于认为在欧美，房产就是一种单项赌博。人们能够发财的途径之一就是在物业市场上试试运气，然而事实上，这样只能使人变成一只不断给别人注水的杯子，而自己到最后可能什么都得不到。有关这个“事实”最显著的一个特征就是现实经常具有欺骗性。假设你曾经于1987年的第一季度投资了10万美元到美国的房产市场上，那么根据美国联邦住宅企业监督办公室制定的房屋价格指数或凯斯–席勒住房价格指数的预测，你的钱可以在2007年第一季度之前增加两倍，也就是在27.5万~29.9万美元之间。但是如果你把同样数量的钱按照标准普尔500指数计算，并且不间断地把自己的股息所得也继续投进去，你最终可以获益77.2万美元，这个数字是你投资那些房产所得的两倍多。这个数字在英国也差不多。如果你在1987年投资10万英镑到房产市场上，根据全美房产价格指数的预测，20年后你的钱可以增加3倍。而如果按照富时指数有限公司综合股指预测，你的资金将会是以前的近7倍。当然，房产和股票之间的一个很重要的差别，就是你不能生活在股票里。如果要进行一次公平的比较，那么这些钱必须全部是你自己房子的租金所得（或者是你拥有两套住宅而租出其中的一套所获得的租金）。一个很简单的可行的方法就是去掉股息和房租进行比较，但在1987年以后的20年间，即使是去掉股息和房租，标准普尔500指数的活跃度依然超过房产业。如果你把租金所得算入房产投资组合里，并且把股息算到股票投资组合里，这个差额虽然会有所减少，但不会彻底消失。因为当建筑区的扩张到达顶峰时，平均租金收益率在一定时期内已经从5%降低到了3.5%（换句话说，一套10万美元的房产平均每个月只能带来不足416美元的收益）。而对比来看，在英国，股票市值的增长远比美国要慢得多，而股息也是投资者获得收益的一个相当重要的来源。与此同时，英国一些针对新房屋供应的约束（例如保护绿化带的一些法律）促进了租金的增长。忽略股息和租金进行对比，就意味着除去了股票对房产的优势。单就1987~2007年之间的资本升值来说，公司的资本资产升值（上升4.5%）超过了股票升值（上升了仅仅3.3%）。而英国股市唯一能够超过英国房地产业的情况则需要追溯到1979年。

但是，当试图将房产和其他形式的资本资产相比较时，就出现了三个必须考虑的因素。第一个就是贬值。股票不会磨损，也不需要换一个新的屋顶，但是房子却需要。第二个是流动性。作为一种资产，房子所兑换的现金数量会远远超过股票。第三个是稳定性。自第二次世界大战以来，房产市场

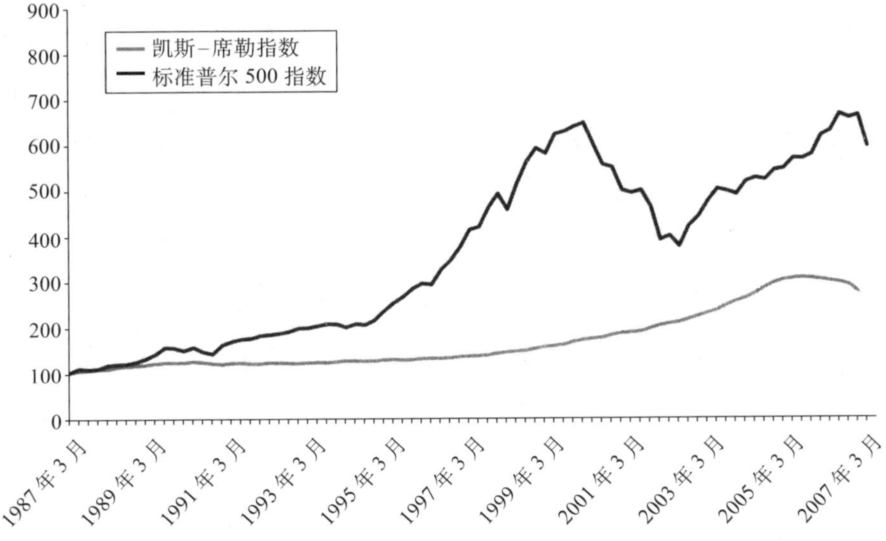

美国股票与房地产（1987~2007）

要比股票市场稳定得多（但这不仅仅是因为固定资产市场交易费用高昂的原因）。然而，这并不是说房屋价格从来没有偏离过一路飙升的道路。以英国为例，1989~1995 年，平均房屋价格降了 18%，而按照扣除物价上涨因素以外的实值计算，这个降幅达到了 1/3 还多，即 37%。而在伦敦，真正的降幅将近 47%。在日本，1990~2000 年的 10 年间，房产价格降了 60%还要多。当然，在我写这本书期间，美国的房产价格也出现了有史以来第一次大范围持续下降。截至 2008 年 2 月，20 个美国大城市的凯斯–席勒美国 20 座大城市综合房价指数已经从 2006 年 7 月的顶峰时期下跌了 15%。在那时，年度平均跌幅达到了 13%，这个数字是 20 世纪 30 年代前期以来从没有过的。而且在一些个别的城市，如凤凰城、圣迭戈、洛杉矶和迈阿密等，整个跌幅已经达到了 20%，甚至是 25%。另外，在这本书的写作期间（2008 年 5 月），大部分专家都预测房产价格仍会继续下跌。

在经济萧条的底特律，房产价格下滑的时间开始得更早，具体时间是 2005 年 12 月，而且当我于 2007 年拜访这个城市时，降幅已经超过了 10%。当我去底特律的时候，我就有一种预感：有一些东西已经凝结成一个整体，并正在侵入到美国甚至所有英语国家里。在 10 年的时间里，底特律的房价涨了近 50%，而这些房子很可能是除新奥尔良之外所有城市中最差的房产，虽然这还远远比不上全美范围内的房地产经济泡沫（房产价格涨了 180%），但考虑到底特律的经济状态长期处于低迷的状态，这种现象真的很难解释。单据我的发现来看，原因就在于房地产生意的交易规则已经发生了很多根本性的改变，这些改变的最好例证就是底特律所经历的西迁热潮——忙碌但又很值得尊敬的中产阶级通往远离尘嚣并配有大型牧场和车库的大房子的梦之路。那曾经是这个汽车城最美丽的地方，现在却只不过是一个因无计划占用山林农田建造厂房而形成的一个巨大区域中的一条小街道，靠的是美国国内正处在发展中的“次级抵押贷款”。

当地的经纪公司把次级抵押贷款的发放对象定位于信誉记录较差的人。巨额抵押贷款会因数额太大而无法得到房利美的贷款批准（和政府的无条件担保），次级抵押贷款的风险也非常大。然而确切地说，正是由于这些贷款的风险性，使得它们对借款人潜在来说有利可图。但这些并不是说实行那种旧的30年不变的定息抵押贷款。相反，可变利率抵押贷款占有很大比重，换句话说，利率可以根据短期借款利率的变化而变化。即使本金百分之百等于抵押资产评估价值，但多数贷款只是付利率的抵押贷款而没有分期付款（偿还本金）。而且，许多贷款都有“诱惑”期，此期间通常是最初的两年，初始利率支付会被人为压低，但却加重了往后的货款成本。所有这些政策都是为了降低借款人的首次偿债费用，但是次贷协议则向借款人暗示他将从中获益颇多。一个发生在底特律的罪恶昭彰的次贷交易曾经宣称在前两年的时间里会有9.75%的利率，这超过了当时银行之间的互贷基准利率(9.125%，通常是伦敦银行同业拆息)；在次贷危机发生以前，这个利率甚至一度达到了5%，这就意味着在贷款的第三年利息支付会出现猛增。次级贷款在底特律出现之后，钱就像雪花一样纷纷而至。在这个城市里，收音机、电视机以及邮件都满是次贷广告，还有代理商和经纪商们都像一窝蜂似的推销那些所谓的非常诱人的生意。仅2006年一年的时间里，针对底特律的22个区，次级贷款提供者在宣传方面就花了10亿美元。在包括了西迁地区所在的5 100街区的邮政编码为48235的这个区域里，次级抵押贷款就占了2002年到2006年全部贷款总额的一半还多。在5 100个街区里，每20户人家中就有7家曾使用过次级抵押贷款。值得注意的是这些贷款中只有很少一部分是给首次购房者的。这些贷款几乎全都具有再次抵押贷款交易的性质，这就让借款人把房子产权看成了一个能变成现金的自动取款机。大部分人用这些钱来偿还信用卡的债务、装修房屋或者置办一些耐用消费品。另外，日趋低落的长期利率和日益诱人的抵押交易的结合为房地产市场吸引了不少新的买主。截至2005年，有69%的美国家庭都拥有了住房，相比之下，10年前的数字是64%，其中的功劳主要归功于次级贷款的蓬勃发展。但非常重要的一点是，次贷借款者中有很多都属于社会少数族群。事实上，当我开着车在底特律逛时，我发现自己在怀疑“次优级”是否就是“黑色”的代名词，不过，这并不是我凭空猜测出来的。据马萨诸塞州经济房联盟的一项研究表明，2005年，在波士顿这个国际大都市里，占总数55%的得到单个家庭住宅贷款的黑人和拉丁美洲人都使用了次级抵押贷款，而白人只有13%。另外，华盛顿互惠银行曾把超过75%的黑人和拉美借款人列为次优级借款人，而白人中只有17%。根据美国住房和城市发展部所提供的信息来看，2002~2007年间，社会少数族群拥有住房的数量增加了310万。

当然，这也使财产所有民主制发展到了最高峰，而且对于成千上万曾经被信用评级机构和种族主义排斥在主流金融市场之外的人来说，次级抵押贷款使他们拥有住房的美好梦想成为了现实。

但是，美联储主席艾伦·格林斯潘却因在职业生涯的最后时光里没能更好地规范抵押贷款行为而受到指责。不过，虽然他的2004年的讲话中曾支持可调整利率抵押贷款，但是他绝不是扩大住房拥有者范围的最主要的倡导者。同时，也不能把责任推到近年来过度发展的货币政策上来。

小布什总统于2002年10月曾这样说：“我希望美国的每一个公民都能够有个属于自己的家。”为了刺激贷款者帮助达成在10年中新增550万新兴少数族群拥有住房者的目标，小布什总统签署了《美国之梦首付法案》，这是第一个旨在帮助低收入人群购买住房而实行的举措。在这项政府政策的启发下，许多贷款人不再强制借款者提供非常完整的档案资料。房利美和房地美也开始敦促美国住房和城市发展部对次贷市场给予支持。就像小布什总统在2003年12月所说的那样："更多的人拥有住房是关乎整个国家利益的。"对此，几乎没有人提出异议。哈佛大学阿尔福斯·弗莱彻教席教授兼哈佛大学杜博斯非洲及非裔美国人研究中心主任小亨利·路易斯（"斯盖普"）·盖茨也曾在2007年11月的《纽约时报》上撰写过相关文章。可以看出，亨利很欢迎这种趋势，并且指出在他所研究过的所有成功的非裔美国人中（其中包括名嘴奥普拉·温芙瑞和奥斯卡奖得主乌比·戈德堡），每20个人中就有15个人是曾经做过奴隶，但却成功地在1920年就拥有了住房的人的后代。由于并不在意近期房地产的泡沫，亨利提出了一个令人大吃一惊的解决"黑人贫穷和身体机能障碍问题"的办法，那就是"给那些曾经身为财产的人以财产"：

> 可能玛格丽特·撒切尔，甚至所有人都在试图找到一个对此会有所帮助的计划。在20世纪80年代，撒切尔夫人曾使英国150万名公共住房者拥有了自己的房子。可以肯定的是，这是撒切尔夫人做过的最慷慨的事情了，而那些所谓的进步人士们也应该从她那里学习一些东西……一个勇敢而创新的解决黑人贫穷问题的办法就是寻找一些途径，使这些房客们变成房主……对于那些贫穷的黑人来说，当他们在美国社会中也能拥有住房所有者的那种利益关系时，真正的进步才会出现。那些拥有住房的人在自己的未来和社会中会有一种作为拥有者的奇妙感觉，他们会学习、工作、拼搏并参加选举，而深陷异国文化的人却没有……

位于孟菲斯弗雷泽地区的黑人社区领导者巴尼 · 赛尔夫曾指出亨利言论中的致命错误："美国梦就是自置居所，而我所关心的事情之一就是：虽然梦想非常美，但是我们还没有准备好去实现它。虽然现在有房地产业、资产评估业和抵押贷款业，但是没有人会意识到这些将帮助他们拥有那些他们买不起的房子。"

作为一个商业模式，次级贷款发展得井井有条且非常顺利——但条件是利率比较低，人们要有工作，房地产价格要保持持续上升。当然，这些条件并不能保证持久下去，至少在底特律这样的城市里不行。但是，这对于那些次级贷款者来说却不足为虑，他们只要延续20世纪80年代那些主流抵押贷款者的做法就可以了。次级贷款者们不是拿他们的钱去冒险，而是从那些已经签署的借款协议中收取丰厚的佣金后，又把他们的贷款打包重新卖给华尔街的银行，而银行把这些贷款集中起来投资到高利润的住房抵押贷款支持证券（RMBS）中去，或者把它们卖给全世界的投资商。所有人都期望获得比自己的本金多哪怕一点点的回报。这些证券被重新包装后成为了贷款资产的债务抵押债券（CDO），那些来自偿债能力很不稳定的借款者的风险很高的贷款，摇身一变，成为了AAA级的投资证券，而这个转化唯一需要的就是来自穆迪投资或者标准普尔这两大主要评级机构之一的证明，至少这些证券的打包人员不会拒绝履行债务。但是比较低的中间层和股本层是被公认为风险比较大的，当然他们也会支付很高的利率。

次贷市场的陷落

这个金融市场之所以具有如此大的魔力，关键就在于底特律的抵押借款人之间相距遥远，那些人最终会收到利息。这种风险从美国的州退休基金开始在全球迅速散播开来，不但影响了澳大利亚的公共卫生网，甚至影响到了北极圈以外的市政会。举例来说，挪威、拉娜、海恩斯、哈捷达尔以及那威克市政府就用纳税人的钱投资了 1.2 亿美元在由美国次级抵押贷款所担保的债务抵押债券上。与此同时，推销这些“转型产品”的人也在不断叫嚣证券化可以让风险转嫁给“那些有能力承受的人”。但后来的结果却是，这些风险留给了那些最没有承受能力的人。只有那些深知次级贷款不稳定性的人，以及那些直接与借款人打交道，并清楚他们的经济状况的人才有机会把风险降到最小。他们能够发放贷款价值比为 100%[①] 的“忍者贷款”（发放给那些没有收入、工作及资产的人士）得到百分之百的贷款与价值比率，并且可以在同一天把它卖给有债务抵押债券业务的任何一个大银行。因而，转眼间风险开始四处蔓延。

在底特律，次级抵押贷款的崛起事实上恰好与汽车业的迅速衰退同时发生，因为经济衰退使这个城市的工作岗位一下子减少了两万个。这预示美国经济会出现大幅下滑，而这正是美联储实行紧缩货币政策的后果。因为美联储把短期存款利率从 1% 调高到了 5.25%，这对平均抵押贷款利率产生了一个不大不小，但却非常重要的影响——这个利率的增幅高达 1/4（即 5.34%~6.66%）。前期优惠利率一到期，那些抵押贷款就重新定位于更高的利率基础上。很快，成百上千的底特律家庭开始无力偿还抵押贷款了。早在 2007 年的 3 月，在邮政编码为 48235 的地区就有 1/3 次级抵押贷款滞延了超过 60 天的还款期，面临抵押品被没收的危险。这种情况的直接影响是

① 贷款价值比为 100% 指的是零首付。——编者注

刺破了房地产业的经济泡沫，使房价开始了自20世纪90年代以来的第一次下跌。而一旦这种情况开始出现，那些靠100%抵押贷款的人发现他们的债务高于他们的房屋价值。当房价继续下跌时，更多的房屋主人发现他们自己面临着（房产等资产价值下跌产生的）负资产的困境，换句话说，他们的房屋价值已无法抵债。这是美国房地产市场危机范围不断扩大的预兆，也开始动摇西方世界金融系统的根基。

当房价继续下跌时，更多的房屋主人发现他们自己面临着（房产等资产价值下跌产生的）负资产的困境。

在一个闷热的星期五下午，我刚从底特律到达孟菲斯，就看到在孟菲斯法院大楼台阶的牌子上标明有50多户房屋待售。这些房子都是由于房屋贷款出借方因房主没能及时支付利息而取消了他们的抵押房屋赎回权。孟菲斯不仅是美国的破产之都（正如我们在第一章中所说），到2007年，它还迅速成为了没收之都。在过去的5年中，我被告知有1/4的家庭曾收到过即将取消抵押品赎回权的警告通知。次级贷款抵押又一次成为了这个问题的根源。仅2006年一年，次级贷款财务公司就借出了4.6亿美元给14个孟菲斯邮政编码公司。我亲眼所见的只不过是没收洪流的一个开端罢了。2007年5月，责任借贷中心预计，没收的房屋数量将达到240万套，而这个数量还可能低估了。到本书定稿时止（2008年5月），有大约180万美元的抵押贷款未还款，估计有900万美国家庭，或者1/10的私人住宅已经陷入负资产状态，有将近11%的美国次级房贷抵押已经丧失了抵押房屋的赎回权。根据瑞士信贷提供的信息，未来5年内，抵押房屋没收的总数将达到650万，这可能会使8.4%的美国居民或者是12.7%的房屋贷款抵押者无家可归。

自2007年年初夏始，次级抵押信贷市场就变得令人失望。这个冲击波扩展到了世界信贷市场，摧毁了套利基金，耗费了数十亿美元用于拯救银行和其他金融公司。最大的问题在于债务抵押债券。在 2006 年，5 000 多亿美元被借贷出去，而其中有一半是次级贷款。许多债务抵押债券被严重高估，结果导致错误地估计了次级房贷的破产率。甚至是AAA级证券也开始出现违约情况，而专门购买高风险抵押债券凭证的套利基金更是首当其冲。大多数分析家认为，次贷危机起始于 2007 年 6 月——美林投资银行发现它的债务公司——贝尔斯登公司拥有过多的次级贷款，于是要求贝尔斯登公司对所持有的两只套利基金另外追加担保，次贷危机由此产生。在接下来的一个月里，评级机构开始降低住房贷款抵押债券的评级。各种持有住房按揭贷款支持证券和债务抵押债券的金融机构都发现，它们正面临着巨大的损失。问题因系统中的债务杠杆而被扩大了，特别是套利基金，它们向经纪商——银行借取了大量的资金，而为了使所获利益扩大，它们将问题严重化了。同时，银行为了掩饰自己的次贷危机，将次贷资产置于资产负债表外管道或是“投资策略工具”中。（“投资策略工具”无疑是关于危机的最合适的缩略语。）这种方法依赖于商业票据市场上的短期资金借贷，或者是短期的同业拆款。由于害怕“对手风险”（即由合同另一方财务破产引起的风险），许多信贷市场停止了运作。许多评论员曾警示过的流动性危机终于于 2007 年 8 月份爆发了。几乎无人能预料到，由于底特律和孟菲斯等城市的低收入家庭不履行次贷房屋还款居然可以引起如此巨大的金融危机：一家是北岩银行，另一家是贝尔斯登公司，他们被廉价地卖给竞争对手；无数套利基金活跃起来；银行的账面资产减值达到 3 180 亿美元；预计资产损失总额将超过 1 万亿美元。次贷蝴蝶扇动了一下翅膀，引起了全球的金融风暴。

关于危机的讽刺之一是它给了美国政府资助的财产所有民主制之母——房利美沉重的一击。政府政策的后果之一便是扩大房利美及其兄弟公司——房地美在抵押中持有的份额，同时，减少政府在此领域的重要性，而政府的保护曾是这个系统的核心内容。1955~2006 年间，由政府担保的非农业抵押份额由过去的 35% 减少到 5%。与此同时，由政府资助的公司所持有的抵押份额却由原来的 4% 不断增长，直到 2003 年达到最高峰 43%。美国联邦住屋企业监督办公室通过放松资本和财产比率来怂恿房利美和房地美获取更多的住房按揭贷款支持证券（包括次级贷款担保证券）。但是，两家机构的资本只有 840 亿美元，资产负债表上的 1.7 万亿美元资产中只剩下 5%，更别提它们将要担保的 2.8 万亿美元的次级贷款担保证券了。政府资助应该转换为政府所有，这其中就隐含了联邦预算在内，这似乎是这些机构陷入困境的合理假设。

所以，房子并不是唯一的安全投资。它们的价格既然能上涨就能下降，另外，正如我们所见，房子是非流动资产，这就意味着当你陷入经济困境时，你不能迅速把它卖出去。房价在下滑的路上挣扎，因为房主不愿意在经济低迷时期降低要价，结果导致众多主持有待售房产，这意味着这种房屋所有权将降低劳动力的流动，以至于延缓了经济恢复的速度。这就是“财产所有民主制”的消极面，虽然这种制度将房客变为房主这一点很诱人。另外，还有一个问题亟待回答，那就是我们是否已将这种高风险的模式输出到世界的其他地方了。

产权与财富

基尔梅斯——一个在布宜诺斯艾利斯郊外散落着的贫民窟，听起来和阿根廷首都中心优雅的林荫大道相差十万八千里。生活在那里的人们真的有那么贫困吗？正如秘鲁经济学家赫南多·德索托所说，像基尔梅斯这样遍布着简陋小屋的小镇，去掉它们摇摇欲坠的外表外，它们实际上是几万亿美元还未被实现的财富。据赫尔南多·德·索托估算，世界上穷人所拥有的不动产总值可达 9.3 万亿美元。他指出，这个数值相当于世界 20 大经济组织所列出的公司的市场资本总额，大约 1970~2000 年间，发展中国家接受国外援助资金总额的 90 倍。问题在于，居住在基尔梅斯的人以及世界上无数住在简陋小镇的人们，对他们的房屋没有法定权利。而如果对他们的财产没有法定权利，他们就没办法将其作为贷款担保抵押物，于是这制约了经济的增长。如赫尔南多·德·索托所说，因为人们不能借贷，也就没有资本做买卖。潜在的企业家被埋没了，资本主义的活力也被窒息了。

麻烦的主要方面在于在南美洲这样的地方，建立财产法定权利在行政方面有一定的困难。据世界银行调查，如今在阿根廷如果要注册登记财产，需要大约 30 天的时间，而以前这个时间还要更长。在其他一些国家，例如孟加拉国或是海地，情况甚至更糟，可能需要 300 天的时间。赫尔南多·德·索托和他的研究者试图获得在秘鲁国有土地上建房子的政府授权，他们整整花了 6 年零 11 个月的时间。在此期间，他们和 52 个不同的政府部门打过交道。在菲律宾，直到现在，要使房屋产权合法化仍需要 168 个步骤，其中包括要去 53 个公共代理处和私人代理处，分别需要用 13 年和 25 年的时间。与此相反，在英语国家，这一切只需两天就可办好，很少有超过三个星期的时候。在赫尔南多·德·索托眼中，使产权合法化的烦琐手续使穷人的资产变成了“死资本……就像高高位于安第斯山上的湖水一样，只是未被使用的潜在能源”。他认为，赋予资本生命是使秘鲁等国繁荣发展的关键。只有拥有一套行之有效的资产权利体系，房产的价值才能在市场上很好地体现，房屋才能自由买卖，才能合法地用于贷款抵押，房主才能自由地进行交易。另外，把穷人排除在合法的产权所有者之外，就要保证他们在灰色或是黑色的经济地带，在国家政策之外，至少享有部分权利。这其实具有双重破坏性——阻碍了有效的税收，也降低了政府在民众眼中的权威性、合法性。穷国很贫困，这是由于它们缺少对财产的保护，而这些财产正是成功经济的隐性建筑。“《物权法》不是银弹头”，赫尔南多·德·索托说，“它是缺失的纽带……没有《物权法》，你将永远不可能完成任何一项长久的改革。”而穷国基本上缺乏民主，因为缺少选民去选举出公共财产的保管者。赫尔南多·德·索托称，除非提供一套民主体系，否则不可能维持以市场为导向的财富体系。这是投资者的唯一可选的途径。

一些批评家说他躲在名声扫地的秘鲁前总统阿尔韦托·藤森背后。而另一些评论家说，赫尔南多·德·索托试图用“财产所有民主制”全球化的努力使他成为英雄。美国前总统比尔·克林顿称他“或许是最伟大的经济学家”，俄罗斯总统普京则称他取得了“非凡”的成就。2004 年，美国自由党的智囊团卡托研究所因为德索托在“精神和实践自由”方面所做的工作，授予他两年一度的米尔顿·弗里德曼大奖。赫尔南多·德·索托和他的自由民主机构已经给众多国家的政府，例如埃及、萨尔瓦多、加纳、海地、洪都拉斯、哈萨克斯坦、墨西哥、菲律宾和坦桑尼亚等提供了建议。当然，关键问题在于：他的学说在现实中起作用吗？

基尔梅斯验证赫尔南多·德·索托是否真的揭开了“资本的秘密”提供了一个自然的试验。1981 年，基尔梅斯的 1 800 多个家庭抵制阿根廷军政府占用大量荒地。恢复民主制度后，阿根廷省政府没收了这些土地，同时给予以前的居住者合法的权利，然而只有 8/13 的土地所有者接受了这个补偿，而其他人（其中有一人是1998年才在此定居的）要争取永久权利。结果便是10年后，一些居民通过缴纳正常的租金最后成为业主，而另一些人仍是房客。今天，你可以通过一个现象辨别出业主和非业主：业主会更用心地打理他们房子的篱笆和墙壁，而那些房客住的待确定的房子都破烂不堪了。众所周知，业主要比房客更爱惜房子。

毫无疑问，房主们改变了基尔梅斯人们的观念。据最新一项调查表明，那些已经取得合法权利的业主与那些非业主相比，在观点上更加具有独立性，更加物质化。例如，当被问到“你觉得钱对于快乐来说重要吗”时，选择肯定答案的业主比非业主多出34%。当然，这个理论似乎也存在瑕疵。对于基尔梅斯的居民来说，在贷款时，业主并不见得就比非业主容易多少，只有4%的人拥有抵押物。在赫尔南多·德·索托的家乡秘鲁，情况也是如此，业主们的力量不够强大，不足以使死资本复活。1988年，德索托向秘鲁政府首次推荐他的学说并且被接受，注册财产的时间于是有了很大的缩减（仅需一个月）。更明显的是，有99%的交易花费都被缩减。自从1996年创建了非正式财产正式化委员会以来，人们在这4年中做了更多的努力，在城市用地上建造的120万间建筑被法律承认。然而，赫尔南多·德·索托所许诺的经济进程却逐渐令人失望。在秘鲁首都利马，1998~1999年间，有20万户人家获得了合法的土地授权，然而，直到2002年，仅有1/4的家庭可以以此作为抵押获得贷款。在赫尔南多·德·索托学说试行的其他地方，特别是在柬埔寨，使城市财产合法化仅仅鼓励了肆无忌惮的开发商和投机者买下贫困者的房产，或者是将他们赶出去。

真正的抵押物来自于稳定的工资。

记住，不是财产使你有物可押，而是财产增加了你的信用度。真正的抵押物来自于稳定的工资，正如19世纪40年代的白金汉公爵或是现在的底特律房主那样。因此，企业家们不一定要把他（她）们的房子抵押出去，以此来筹钱，事实上，产权并不是财富增长的关键因素。

小额贷款

我是在一个雨天的星期一早上见到贝蒂·弗洛雷斯的，在玻利维亚一个小镇高地市的市场街道上，这个小镇在玻利维亚首都拉巴斯附近。那天，我们准备去高地市的小额资金组织Pro Mujer[①]。由于海拔较高，我感觉很疲惫，就提议停下来喝杯咖啡。贝蒂当时正在那儿忙着煮咖啡，然后为顾客和市场上的摊主端上一杯杯香浓的玻利维亚咖啡。我迅速被她的能量和活力吸引。与市场上大多数玻利维亚本国妇女不同，她可以很自如地和外国人进行交谈。原来，她是小额资金组织Pro Mujer的顾客之一。她成功地获得了贷款来扩大她的咖啡店，这是她做机械师的丈夫没能办到的。只需看看贝蒂不停忙碌的身影，我就知道这项政策确实见效了。她还有未来的扩展计划吗？肯定有的。她的生意让她能供女儿上学读书。

贝蒂·弗洛雷斯并不是传统意义上所认为的风险小的信贷对象。她的存款很少，并且没有房子。而她和数千名像她一样生活在贫困国家的妇女可以获得像小额资金组织Pro Mujer这种机构的贷款，这确实是解放妇女企业家这一革命的成果。在玻利维亚这样的国家进行小额贷款运动中有一个巨大

① Pro Mujer为西班牙语，即援助妇女之意。——编者注

的发现：与男性相比，女性是风险较小的信贷对象，不管她们是否有房屋作为抵押。这真是与传统意识里女人挥霍无度的形象大相径庭啊。的确，这与上百年来的偏见格格不入。直到 20 世纪 70 年代，人们还认为女性的信贷度不如男性。例如，在美国如果已婚女性的丈夫没有工作，她们自我创业申请贷款时就会被拒绝。情况对于被抛弃的女性或是离婚的女性来说更糟糕。在我的成长过程中，信贷机构总是关注男性。然而，这种小额贷款表明，女性也有良好的信用度。

小额贷款运动的发起者是诺贝尔奖得主尤努斯。他通过对他家乡孟加拉贫困的乡村作调查，得出小额贷款在妇女中有巨大潜力的结论。1983 年，他在乔布拉村与别人合伙创办了乡村银行，先后为将近 750 万名妇女提供了小额贷款，而其中绝大多数妇女没有任何抵押担保。所有的贷款者会分别组成 5 人小组，每周进行一次非正式聚会，每个人都承担着还款责任。起初，乡村银行只能进行 30 多亿美元的贷款业务，这些钱主要是来自赞助商。而现在，乡村银行吸引了足够多的存款（到 2007 年 1 月，共有 6 500 亿美元存款），这确实是利润很大的。由琳内 · 帕特森和卡门 · 贝拉斯科在南美建立的乡村银行可能是小额资金组织 Pro Mujer 最佳的模仿者了。该银行贷款起点大约是 200 美元，期限是 3 个月。大多数妇女利用这笔钱购买牲畜，或者像贝蒂那样用这笔钱做小本生意，卖煎饼或是日用品之类。

在我离开贝蒂的咖啡店时，高地市小额资金组织办公室早已人声鼎沸。我被眼前的景象深深地吸引了：玻利维亚妇女几乎全穿着传统服装（圆顶小高帽，以各种方式戴在每个人的头上），排着队还定期贷款。她们讲述自己的经历时，我开始思考是不是可以把那老话“像房子一样安全”改为“像家庭主妇一样安全”。在世界上其他贫困国家，从内罗毕的贫民窟到印度安得拉邦村寨，也有类似现象发生。当然，这些也不仅仅发生在发展中国家。小额贷款也可以在发达国家的贫困地区进行，例如在格拉斯哥的卡斯尔米尔克（Castlemilk）地区，那里的贷款系统被称为信用联合体，它的建立是为了抵制高利贷者的贷款（我们曾在第一章谈到），而接受贷款者通常是当地妇女。在高地市和卡斯米尔克地区，我常听说男人们更愿意把钱花在酒吧或是投在赌马场上，并不考虑还利息。而女人，正如我经常听说的那样，比男人更善于理财。

当然，如果认为小额贷款和赫尔南多·德·索托的财产权利理论是解决全球贫困问题的万能药方，那就大错特错了。据粗略估算，全球人口中，约有 2/5 的人处于金融系统之外，他们没有存款，更别提信用度了。按尤努斯的说法，不管你是否需要他们有抵押担保，仅仅给他们提供贷款并不一定能使他们摆脱贫困。我们也不应忘记，虽然有些人确实因为小额贷款受益，但并未摆脱贫困。我们惊奇地发现，一些小额贷款公司每年向贷款者收取高达 80% 甚至 125% 的利息——这和高利贷差不多了。这表明，小额货款公司赢利的最佳方法，其实是尽量提供数量较多的小额贷款。

自我的苏格兰同行亚当·斯密写了关于自由市场的研究《国富论》以来，格拉斯哥已经走了很长的一段路了。像底特律一样，格拉斯哥也是在工业年代兴起的城市，因此，它似乎不太适应金融年代。但是像南北美洲或是南亚的人们一样，格拉斯哥的人们也得到了相同的教训。金融文盲似乎无处不在，但在经济的一个分支领域——财产市场，人人都是专家。众所周知，财产是个单项赌博（某些个案除外。在 2007 年第 4 季度，格拉斯哥的房价下滑 2.1%，当地人唯一的心理安慰是爱丁堡的房价下滑了 5.8%）。在世界所有的城市，房屋价格泡沫远远高于根据房屋出租收益或是建筑消费评定的标准。正如经济学家罗伯特·希勒所说，当前广泛流传的观点认为房子是很好的投资，于是通过同样的反馈机制，衍生出了经典的推理泡沫。这种反馈机制通常会影响股票市场。简而言之，这是资本货物的非理性繁荣。正如我们所见，这种感觉起源于政治因素。当鼓励拥有住房也许有助于笼络选民，同时也因强迫人们以房赌房而扭曲了资本市场。当金融理论界警告反对“本土偏好”时，他们是反对投资者将他们的钱投资到本国的不动产上面，而真正的“本土偏好”是把所有的钱都投资到自己的房子上面。毕竟，房屋代表了2/3的典型的美国房屋投资组合，而这一比例在别国还要更高。从白金汉郡到玻利维亚，金融安全的关键是要建立合理多样的金融资产有价证券。要想这样做，专家建议我们去借未来的钱。但是，在这个充满风险的高度杠杆化的资产市场，我们不应该被引诱，去用所有的东西做赌注。在借款费用和投资回报之间，在债务和收入之间，应始终保持能承受的幅度。

不用说，这些法则不仅仅适用于住房，它们也适用于国家经济。最后，还有一个问题需要回答——由于我们所谓的全球化，世界上最大的经济体已经忽视次贷风险多久了呢？次贷超级大国的代价又是什么呢？

第六章

全球金融：从帝国到“中美国”

THE ASCENT OF

MONEY

A Financial History of the World

金融权力的全球性转移将如何发展？

中国和美国成为了怎样的共生体？

中美两国相互依存的经济是维持全球金融市场稳定的关键之一吗？

THE ASCENT OF MONEY

导读

贷币发展到今天，我们发现，金融权力的全球性平衡正经历着最惊人的转移。一个多世纪以来，世界经济的金融节奏由英语民族所制定，首先是英国，然后是美国，但这个时代要结束了。

从金本位制到布雷顿森林体系，再到国际货币新秩序，金融权力正在发生变革。以英语国家为首的资本跨国流动，不断引发国际市场的动荡。今天，要求对盎格鲁－撒克逊模式进行监管的声音越来越大，金融权力的转移不可避免。

“金砖四国”正在获得金融权力的一部分。而古老的中国，在经历了20世纪后20年的改革开放后，发展至今，似乎正在引领发展中国家与发达国家“脱钩”。但事实表明，中国不仅无法脱钩，甚至将与美国“融为一体”。

中国生产，美国消费；中国储蓄，美国借贷。这一全球化的国际分工模式，不仅导致实体经济的相互融合，更使得中国和美国在金融领域实现了“核恐怖平衡”。

这一切引发我们对未来世界的好奇：随着危机走向全球化，那么全球化是否也面临着危机？国际社会如何监管势力庞大而流动迅速的对冲基金？美元的霸权地位是否会随着金融危机的产生而逐渐衰落？新的国际货币秩序如何建立？中国将在后美元时代承担怎样的角色？中国和美国是否会成为主宰世界经济的两国集团？

金融权力的全球性转移

仅在 10 年前，也就是在 1997~1998 年发生亚洲金融危机期间，传统观念认为，金融危机更有可能发生在世界经济的边缘，即所谓的东亚或拉丁美洲“新兴市场”。然而，新世纪对全球金融系统的最大威胁不是来自世界经济的边缘，而是来自世界经济的核心。在 2000 年 8 月硅谷网络泡沫达到高峰之后的两年里，美国股市下跌了将近一半。直到 2007 年 5 月，标准普尔 500 指数股票的投资者的损失才得以弥补。然而，仅仅 3 个月后，一场新的金融风暴再次引爆，这一次是在信贷市场，而不是股票市场。正如我们已经看到的，这一危机也起源于美国。当数以百万计的美国家庭发现，他们无法支付次贷抵押贷款时，危机爆发了。曾经有一段时间，美国类似的危机使得全球金融体系其他区域即使没有发生大萧条，也会陷入经济衰退。然而，在撰写本书时，亚洲似乎很少受美国信贷紧缩的影响。实际上，一些经济分析师（像高盛公司全球经济研究主管吉姆·奥尼尔）说，世界其他地方在蓬勃发展的中国的带领

世界其他地方在蓬勃发展的中国的带领下，正在与美国经济“脱钩”。

下，正在与美国经济“脱钩”。

如果奥尼尔是正确的，那么我们正经历着最惊人的金融权力全球性转移。一个多世纪以来，世界经济的金融节奏是由英语民族制定的，首先是英国，然后是美国，但这个时代要结束了。在过去的30年，中国经济取得了非凡的成就，人均国内生产总值年增长为8.4%，近几年的发展步伐还有所加快。奥尼尔和他的团队在首次测算所谓的“金砖四国”（BRICs，即巴西、俄罗斯、印度和中国，或者称为“快速工业化国家”）国内生产总值时，预计中国可能在2040年左右超过美国。然而，他们最新的估计把中国超过美国的日期提前到了2027年。高盛公司经济学家并没有忽视这样的挑战：中国无疑面临着政府独生子女政策所带来的未来人口方面的问题，还面临东亚地区超负荷的工业革命发展所带来的环境后果。他们也意识到了，中国所承受的通货膨胀压力，比如2007年股票价格的飙升以及2008年粮食价格的高涨。但是，对中国经济总的评价仍然是积极显著的。简单地说，这意味着在我们的有生之年，历史方向已经发生改变。

三四百年前，东方和西方人均收入不相上下。有人声称，北美殖民地的生活水准，与中国农民相比，并没有明显的优势。事实上，明王朝的中国文明在许多方面要比早期的马萨诸塞州先进。中国北京，几个世纪以来都是世界上最大的城市——远远超过波士顿，就像郑和15世纪早期远洋的宝船让哥伦布的圣玛丽亚号船相形见绌。像泰晤士河谷一样，长江三角洲有可能发生能够提高生产力水平的重大技术创新。然而，1700~1950年期间，东方与西方生活水准出现了“大分流”。中国人均收入在这一时期发生了绝对下降，而西北半球特别是英国及其殖民地，经历了前所未有的增长，这在很大程度上受益于工业革命的影响。到1820年，美国人均收入大约是中国的两倍；

到1870年，几乎高出中国5倍；到1913年，超过中国近10倍；到1950年，这一数字已接近22倍。1820~1950年期间，美国人均国内生产总值年均增长率是1.57%，而中国的同期数字则是–0.24%。1973年，中国的人均收入充其量不过是美国的1/20。按照国际市场美元汇率来计算，这一差距甚至更大。到2006年，美国与中国的人均收入比率仍然是22.9∶1。

在18世纪和20世纪70年代之间，中国究竟出了什么问题？有一种观点认为，旧中国错失了两次重要的宏观经济发展机遇，而这对于18世纪的西半球腾飞是必不可少的。第一次是征服美洲，特别是把加勒比岛屿地区变为产糖殖民地——“鬼田”[①]（Ghost Acres）缓解了欧洲农业系统所承受的中国式收益递减的压力。第二次是征服蕴藏丰富煤田的地域，促进了工业的发展。除了获得便宜的能源，还有便宜的木材、羊毛和棉花，此外帝国的扩张资源的获得带来了其他一些意想不到的经济效益。它鼓励发展对军事有用的技术——钟表、枪、透镜和导航仪器，结果带动了工业机械的发展。当然，对于东西方存在的巨大差异还有许多其他解释：不同的地形，不同的资源条件，不同的文化，对待科学和技术的不同态度，甚至不同的人种进化。然而，有一点是可信的，那就是旧中国的问题其实是金融问题与基于资源的问题。首先，旧中国中央集权的特性妨碍了金融竞争，这种竞争在文艺复兴时期的欧洲及其后被证明是金融创新的驱动力。另一方面，旧中国可以轻松地通过印制货币来弥补其财政赤字，妨碍了欧洲式的资本市场的出现。由于那时中国与西方贸易存在盈余，所以铸币也比欧洲更容易获得。总之，旧中国缺乏发展商业票据、债券和股票的动力。到19世纪末期，金融机构终于

---

① “鬼田”指欧洲人在美洲所使用的土地。这些新的林地、农田和园地并不存在于欧洲，但对欧洲经济有着重大影响，好像增加了欧洲的土地，因而被称为“鬼田”。——译者注

在中国产生。

在某种意义上来说，“全球化”是国际商品市场、制成品市场、劳动力市场和资本市场的快速一体化，而不是一种新现象。在1914年之前的30年，货物贸易在全球产量中占有相当大的比例。在这个国界管制较少的世界上，当时国际迁徙人口在世界人口中的比例肯定是相当大的；1910年，超过14%的美国人口出生在国外，而2003年只有不到12%。虽然按毛额计算，就20世纪90年代全球国内生产总值而言，国际资本存量要多于一个世纪以前，但是按净额计算，海外投资的数额特别是富国在穷国的投资数额多于较早时期。在一个多世纪前，欧洲和北美地区雄心勃勃的商人可以看到整个亚洲到处充满诱人的机会。到19世纪中叶，工业革命的关键技术可以流向任何地方。由于铺设了国际海底电缆网络，通讯滞后已大为改观。我们将看到，资本充溢的英国投资者不惜冒风险把钱投向偏远的国家。设备买得起，能源跟得上，劳动力又丰富，使得中国或者印度的纺织品制造业成为利润丰厚的行当。然而，尽管西方基金投资超过10亿英镑，维多利亚的全球化在亚洲大部分地区基本上没有实现，今天残存的记忆依然是痛苦的西方殖民剥削。

此外，新时代的全球化应该而且只能有一个圆满的结局。不过，在不到100年前，也就是在1914年夏天，全球化时代没有在怨声载道中终结，而是在震耳欲聋的爆炸声中告终，因为世人目睹了一场由全球化经济体的主要受益者发动的最具破坏性的战争。我们认为我们懂得1914年以前国际资本在亚洲不能自我维持增长的原因。但是，全球经济一体化的影响与第一次世界大战的爆发之间存在着一些联系吗？最近一直有人认为，在1914年前10年里，不断上升的关税和移民限制预示着战争应该被理解为一种反对全球化的行动，而且受到欧洲农业精英最热烈的欢迎，因为他们的地位几十年来一直随着农产品价格的下降和农村富余劳动力转向新世界而受到削弱。在我们贸然拥抱今天勇敢的、崭新的所谓“后美国”世界时，我们必须确保类似的意外反应不会由于地缘政治而破坏最新版本的全球化进程。

全球化与世界末日

人们过去常常说，“新兴市场”①就是出现“紧急情况”的地方。在遥远的国度投资可以使你富有，但是当一切变得糟糕的时候，它可能是金融破产的快速通道。正如我们在第二章看到的，第一次拉美债务危机发生在19世纪20年代。而另一场发生在新兴市场阿根廷的危机，差点让巴林银行在1890年破产（一个在新加坡的无赖期货交易员尼克·李森在105年之后结束了巴林银行的历史）。20世纪80年代拉美债务危机和20世纪90年代亚洲金融危机是几乎前所未有的事件。金融历史表明，今天的许多新兴市场可以更好地称为重新出现的市场。在最近的日子里，重新出现的市场是中国市场。像吉姆·罗杰斯这样的投资者在这里赚到了很多钱。外国投资者把大笔资金投入中国证券市场，梦想从这个世界上人口最多的国家赚回大把钞票，这种情况并非第一次出现。

过去与现在一样，海外投资的关键问题就是伦敦或纽约的投资者，我们很难明白远隔重洋或者更遥远地方的外国政府或海外经理人在做什么，而且还存在不同的会计规则。如果外国贸易伙伴打算拖欠债务，居于世界另一边

① “新兴市场”这一术语，由世界银行经济学家安东尼·冯·阿格塔米尔在20世纪80年代首次使用。——译者注

的投资者几乎无能为力。在第一个全球化的时代，这一问题的解决方式是野蛮、简单但又有效的：强行推广欧洲规则。

威廉·渣甸和詹姆斯·马地臣是无所顾忌的苏格兰人，1832 年他们在中国南部港口广州成立了一家贸易公司。他们最赚钱的业务就是进口来自印度政府组织加工的鸦片。渣甸以前是东印度公司的外科医生，但他将鸦片销往中国却明显出于非医药用途。由于鸦片成瘾的社会成本高，雍正皇帝曾在一个多世纪前，也就是 1729 年颁布查禁鸦片谕旨。1839 年 3 月 10 日，清朝官员林则徐抵达广州，执行道光皇帝的旨意，彻底禁绝鸦片贸易。林则徐封锁了广州鸦片货仓，迫使英国商人遵从他的要求交出鸦片。交出的鸦片约有 2 万箱，价值 200 万英镑。这些鸦片全部被销毁。中国还坚持认为，今后英国臣民在中国领土上应该遵守中国法律，但这一点根本不合渣甸的心意。这个被中国人冠以“铁头老鼠”绰号的渣甸，在危机期间正在欧洲，但迅速赶到伦敦去游说英国政府。渣甸在与外交大臣帕麦斯顿会晤三次之后，似乎已经说服了帕麦斯顿——英国需要展示实力，“中方的战舰不足”将确保“装备充分的”英国部队轻松取胜。1840 年 2 月 20 日，帕默斯顿下达了命令。到 1840 年 6 月，英国所有海军准备完毕。清政府即将感受到一种威力，这种威力来自史上最成功的毒品国家：大英帝国。

正如渣甸曾预测的那样，中国当时的军力无法与英国的海军力量相提并论。广州被封锁，舟山群岛被攻下。经过 10 个月的对峙之后，英国海军拿下拱卫珠江口与来往香港与广州的水道的要塞。根据 1841 年 1 月双方签订的《穿鼻草约》(但后来被清政府否定)，割让香港给英国政府。经过又一场一边倒的战争之后，1842 年中英双方后又签署了《南京条约》，确认了割让领土，同时允许鸦片贸易在五个所谓的“通商口岸”自由经营：广州、厦门、福州、宁波和上海。根据"治外法权"的原则，英国国民可以在这些城市自由居住、自由贸易，完全不受中国法律约束。

▲怡和洋行的联合创立者、"铁头老鼠"威廉·渣甸

对中国而言，第一次鸦片战争宣示了一个屈辱时代的到来。毒品泛滥。基督教传教士动摇了传统的儒家信仰根基。在混乱的太平天国起义中有 2 000 万~4 000 万人丧生。不过，对匆忙购买香港土地并很快将其总部移到东角的渣甸与马地臣来说，维多利亚全球化的荣耀日子已经到来。渣甸山是香港山峰的最高点之一，是怡和洋行用于保持永久驻扎看守的据点，以保护从印度孟买、加尔各答或伦敦驶入港口的该公司的快艇。随着香港作为中转地蓬勃发展起来，鸦片很快不再是怡和洋行的唯一业务。到 20 世纪初，怡和洋行拥有自己的酿酒厂、棉纺厂、保险公司、轮渡公司，还拥有自己的铁路，其中包括 1907~1911 年间修建的九龙至广州铁路线。

我们把目光转向伦敦，这里的投资者面前有无数的海外投资机会。罗斯柴尔德父子公司（N.M. Rothschild &Sons）的账簿很好地验证了这一点，其中展现了罗斯柴尔德合作伙伴持有数百万英镑有价证券的非同寻常的证券组合。账簿单页列出了至少 21 种不同的证券，其中包括智利、埃及、德国、匈牙利、意大利、日本、挪威、西班牙和土耳其政府发行的债券，以及11条不同铁路的证券（其中4条在阿根廷，两条在加拿大，一条在中国）。并非只有那些高雅的金融精英才从事这样的国际多样化经营。早在1909年，英国投资者只要花费2先令加6便士，就可以购买到亨利·罗恩菲尔德的著作《投资：一门精确的科学》，书中建议“基于资本地理分布的健全的平均体系”可以作为“把来自投资行为的投机气息降低到最低限度”的一种手段。正如凯恩斯后来在他的名篇《和平的经济后果》中说的，伦敦的中产阶级几乎无须费力，就可以“把他的财富投到这个世界任何地方的自然资源和新企业上，投到股票上，投到有希望的收获和优势上，而不必花很大力气，没有什么麻烦”。

▲从事鸦片贸易的怡和洋行合伙人詹姆斯·马地臣

当时，分散于世界各地的外国证券交易所大约有40家，其中英国金融新闻媒体定期报道的有7家。57个不同的主权国家和殖民地政府发行的债券在伦敦证券交易所上市。货币从伦敦流向世界其他地方，展示了第一次金融全球化的全景。英国投资大约有45%流向美国、加拿大、新西兰和澳大利亚，20%流向拉丁美洲，16%流向亚洲，13%流向非洲，还有6%流向欧洲其他地区。如果把1865~1914年通过公共债券发行筹集到的所有英国资本加在一起，我们可以看到其中大部分流向海外，只有不到 1/3 投资在英国国内。到 1913 年，估计全球流通的证券价值 1 580 亿美元，其中约 450 亿美元（28%）被国际投资者所持有。1913 年在伦敦证券交易所挂牌的所有证券近半数（48%）是外国债券。英国海外总资产在 1913 年大约相当于其国内生产总值的 150%，年度经常项目顺差升至 1913 年国内生产总值的 9%。根据上述数据，也许可以说当时英国是储蓄过剩。值得注意的是，与近期相比，1914 年前的资本输出到相对贫困国家的比例更高。1913 年，全球外资存量的 25% 被投资于人均收入只有美国人均国内生产总值 1/5 或更少的那些国家，而 1997 年这一比例只有 5%。

英国的投资者被吸引到国外市场，也许仅仅是因为资本贫乏地区较高回报率的前景，也许是因金本位制的传播或外国政府越来越多的承担金融责任而欢欣鼓舞。然而倘若没有大英帝国的崛起，很难相信 1914 年之前的海外投资会有如此多。英国所有海外投资中大约有 2/5~1/2 流向英国控制的殖民地；有相当比例的投资流向一些英国能够施加间接影响的国家，如阿根廷和巴西。英国的海外投资是不均衡的，主要集中在能够增加伦敦影响力的资产上：不仅投资政府债券，而且还投资为铁路、港口设施和矿山建设融资而发行的证券。殖民地证券具有吸引力的部分原因是其中有些做出了明确保证。《殖民地信贷法令》（1899 年）和《殖民地公债法令》（1900 年）还为殖民地债券提供与英国政府长期基准债券“统一公债”相同的“受托人地位”，使其有资格投资信托储蓄银行。但是，殖民地证券真正的吸引力是含蓄的，而不是明确的。

维多利亚女王时代的人们在他们的殖民地强加了一套独特的制度，这很有可能会提升殖民地证券对投资者的吸引力。这套制度采用格莱斯顿有关健全货币、平衡预算和自由贸易的三位一体之说，建立了法规（具体而言，如规定英国式的所有权）和相对不腐败的政府——19 世纪晚期自由帝国主义所提供的最重要的“公共物品”。与殖民地借款人签署的债务合同很简单，和那些独立的国家相比，也更有可能被强制执行。这就是为什么凯恩斯后来指出，“南罗得西亚（一个有几千名白人以及不到 100 万黑人的非洲中部的地方）可以进行无担保贷款，贷款条件与英国战争贷款大不相同”，而投资者可能更喜欢“尼日利亚的股票（其中没有英国政府担保），而不喜欢……伦敦和东北铁路债券”。英国规则的实施（如 1882 年在埃及）实际上相当于“没有预设的”保证。投资者不得不面对的唯一不确定性与英国统治的期限有关。1914 年以前，尽管英国殖民地的民族主义思潮增长不同于爱尔兰和印度，但是对于大多数英国国民来说，政治独立似乎仍然是遥远的事，即使是主要的白人定居点的殖民地也仅获得了有限的政治权。而且，似乎没有殖民地进一步获得像中国香港那样的独立地位。

1865~1914 年期间，英国投资者投入到中国证券的资金至少有 7 400 万英镑，这只是他们到 1914 年所持有的价值 40 亿英镑的海外证券的极小部分，不过对当时贫困的中国来说却是一大笔资金。毫无疑问，投资者认为从 1854 年起，英国不仅统治了中国香港并把它变为英国殖民地，而且控制了整个中国海关系统，以确保至少在中国港口征收的一部分税收被用来支付英国持有的债券利息。然而，即使在 3/4 的所谓通商口岸也存在着风险。不管英国如何严密控制香港，他们也无法防止中国首先卷入 1894~1895 年与日本的战争、1900 年的义和团起义，以及 1911 年推翻清王朝的革命——这场革命部分原因是由于中国人民普遍厌恶外国在一定程度上控制了中国经济。每一次政治动荡都打击了外国投资者，打击了他们的钱包。随后发生的危机也是如此，例如1941年的日本入侵。早期的全球化容易引发战争与革命，并非只在中国，整个世界金融体系都如此。

1914年以前的30年，确实是国际投资者的黄金年。与国外市场的通信条件显著改善：到1911年，一份电报电文仅用30秒便可从纽约传到伦敦，传递成本只是1866年水平的0.5%。到1908年，几乎所有的欧洲中央银行都承诺采纳金本位制，这意味着它们几乎都瞄准了黄金储备，一旦遭遇金银货币外流，就可以提高利率（或采用其他手段干预）。至少，通过降低汇率大规模波动的风险，稳定了投资者的生活。世界各国政府的财政状况似乎也有所改善，19世纪70年代和19世纪80年代的通货紧缩，到19世纪90年代中期开始转为温和的通货膨胀，这实际上减轻了债务负担。高增长通常要求增加税收，不过，长期利率仍然很低。英国基准"统一公债"在1897~1914年期间收益率上升了1%，这是历史最低点2.25%。虽然我们现在所称的"新兴市场"利差大幅收缩，但主要的债务违约事件发生在19世纪70年代和90年代。除了目光短浅的希腊和尼加拉瓜发行的证券之外，1913年在伦敦交易的主权国家债券或殖民地债券，没有任何一家能取得超过统一公债2%以上的收益，而且大多数收益相当少。这意味着，比如说，在1880年买了外国债券投资组合，就会得到可观的资本收益。

其他大国的债券大约占了在伦敦上市的外国主权债务的一半，其收益率和波动性在1880年后也稳步下降，表明政治风险溢价也在下降。1880年以前，奥地利、法国、德国和俄国的债券强烈波动往往与政治新闻有关，但1914年以前的各种外交恐慌和10年变迁，如在摩洛哥和巴尔干地区，几乎引发伦敦债券市场一场强烈地震。英国股市虽然在1895~1900年"卡菲尔"（金矿）泡沫破灭之后相当平稳，但是收益的波动呈下降趋势。至少有一些证据表明，这些趋势与流动性的长期上升有关，部分原因是由于黄金产量的增加，更重要的是与金融创新有关，因为股份制银行随着储备增加而扩张资产负债表上项目，储蓄银行则成功地吸纳了中产阶级和下层阶级家庭的存款。

战争中的金融市场

所有这些良性的经济发展趋势助长了人们的乐观主义。对许多商人来说——从沙俄的伊万·布鲁赫到美国的安德鲁·卡内基——主要的战争对于资本主义制度的打击将是灾难性的，这是不言自明的。1898 年，布鲁赫出版了六册书名为《未来战争》的著作，书中提出，由于最近的破坏性武器技术的进步，未来战争的爆发已经基本上没有可能，任何发动大规模战争的企图将以“国家破产”而告终。1910 年，卡内基成立了卡内基国际和平捐助基金会。同年，英国左翼新闻记者诺曼·安吉尔出版的《大错觉》(*The Great Illusion*）认为，大国之间的战争从经济角度来看已经成为不可能，这是因为“国际金融的微妙的相互依存”。1914 年春天，一个国际委员会发表了有关在 1912~1913 年巴尔干战争期间所犯“暴行”的报告。尽管有证据表明该报告把发动战争过分简单化，但是委员会主席在他的报告导言中指出，欧洲大国（与巴尔干小国家不同）“已经发现一条显而易见的真理，即最富有的国家往往是战争最大的输家，企盼和平是每个国家头等重要的事情”。该委员会英国成员——独立劳动党的坚定支持者和军火工业的激烈批评者（《钢铁与黄金的争夺战》的作者）亨利·诺埃·布雷斯福德宣称：

除了巴尔干地区，也许还包括奥地利和俄国的边缘，欧洲的征服时代结束了，我们民族国家的边界最终得以划定，这与政治上其他事情一样是确定的。我相信，6个大国之间不再有战争。

金融市场已初步摆脱了加夫里若·普林西普暗杀奥地利王位继承人弗朗茨·斐迪南大公的影响，这一暗杀事件于1914年6月28日发生在波黑首都萨拉热窝。直到7月22日，财经媒体才表示严重的焦虑，指出巴尔干危机在经济领域有可能升级为更大、更严重的威胁。当投资者后来了解到欧洲有可能爆发全面战争时，世界经济严重缺乏流动性，犹如掉入了无底深渊。在奥地利对塞尔维亚下最后通牒（该通牒首先要求应允许奥地利官员进入塞尔维亚，以寻找暗杀事件中贝尔格莱德共犯的证据）之后，危机的首发症状是航运保险费的上涨。当谨慎的投资者设法通过增持现金以增加头寸的流动性时，债券和股票价格开始下滑。欧洲投资者开始快速销售他们手中的俄罗斯证券，其次是美国人。由于跨境债权人努力把他们的钱汇回国内，结果导致汇率失控：英镑和瑞士法郎升值，而卢布和美元贬值。到7月30日，恐慌笼罩在大多数金融市场上。在伦敦首先面临压力的是所谓的股票交易所股票经纪人，他们严重依赖借来的资金购买股票。当大量卖单涌入时，他们的股票价值急降以致低于其债务价值水平，这迫使一些商行（特别是德热博格公司）破产。受到压力的还有伦敦的商业票据经纪人，其中许多是由于同行欠了大笔费用而现在无法或不愿还款。他们的困难反过来又影响了承兑公司（精英商业银行），因为承兑公司已经承兑了票据，如果外国人违约，它们首当其冲。而如果承兑公司破产了，汇票经纪人将一同破产，可能性较大的是股份制商业银行，每天给贴现市场短期拆借数百万。股份制银行回收贷款的决定，加剧了我们现在所说的信贷紧缩。当大家都争相出售资产以增加流动性时，股票价格下跌，连累了经纪人和其他以股票做抵押来借钱的人群。英国国内客户开始担心银行危机。当人们寻求用钞票换取金币时，英格兰银行门口排起了长龙。作为国际信贷的中枢，伦敦无力发挥有效作用，促使危机从欧洲蔓延到世界其他地区。

也许 1914 年危机最显著的特点，是世界主要股票市场长达 5 个月之久的封闭。维也纳市场首先关闭（7 月 27 日）。到 7 月 30 日，欧洲大陆所有的交易所都已经关闭。第二天，纽约和伦敦交易所不得不跟进。虽然为时已晚的结算于 11 月 18 日顺利进行，但是伦敦证交所直到 1915 年 1 月 4 日才重新开放。自它 1773 年成立以来，还从来没有发生过这样的事情。纽约市场在 11 月 28 日重新开放有限交易（只用现金交易债券），但完全无限制的交易直到 1915 年 4 月 1 日才恢复。在危机中，股票交易市场并不是唯一关闭的市场。就像大多数欧洲外汇市场一样，大多数商品市场不得不中止交易，例如，伦敦皇家交易所一直歇业直到 9 月 17 日。看起来，如果市场不关闭导致价格崩溃，将与 1929 年一样走向极端甚至更糟。1914 年，没有哪个国家的恐怖主义行动比加夫里若 · 普林西普的暗杀行为[①]带来的金融后果更多了。

金本位制几乎广泛采用，这一度被视为是对投资者的抚慰。然而，在 1914 年的危机中，它却加剧了流动性危机。一些中央银行（特别是英格兰银行）在危机的初始阶段提高了贴现率，妄图阻止外国人把他们的资本汇回本国，以此避免黄金储备被掏空。是否需要有足够的黄金储备以应对紧急情

① 1914 年 6 月 28 日，加夫里若 · 普林西普在萨拉热窝街头用手枪刺杀了正对萨拉热窝进行访问的奥匈国王储弗朗茨 · 斐迪南及其妻子。该刺杀行动成为第一次世界大战的导火索。——编者注

况，一直是战前激烈辩论的热点。实际上，这些辩论几乎是唯一证明金融世界曾经考虑过摆在面前的困难的证据。然而，金本位制与今天亚洲和中东的非正式钉住美元货币政策一样，不具有严格的约束力。在战争的紧急时期，许多国家（首先是俄罗斯）只是暂停黄金兑换货币。英国和美国的正式兑换仍然保持，不过一旦认为有必要，也有可能被暂停。（英格兰银行获准中止《1844年银行法案》，该法案要求银行的储备金与货币发行实行固定关系，但这并不等同于中止金银货币支付，它可以较低的储备很容易地得以保持。）危机会催生紧急纸币的发行：英国发行了面值1英镑和10先令的国债；而在美国，银行被授权发行紧急货币要依据1908年制定的《奥德利–奇瑞兰法案》。当时和现在一样，政府当局的反应就是通过印制钞票以应对流动性危机。

这些也不是唯一的必要措施。在伦敦，8月3日星期一的银行停业日被延长到8月6日。皇家宣布应付的汇票款项推迟一个月。所有其他应付款项（除工资、税金、养老金等）长达一个月的延缓偿付期被匆忙写入法令。（这些延缓偿付期后来分别被延至10月19日和11月4日。）8月13日，财政大臣向英格兰银行保证，如果银行贴现所有经批准的在8月4日之前（在宣战之时）承兑的“对持票人无追索权”的票据，那么财政部将担负银行可能因此招致的任何损失。这相当于政府对贴现银行的救援：当票据涌入银行要贴现时，政府为基础货币进行大规模扩张打开了方便之门。9月5日，援助也扩大到承兑行。解决方案因国而异，但此种权宜之计普遍相似，应用的范围前所未有：市场暂时关闭、延迟偿还债务期限、政府发行紧急货币、救助最易受伤害的机构。在所有这些方面，与以前已经经历的纯粹的金融危机相比，政府已准备做得更多。这一点已经在以前的“大战”（一个多世纪以前先是反对革命，接着应对拿破仑的法国）期间发生了，1914年的战争被理解为一种特殊的紧急情况，有理由采取在和平时期无法想象的措施，其中包括（正如一名保守党贵族所指出的）让“银行家摆脱……所有的责任”。

股市的关闭以及政府对于流动性供给的干预，避免了一场资产灾难性的减价出售。交易中止的那一年，伦敦股市已经下降了7%，而这些发生在战争开始之前。尽管政府努力了，但有关债券交易的残缺数据（完全是从股票市场关闭期间街上得来的）让投资者不得不考虑亏损的。截至1914年年底，俄国债券下跌了8.8%，英国统一公债下跌了9.3%，法国长期公债下跌了13.2%，奥地利债券下跌了23%。用巴林银行帕特里克的话来说，这是“自从金融存在以来，伦敦曾面临的最可怕的事情之一”。然而，这仅仅是开始。与“短期战争”的错觉（这种错觉在金融界要比军界传播更广泛）相反的是，之后是4年的大屠杀，金融方面还要蒙受更长久的损失。到1920年，任何紧紧抓住金边证券（统一公债或新的英国战争贷款）的不明智或足够爱国的投资者所蒙受的通货膨胀调整后亏损将达46%。英国证券的实际回报率为负数（–27%）。法国的通货膨胀和德国的恶性通货膨胀，让那些贸然持有大量法郎或德国马克的人蒙受了更大的损失。到1923年，各种德国证券的持有者几乎丧失了一切，尽管随后的立法重估为他们恢复了一些原始资本。那些持有大量奥地利、匈牙利、土耳其和俄罗斯债券的投资者也损失惨重——即使这些债券以黄金计价——因为哈布斯堡帝国、奥斯曼帝国和罗曼诺夫帝国在全面战争的重压下已经支离破碎。就俄国债券而言，当布尔什维克政权在1918年2月违约时，这些损失非常严重。当这些发生时，俄国在1906年的债券中有5%是以低于票面价值45%的价格成交的。整个20世纪20年代，俄罗斯希望与外国债权人达成某种债务解决方案的事情一直悬而未决，当时的债券交易是按照票面金额的20%左右进行的。到1930年，这些债券已毫无价值。

银行家虽然尽了最大努力，孜孜不倦地为那些前景不妙的德国战争赔偿支付提供浮动借款，但事实证明要恢复在战争期间资本自由流动的旧秩序是不可能的。货币危机，债务拖欠，有关赔偿和战争债务的争论，以及随后开始的大萧条导致越来越多的国家开始实行外汇和资本管制，以及贸易保护主义关税和其他贸易限制。它们自以为维护了本国国民财富，但却牺牲了国际交流。例如，1921年10月19日，中国北洋政府宣布破产，并继续拖欠几乎所有的外债。从上海到圣迭戈，从莫斯科到墨西哥城，类似的事件在世界各地不断发生。到了20世纪30年代末，世界上大多数国家都对贸易、移民当然还有投资实行限制。有些国家在经济上几乎全部自给自足，成为“脱离全球化”社会的“典范”。无论是自觉还是不自觉，各国政府在和平时期实施经济限制，这最早出现在1914~1918年之间。

第一次世界大战一爆发，战争的起源就变得清晰可见。那时，只有布尔什维克领袖列宁才看到，战争是帝国主义对抗不可避免的结果。那时，只有美国的自由派才理解，秘密外交和混乱的欧洲联盟是冲突发生的主要根源。英国和法国当然要谴责德国，而德国也抨击英国和法国。历史学家在90多年的时间里一直在提炼和修改这些论点。有些人把战争的起源追溯到19世纪90年代中期的海军军备竞赛，其他人则将原因归于1907年之后巴尔干地区的事件。从今天来看，原因似乎很多也很明显，为什么当代人非要等到世界末日来临的前几天才会意识到？一个可能的答案是，丰富的流动性再加上时光的流逝迷惑了他们的视线。全球一体化和金融创新的混合让投资者感到世界似乎是安全放心的。此外，在那之前法国和德国之间的欧洲大战已经过去34年了。当然，从地缘政治上看，世界并不是一个安全的地方。《每日邮报》的读者可以看到，欧洲军备竞赛和帝国争斗总有一天可能会引发一场大战。实际上，当时就有一部虚构的英德大战的流行小说。然而，金融市场里闪动的是绿灯而不是红灯，直到大战开始前夕。

对我们的时代，这里可能也有一个教训。金融全球化的第一个时代至少经过一代人努力才实现，但它在几天之内就分崩离析，并且至少需要两代人的努力才能修复1914年8月的枪炮声所造成的伤害。

经济杀手

从20世纪30年代一直到20世纪60年代末，国际金融和全球化思潮停滞不前，有些人甚至认为它没有了生命力。美国经济学家阿瑟·布罗姆菲尔德在1946年写道：

> 对私人资本流动特别是对所谓的国际游资，采取直接管制的实质措施，不仅在未来的几年里，而且从长远来看，对于多数国家来说将是可取的。这种学说眼下在学术界和银行界非常受推崇……这种学说反映了在相互敌对的年代里，由那些资本流动的破坏行为所造成的幻想的普遍破灭。

1944年7月，在新罕布什尔州怀特山脚下的布雷顿森林小镇，即将胜利的同盟国举行会议，为战后世界制定一项新的国际金融框架。在这个新秩序中，贸易将逐步放开，但对资本流动的限制仍将继续。根据当时的金本位制，实行固定汇率制，但作为国际储备货币的是美元而不是黄金（尽管美元本身名义上仍可兑换成黄金，但大量的黄金储存在诺克斯堡金库，并不流动，只具有象征意义）。正如凯恩斯所言，布雷顿森林体系的关键框架之一在于，“资本流动管制”将是“战后体制的永久性特点”。如果政府认为不能让它们的货币自由兑换，游客甚至可能被阻止带着大量货币出国。当黄金跨境流动时，是从政府流向政府，就像“马歇尔计划”[①]在1948~1952年间援助西欧经济复兴一样。这一新秩序的两个“姐妹”监护人建立在“自由世界”的首都华盛顿特区：国际货币基金组织与国际复兴开发银行，后者（与国际开发协会合并）后来被称为世界银行。用世界银行行长罗伯特·佐利克的话来说：“国际货币基金组织应该调节汇率，世界银行应该帮助重建被战争重创的国家。”自由贸易要恢复。但是，资本自由流动已经结束了。“因此，在接下来的1/4世纪，根据一个国家从三项政策中只能选择两项的要求，各国政府要解决所谓的‘三难困境’”：

1. 充分自由的跨境资本流动；
2. 实行固定汇率制度；
3. 着眼于国内目标独立的货币政策。

在布雷顿森林体系下，西方世界各国选择了2和3。事实上，随着时间的流逝，资本管制的趋势在加强而不是放松。一个很好的例子是美国在1963年通过了《利息平衡法案》，明文阻止美国人投资外国证券。

---

① “马歇尔计划”的对外援助总额大约相当于乔治·马歇尔将军发表开创性讲演当年美国国民生产总值的5.4%，或者相当于该计划实施期间美国国民生产总值的1.1%。该计划始于1948年4月《对外援助法》通过，到1952年6月援助款项最后拨付完毕为止。如果“马歇尔计划”在2003~2007年间实施，可能会花费5 500亿美元。相比之下，小布什政府在2001~2006年对外经济援助总额实际上不到1 500亿美元，平均低于国内生产总值的0.2%。

然而，布雷顿森林体系总有一种不可持续的特性。就所谓的“第三世界”来说，通过政府对政府的援助方案来复制马歇尔计划的种种尝试，证明是令人失望的。随着时间的推移，特别是美国的援助附加着政治和军事条件，并不总是符合援助方的最佳利益。美国经济学家像罗斯托① 所设想的资本注入是非洲、亚洲和拉丁美洲多数经济体问题的解决方案这一点值得怀疑。多数援助流向贫困国家，但援助的大部分不是被浪费就是被贪污。就布雷顿森林体系而言，它加快了西欧的复苏，确实成功地创造了新的财富，但是却让那些能够识别极端本土偏见带来的风险的投资者感到失望。至于允许各国的货币政策服从于充分就业的目标，有可能在三角困境中的 2 和 3 选择之间引发潜在冲突。在 20 世纪 60 年代末，按照今天的标准，美国的公共部门赤字可以忽略不计，但却遭到来自法国的抱怨，认为华盛顿正在利用其储备货币的地位，通过印制美元来收取外国债权人的铸币税，更像是中世纪的君主在滥用他们的铸币垄断地位，导致货币贬值。1971 年，尼克松政府决定断绝与金本位制最后的联系（结束黄金兑换美元），为布雷顿森林体系敲响了丧钟。1973 年，阿以战争和阿拉伯石油禁运突然发生，大多数国家央行倾向于通过更宽松的信贷来应对价格冲击，结果导致戴高乐将军的经济顾问雅克 · 吕夫所担心的通货膨胀危机。

随着货币的再次浮动和海外市场如欧洲债券市场的蓬勃发展，非政府资本输出在 20 世纪 70 年代开始复苏。特别要指出的是，西方银行对石油出口国快速增长的促进。银行家偏爱把中东石油美元借贷给落后的地区。

① 《经济成长阶段》（1960 年）一书的作者罗斯托为 20 世纪 60 年代的民主党政府提供大致相同的经济和战略咨询。他担任了林登 · 约翰逊总统的国家安全顾问职务，与越南战争的升级有密切的关联。

1975~1982 年，拉丁美洲从国外获取的贷款上涨 4 倍，从 750 亿美元增加到 3 150 亿美元以上（东欧国家也进入了资本债务市场，这是即将毁灭的征兆）。1982 年 8 月，墨西哥宣布无力偿还外债。整个南美大陆在即将宣告破产的边缘徘徊。当外国政府行为不当时，投资者可以满怀信心地期待他们的政府派出炮艇去施加压力，然而那个时代已经一去不复返了。现在金融管制的角色不得不由两个没有武装的机构来扮演：国际货币基金组织和世界银行。它们新的口号变成“制约原则”：没有改革，没有资金。它们深爱的机制就是结构调整计划。债务国不得不采取的政策被视为华盛顿共识，这是一项 100 年前让大英帝国管理者欢喜的经济政策意愿清单。首先，实行金融纪律以减少或消除赤字，扩大税基和降低税率，市场重置利率和汇率，贸易自由化等（重要的是资本流动自由化）。在布雷顿森林体系中被视为非法的“热钱”，突然再次成为热点。

但是，对一些批评者来说，世界银行和国际货币基金组织并没有比老牌美帝国主义的代理人好多少。有人声称，任何来自国际货币基金组织或世界银行的贷款，只能用于购买美国公司生产的商品，而且往往为残酷的独裁者或腐败的寡头掌权提供保障。“结构调整”的代价将由不幸的民众所承担。采取独立行动的第三世界领导人很快会发现自己陷入了困境。特别是在 20 世纪 90 年代，当反全球化的抗议成为国际集会的定期节目时，这些论点广为流行。当营养良好的西方青年在标语牌或喧闹声中阐述时，这些概念比较容易被遗忘。但是，当前业内人士对布雷顿森林体系提出类似的指控，政府应该密切关注。

约翰 · 帕金斯声称，他在担任总部位于波士顿的查斯 · T · 美因顾问公司（简称美因公司）首席经济学家时受雇于美国，以确保国际货币基金组织和世界银行为一些国家（如厄瓜多尔和巴拿马等）提供的贷款，将用于购买美国公司供应的货物。根据帕金斯的说法，像他这样的“经济杀手”，“经过培训……去建立美利坚帝国……营造一种氛围，即让多数资源尽可能流入这个国家，流入我们的企业，流入我们的政府”：

> 与世界史上的任何其他帝国不同，这个帝国的建立，采用的主要手段是经济操纵、欺诈、引诱他们融入我们的生活方式。经济杀手……我真正的工作……是为其他国家提供贷款——大额贷款，远远超出这些国家的偿还能力……因此，这笔大额贷款大部分又回到美国，留给这些国家的只有大量的债务和利息，他们基本上成为了我们的仆人、我们的奴隶。这是一个帝国。别无选择，这是一个巨大的帝国。

根据帕金斯的书《一个经济杀手的自白》的披露，两位拉美国家领导人——厄瓜多尔的海梅·罗尔多斯·阿吉莱拉和巴拿马的奥马尔·托里霍斯——在1981年被暗杀，是因为他们反对帕金斯所称的“那些目标是建立全球性帝国的企业、政府、银行领导的关爱”。不可否认，有关帕金斯的一些故事多少有些传奇色彩。不见得是美国借钱给厄瓜多尔和巴拿马。20世纪70年代两国的贷款总额分别是9 600万美元和1.97亿美元，不及美国全部赠款和贷款总数的0.4%。厄瓜多尔和巴拿马不见得是美国的主要客户。1990年，两国分别占美国全部资本输出总额的0.17%和0.22%。这两人似乎并不值得暗杀。正如鲍勃·佐利克所说的：“国际货币基金组织和世界银行为危机中的国家提供贷款，而不是给那些为美国公司提供巨大机会的国家。”

然而，对新帝国主义的有关指责并未消除。根据诺贝尔经济学获奖得主、1997~2000 年世界银行首席经济学家约瑟夫·斯蒂格利茨的说法，国际货币基金组织在 20 世纪 80 年代不仅是"具有浓厚意识形态的市场至上的拥护者"，而且应用"帝国主义的眼光"来审视它的作用。此外，斯蒂格利茨认为："国际货币基金组织推行的许多政策，尤其是不成熟的资本市场自由化政策，引发全球动荡……工作受到系统性的摧毁……因为泛滥的热钱流入和流出一国如此频繁，资本市场自由化的结局就是大破坏……即使那些经历过有限增长的国家，那里的富人，特别是更富的人也会受益。"在斯蒂格利茨反对国际货币基金组织（以及华尔街）的主导思想中，他忽略了这一事实，即并非仅仅只有这些机构才赞成 20 世纪 80 年代资本自由流动的回潮。实际上是经济合作与发展组织开辟了资本自由化的道路，其次是（法国社会党人雅克·德洛尔和米歇尔·康德苏转变之后）欧洲委员会和欧洲理事会。事实上，在华盛顿共识（虽然在许多方面建立在更早的赞成自由资本市场的波恩共识基础上）之前还有一个有争议的"巴黎共识"。英国撒切尔夫人政府单方面推进资本账户自由化，并没有任何来自美国的鼓励。相反，里根政府随后效仿英国政府的做法。

▲厄瓜多尔的海梅·罗尔多斯·阿吉莱拉

斯蒂格利茨对国际货币基金组织最大的抱怨就是，它对 1997 年亚洲金

▲巴拿马的奥马尔·托里霍斯，据说是"经济杀手"的牺牲品

融危机作出了错误的反应，为陷入危机的国家提供了总额为950亿美元的贷款，并且附加华盛顿共识式的条件（高利率，政府低赤字），结果使这场危机加剧。这种观点得到了经济学家和专栏作家保罗·克鲁格曼的响应。1997~1998年的危机毫无疑问是这样的。1998年，如印度尼西亚、马来西亚、韩国和泰国等国家陷入了非常严重的经济衰退。然而，既不是斯蒂格利茨也不是克鲁格曼提供了令人信服的解释，即按照凯恩斯主义标准方法如何更好地处理东亚危机，同时允许货币自由浮动、政府赤字上升。亚洲金融危机之后成为国际货币基金组织首席经济学家的肯尼斯·罗格夫在给斯蒂格利茨的公开信中，用尖刻的语言写道：

当政府发现难以找到其债务的买主，并且货币价值明显下跌时，它们通常会向国际货币基金组织提出财政援助的请求。斯蒂格利茨式的处方就是要提高财政赤字的规模，也就是说，要发行更多的债券并且印制更多的钞票。您是否相信，一个焦头烂额的政府发行更多的货币，它的公民们就会突然认为这种货币更具有价值？您是否相信，当投资者不再愿意持有政府债券时，需要做的事情只是增加供给，并且它会像刚出炉的蛋糕那样畅销？我们这些在国际货币基金组织中工作的人，或者干脆说我们这些在地球上生存的人，已经拥有相当的相反经验。我们这些凡夫俗子已经发现，当一个国家处于财政困境时，总是试图通过印制更多的钞票去摆脱困境，从而引起通货膨胀，这种局势往往是难以控制的。在您的伽玛象限（gamma quadrant）部分中的经济学法则也许是不同的，但是我们发现，当一个几乎破产的政府未能令人信服地约束其财政赤字的时间范畴时，事情会变得更糟而不是更好。

马来西亚在 1997 年所采取的临时资本管制并未对整个危机期间的经济表现有显著作用，这一点很清楚。克鲁格曼至少认识到，借入短期美元而贷出长期本国货币（通常贷给政治上的盟友）的东亚金融机构承担了危机的大部分责任。然而，他的有关“萧条经济学的回归”的谈论现在看来过头了。东亚从未有过萧条（也许除了很难被描绘成不负责的国际货币基金组织受害者的日本）。1998 年冲击之后，所有受影响的经济体迅速复苏并快速增长，事实上，增长如此之快，到 2004 年，一些评论家甚至怀疑布雷顿森林体系的“两姊妹”是否还在起国际贷款者的作用。

事实上，完全不同类型的经济杀手在 20 世纪 80 年代的崛起，绝不是帕金斯所描绘的靠恐吓起家，因为他们甚至从来没有考虑诉诸暴力来实现其目标。对这批新生代来说，获得成功就意味着在成功的投机活动中赚到 10 亿美元。随着冷战即将结束，他们对奉行美帝国主义的行为规则并没有真正的兴趣；与此相反，他们声明他们的政治倾向更具有自由主义色彩而非保守主义。他们没有在国际货币基金组织或世界银行这样的机构就职，相反，他们从事的商业活动完全是私人性质的，甚至没有在股票市场挂牌上市。他们的企业被称为对冲基金，也就是我们在第四章首先谈到的一种风险管理的替代形式。如同中国的崛起，对冲基金的迅猛发展一直是第二次世界大战以来全球经济最大的变化之一，这种变化有目共睹。正如很少受限制的高流动资本流一样，对冲基金验证了大冷颤之后热钱的回流（在大萧条的开始与布雷顿森林体系的终结之间盛行）。乔治 · 索罗斯是公认的新经济杀手的元凶。不巧的是，1997 年 8 月，马来西亚总理马哈蒂尔把该国货币林吉特在货币危机中遭受重创归罪于别人而不是他本人时，被马哈蒂尔斥责为“白痴”的不是国际货币基金组织，而是索罗斯。

经济新杀手索罗斯

乔治 · 索罗斯是一名出生于匈牙利的犹太人，先在伦敦接受教育，1956 年移居美国。在那里，他作为一名分析师享有一定的知名度，后来成为历史悠久的阿诺德 · S · 布莱克罗多商业机构的研究主管（一家曾经管理过俾斯麦资金的柏林私人银行直系后裔）。也许是对中欧知识分子寄予期望——为了纪念物理学家维尔纳 · 海森堡的测不准原理，索罗斯把自己的基金命名为量子基金，他认为自己更像是哲学家，而不是职业杀手。他的著作《金融炼金术》（1987 年）一开始就把经济学的基本假设作为主题予以大胆批判，反映了他的早期成长受到了哲学家卡尔 · 波普的影响。按照索罗斯得意的“反射”理论，金融市场不能视为完全有效的，因为价格是数以百万计投资者无知和偏见的反映，经常是非理性的。“市场参与者不仅在操作中带有偏见，”索罗斯说，“而且这种偏见也可能影响事件的发展过程。这会给人留下这样一种印象，市场准确预测了未来的发展，但事实上，并非目前的预期与未来的事件相吻合，而是目前的预期造就了未来的事件。” 这就是反馈的效果——因为投资者的偏见影响市场结果，反过来又改变投资者的偏见，而这又影响到市场结果——索罗斯称为反射。正如他在最近的著作中所言：

市场从来没有达到经济理论所假设的均衡。双向反射关联存在于概念与现实之间，这有可能引发最初自我强化但最终自我危害的大起大落过程，或者带来市场泡沫。每一次市场泡沫，都是由反射性互动的趋势和错觉造成的。

对冲基金最初被设计用于套期保值以规避空头头寸（如果证券价格下跌则获利）的市场风险，为索罗斯利用他的有关反射市场的洞察力提供了完美的工具。应该强调的是，索罗斯知道如何从多头头寸赚钱，即按照未来价格会上涨的预期买进资产。1969 年，他做多房地产。3 年后，他力挺银行股飙升。1971 年他做多日本。1972 年他做多石油。他从以色列对美国在赎罪日战争中所提供的武器装备的抱怨声中，推断出美国国防工业需要大量投资，因此他做多国防股。一年后，所有这些赌注均见成效——正确，正确，正确，正确，还是正确。但是，索罗斯最大的成功来自于对赌，例如，1985 年的西联电报公司，由于传真技术威胁重创公司业务，还波及到美元，在 1985 年 9 月 22 日《五国广场协议》签署之后，其股价暴跌。那一年对索罗斯来说是神奇的一

▲对冲基金之王、反射理论大师乔治·索罗斯

年，他的基金增长了122%。但是，他所有做空业务的最伟大之处是在英国金融史上投下的最重要的赌注。

我承认，我与1992年9月16日发生的黑色星期三事件有牵连。在我身兼剑桥大学初级讲师和报纸评论主笔两职的那些日子里，我确信，倘若像索罗斯这样的投机者摊牌的话，能够搞垮英格兰银行。这是很简单的算术题：与银行微薄的黄金储备相比，外汇市场每天交易的金额达1万亿美元。索罗斯有理由认为，德国统一不断攀升的成本会推高利率，从而驱使德国马克升值。这将使紧盯德国货币的保守党政府的政策无法维持下去（英国在1990年形式上已加入欧洲汇率机制）。由于利率上升，英国经济将惨败，英国政府迟早将被迫退出欧洲汇率机制并让英镑贬值。索罗斯对英镑贬值深信不疑，他最终下注100亿美元，这远远超过其基金的全部资本，他通过一系列交易在英国借入英镑，而以9月16日前的价格（约2.95德国马克）投资于德国马克。尽管我不得不拿我的信誉作赌注，但我同样确信英镑会贬值。当这一切发生的时候，我所撰稿的报社编辑不同意我的观点。鉴于评论主笔与编辑在早会上的不痛快经历，那天晚上，我去了英国国家歌剧院，去观赏威尔第的歌剧《命运的力量》。这是一个非常好的娱乐节

▲命运的力量：1992年9月16日，英国财政大臣诺尔曼·拉蒙特宣布英国退出欧洲汇率机制

目。有人在休息期间宣布，英国已经退出了欧洲汇率机制。没有人比我的欢呼更响亮（可能除索罗斯外）。随着英镑大幅贬值，索罗斯的基金赚了10多亿美元，最终赚取的差价高达20%（索罗斯先前的英镑借款在偿还时按新的更低的汇率来结算），而该项交易利润只占其当年利润的40%。

量子基金取得了惊人的成就。如果有人在索罗斯于1969年建立第二家基金（双头鹰，后来改名为量子基金）时，投资10万美元，并把取得的所有股息再投资，到1994年他的收益就是1.3亿美元，平均年增长率为35%。经济新杀手与经济老杀手的本质区别有两个：第一，经济新杀手冷酷无情，精于计算，对于任何特定的国家都缺乏忠诚——美元和英镑都有可能被他们坦然做空；第二，经济新杀手操纵的是规模庞大的资本。“您拥有的头寸有多大？”索罗斯曾问他的合作伙伴斯坦利·德鲁肯米勒。“10亿美元。”德鲁肯米勒回答道。索罗斯揶揄他：“那也叫头寸？”在索罗斯看来，如果投机像在1992年对英镑的对赌一样看好，就应该应用最大的杠杆去进行。他的对冲基金开创了一种为了做多或者做空的投机而从投资银行借贷的技术，而所借款项远远超出基金本身的资本。

然而，对冲基金的权力是有限制的。从某种层面上来讲，索罗斯之流已经证明，市场的力量要比任何政府或中央银行都强大。但是，这并不等于说对冲基金总是可以控制市场。索罗斯把他的成功归于“电子兽群”直觉判断的方向。但是，他的直觉（往往由一阵阵背痛发出信号）有时也可能是错误的。正如他本人承认的，反射理论是一个特例，不能一年到头都在操控市场。如果直觉能被数学取代，会怎么样？如果你可以写一个万无一失的两位数的收益代数公式，会怎么样？在世界的另一边，实际上就是在金融星球的另一边，这个公式好像刚刚被发现。

管理不善的短期资本

试想另一个星球——一个完全没有由主观上有时非理性的人类引起的摩擦复杂化的星球，这个星球的居民无所不知，也是完全理性的；他们即时吸收所有新信息，并借助这些新信息来实现利润最大化；他们从来没有停止交易；这里的市场是连续的、无摩擦的，并且完全是流动的。这个星球上的金融市场遵循“随机游走”规则，也就是说，每一天的价格与前一天无关，但反映了所有相关的有效信息。这个星球的股市收益通常呈钟形曲线分布（见第三章），大多数年份接近于平均数，其中2/3时间是在平均标准差之内。在这样一个世界，“六标准差”的跌价，在400万年交易中仅仅会出现一次。这就是现代的最辉煌的金融经济学家们所推崇的星球。也许，这并不总是令人惊讶，它就产生于康涅狄格州格林威治这个地方，一个地球上最温和的地方。

1993年，两个数学天才带着宏大的设想来到格林威治。斯坦福大学的迈伦·斯科尔斯与高盛的费雪·布莱克密切合作，开发出了一种革命性的有关期权定价的新理论。迈伦·斯科尔斯和第三位经济学家也就是哈佛大学商学院的罗伯特·默顿，计划把所谓的布莱克-斯科尔斯模型变成赚钱的机器。他们学术研究的起点是历史悠久的金融工具，即广为人知的期权合约。如果某个股票值得投资，比如说，今天值100美元，而且我认为将来也许更值钱，假定在一年后值200美元，那么在未来的某个时期，比如说以150美元的价格购进这只股票将是不错的选择。如果我的选择是对的，那我就赚钱了。如果是错的，那么，它只是一种期权，就把它抛在脑后好了，唯一的成本就是卖方操纵的期权价格。在这里，一个大问题就是价格应该处于什么水平。

“数理分析师”也就是带有博士头衔的数理技能专家，有时把布莱克-斯科尔斯期权定价模型看做“黑盒子”。我们值得去查看一下这个特殊盒子的内部。我们要重复的问题是，在未来某一特定日期选择购买某一个股票，考虑到股价在此期间不可预测的变动，如何为期权定价，准确算出期权的价格而不是仅仅依靠猜测，回答了这些问题，那你就不愧为“火箭科学家”（即天才），或者穿梭于金融市场的行家。布莱克和斯科尔斯解释说，期权的价值取决于五个变量：当前股票的市场价格（S），期权执行时的敲定价格（X），期权有效期的长短（T），整体经济的无风险收益率（r）以及关键变量——股票的预期年度波动率，即股票价格在购买与终止日期之间有可能发生的波动（σ）。随着神奇的数学魔法，布莱克和斯科尔斯把期权价格简化为如下公式：

$$C = SN(d_1) - Xe^{-rT}N(d_2)$$

其中：

$$d_1 = \frac{\log\left(\frac{S}{X}\right)+\left(r+\frac{\sigma^2}{2}\right)T}{\sigma\sqrt{T}} \text{ and } d_2 = d_1 - \sigma\sqrt{T}$$

感觉有点困惑？无法领悟？说实话，我也很困惑。但是，这就是数理分析师值得炫耀的地方。为了从这个神奇的公式中赚钱，他们需要向许多人推销，而这些人在为期权估价时没有任何线索，只是依靠他们的（很少准确的）直觉来作判断。他们还需要大量的运算能力，这种力量自20世纪80年代早期以来一直在改变着金融市场。现在他们需要的是合作伙伴，这些合作伙伴应该有市场头脑，而且能够实现从教员俱乐部到交易大厅的飞跃。费雪·布莱克患了癌症，不可能成为这种合作伙伴。默顿和斯科尔斯向约

翰 · 梅里韦瑟求助，梅里韦瑟是所罗门兄弟公司前任债券套利主管，他的第一桶金来自20世纪80年代末发生的储蓄和贷款危机。他们在1994年共同成立了一家公司，命名为长期资本管理公司。

他们组建的这支团队好像是梦幻团队：两位学术界最热门的数理分析师，一位萨洛蒙巨星，再加上前美联储副主席戴维 · 穆林斯，另一位是哈佛大学教授艾瑞可 · 罗森菲尔德，还有一帮前所罗门兄弟公司交易员（维克特 · 哈哈尼，拉瑞 · 黑利布兰德以及汉斯 · 胡福奇米德）。长期资本管理公司吸引到的投资者主要是大银行，其中包括纽约的美林投资银行和瑞士私人银行宝盛银行。后来入伙的是另一家瑞士银行瑞银集团。最低投资额为1 000万美元。作为报酬，合作伙伴将获得2%的资产管理费和25%的利润提成（现在大部分对冲基金收取的是2%的管理费和20%的利润提成，而不是2%的管理费和25%的利润提成），投资者的锁定期限为3年。而另一家华尔街公司贝尔斯登——只要长期资本管理公司愿意——也随时准备入股参与进来。

在头两年，长期资本管理公司旗下的基金狠赚了一笔，公布的收益率（甚至扣除它的高额管理费用之后）为43%和41%。如果你在1994年3月投入长期资本管理公司1 000万美元，4年后将超过4 000万美元。截至1997年9月，该基金的净资本为67亿美元。合作伙伴的股份已经增加了10多倍。当然，长期资本管理公司的巨额回报是在所管理的资产库的基础上产生的，它也不得不像索罗斯一样去借贷。这种额外的杠杆作用允许他们的投资高于他们的本金。1997年8月底，该基金的资本是67亿美元，而资产负债表上的债务融资资产达到1 264亿美元，资产与资本的比率为19∶1。截至1998年4月，其所管理的资产已达到1 340亿美元。当我们谈论快速挂挡时，大多数学者指的是他们的自行车。但是，当默顿和斯科尔斯这样做的时候，他们指的是长期资本管理公司正在靠多数是借贷来的资金从事交易。这一堆债务并不会让他们感到吃惊。据说他们的数学模型不会带来风险。首先，他们同时实施多元化的不相关的交易策略：在100人里，就会有多达7 600种不同的观点。一种观点可能会出问题，甚至两种观点也会出问题。但是，所有这些不同的赌注不可能同时出问题。这是多元化投资组合的妙处——现代金融理论的另一个重要观点是由20世纪50年代在兰德公司工作的哈里·马科维茨创建的，后来在威廉·夏普的资本资产定价模型（CAPM）中得到了进一步发展。

长期资本管理公司利用多元市场（固定利率住房抵押贷款市场、美国、日本和欧洲的政府债券市场、更为复杂的利率互换市场）中的价格差异赚钱。事实上，在模型发现定价存在异常现象的地方，两个基本相同的资产或期权的价格会略微不同。不过，长期资本管理公司投入最大的也是最明显基于布莱克–斯科尔斯公式的赌注，就是在美国和欧洲股市卖出远期期权。换句话说，一旦未来股票价格大幅波动，就把股票转让给有行使权的买主。根据布莱克–斯科尔斯公式，1998年那些动人的期权的价格隐含着异常高的未来波动，波幅每年为22%左右。长期资本管理公司相信，波动实际上将走向最近的10%~13%的平均水平，于是公司推高这些期权，然后低价销售。银行要保护自己免受更高的波动性冲击，比如避免又一场1987年式的股票抛售，当然会成为快乐的买家。长期资本管理公司抛售大量期权，一些人开始将其称为波动的中央银行。在美国股市波动的高峰期，长期资本管理公司在每个百分点的变化中支配的资金就有4 000万美元。

听起来有点冒险？长期资本管理公司的数理分析师并不这么认为。在长期资本管理公司的卖点中，他们声称是“市场中性”基金，换句话说，他们不会在任何主要的股票、债券或货币市场的重大流动中遭受冲击。所谓的“动态对冲”允许他们按照特定的股票指数出售期权，同时避免暴露指数本身。而且，该基金几乎没有接触到新兴市场。长期资本管理公司仿佛是在另一个星球上，远离世俗的地球融资的跌宕起伏。事实上，合作伙伴开始很担心，他们不愿承受太多的风险，他们的目标是与资产 20% 的年波动率（标准差）相对应的风险水平。在实践中，他们的运作情况接近目标的一半（意味着他们的资产波动上下幅度只有 10%）。据该公司的“风险价值”模式，导致该公司在一年里丧失掉所有资本的可能性只有 10 西格马（换言之，就是 10 个标准偏差）。但是，根据数理分析师的计算，这种事发生的概率 1 024 次中只有一次。换言之，发生的可能性几乎为零。

1997 年 10 月，仿佛要证明长期资本管理公司确实是高级的智囊团一样，默顿和斯科尔斯获得了诺贝尔经济学奖。这两人和他们的合作伙伴是如此自信，他们在 1997 年 12 月 31 日给外部投资者的回报是 27 亿美元（这种行为强烈暗示着他们更愿意用自己的钱去投资）。仿佛理智战胜了直觉，科学强人战胜了风险。他们配备有神奇的黑盒子，长期资本管理公司的合作伙伴摆开的阵势甚至超越索罗斯的疯狂梦想。然后，仅仅 5 个月后，一些有可能揭开诺贝尔奖获得者黑盒子秘密的事件发生了。股市下跌，没有明显的理由，波幅增加而不是下降，更高的波动仍在持续。6 月 27 日长期资本管理公司受到重创，超过长期预期的两倍还多，资金亏掉更多。1998 年 5 月是长期资本管理公司最糟糕的一个月：该基金下跌了 6.7%，但这仅仅是个开始。6 月该基金又下跌 10.1%。基金有价值的资产越少，它的杠杆作用就越高——债务与资本比率上升。6 月它的债务与资本比率为 31 ∶ 1。

在进化过程中，大灭绝往往是由外界的冲击而造成的，如小行星撞击地球。1998 年 7 月，一颗硕大的“流星”击中了格林威治，萨洛蒙美邦（所罗门兄弟公司被旅行者集团并购后改名）关闭其在美国债券套利部，那个地方正是梅里韦瑟赢得华尔街声誉的地方，也是一直复制长期资本管理公司交易战略装备的地方。显然，该公司的新主人不喜欢其 5 月以来的损失。接着，1998 年 8 月 17 日星期一，一颗巨大的“小行星”随后袭来，它不是来自外太空，而是来自地球古怪的新兴市场，这一市场政治动荡、石油收入不断下降，和私有化被削弱，病态的俄罗斯金融系统陷入崩溃。绝望的俄罗斯政府不得不违约拖欠其债务（包括以卢布计价的国内债券），助长了全球金融市场的波动性。早些年亚洲金融危机之后接踵而来的是俄罗斯的债务拖欠对其他新兴市场的传染性影响，事实上有些发达市场也受到了影响。信贷受到冲击，股市暴跌，股价下挫 29%，低谷期达到 45%这些并不是意料之中的，也不是根据长期风险模型发生的。数理分析师曾说，长期资本管理公司不太可能在一天内亏损 4 500 万美元，然而 1998 年 8 月 21 星期五，它损失了 5.5 亿美元，占其全部资本的 15%，推动其杠杆效应提升到 42：1。格林威治的商人紧盯着屏幕，眼光呆滞，惊愕或者面无表情。这不可能发生——但是突然，所有不同的市场正在同步变化移动，所有预防风险的多样化措施都失效了。到 8 月底，长期资本管理公司基金资产缩水了 44%，共损失超过 18 亿美元。

8 月通常是金融市场的一个淡季。大多数人都淡出市场。约翰 · 梅里韦瑟和他的伙伴拼命寻求白衣骑士去营救他们。他们求助于内布拉斯加州的奥马哈的巴菲特——尽管仅仅在几个月前，长期资本管理公司一直在积极做空巴菲特的伯克希尔 · 哈撒韦公司的股票。巴菲特拒绝了。8 月 24

日，他们很不情愿地请求会见乔治 · 索罗斯。索罗斯回忆说："他能从别人那里找到 5 亿美元，梅里韦瑟也要提供 5 亿美元。但似乎没有可能……"J · P · 摩根提供 2 亿美元，高盛也表示愿意帮助。但是，有人表示不赞成。如果长期资本管理公司将要破灭，他们只是希望提供担保，而不是买下长期资本管理公司。他们没有透露，是否市场波动已经到顶。最后，由于担心长期资本管理公司失败可能引发华尔街普遍的崩溃，纽约联邦储备银行仓促促成了 36.25 亿美元救援 14 个华尔街银行。但是，原来的投资者，其中包括一些银行也有一些规模较小的厂商，看到了他们持有的基金 49 亿美元暴跌到 4 亿美元。16 个合伙人只剩下 3 000 万美元——只是他们预期财富的很小一部分。

地球上究竟发生了什么？为什么索罗斯的决策是正确的？长期资本管理公司的智慧大脑出错了吗？问题在于，正是长期资本管理公司这一"外星人"的创造给地球带来了爆炸。布莱克–斯科尔斯公式吗？市场是有效的，也就是说，流动的股票价格无法预测，它们是持续的，无摩擦和完全流动的股票，其回报呈正常的钟形曲线。可以说，满足布莱克–斯科尔斯公式的市场，将成为更有效率的金融市场。但是，正如凯恩斯曾经指出的，在危机中"市场能够保持非理性的时间比你可以想象的长"。从长远来看，可能就是这样的，世界将变得更加像金融行星，总是冷冷地合乎逻辑。而短期来看，它仍然眷爱老地球，地球上居住着有感情的人，许多参与者都会忽然从贪婪变为恐惧。当损失开始增加时，许多参与者简单地退出市场，使长期资本管理公司主要投资组合的流动性资产一时无法出售。此外，这是比以往任何时候都更加一体化的地球，而俄罗斯拖欠债务可能造成的波动影响到世界各地。"也许长期资本管理公司的错误，"在接受采访时，迈

伦 · 斯科尔斯沉思地说，“是没有意识到，随着时间的推移世界正变得更具有全球性。”梅里韦瑟赞同这一观点：“世界的本质已改变，而我们没有承认它。”而且，因为许多其他公司开始复制长期资本管理公司的战略，当事情出问题时，不仅是长期资本管理公司投资组合被击中，似乎整个“超级组合”都在出血。大银行的高级管理人员坚持不予以救助的立场，一切都突然开始下跌。伦敦重要对冲基金的经理后来对梅里韦瑟：“约翰，这些问题你是有责任的。”

然而，这里还有长期资本管理公司为什么失败的另一个原因。该公司的风险价值（VaR，Value at Risk）模型显示它在 8 月不可能蒙受亏损，甚至永远也不可能发生风险。但是，这仅仅是模型依据 5 年的有价值的数据运算的结果。如果模型运算的数据往前推 11 年，他们就会捕捉到 1987 年的股市大崩盘。如果再往回推 80 年，他们将捕捉到 1917 年革命后俄国拖欠的大量债务。出生于 1947 年的梅里韦瑟神情淡然地说：“我要是经历过大萧条，我就会更好地设身处地来了解这些事件。”说穿了，诺贝尔奖得主有丰富的数学知识，但缺乏足够的历史知识。他们理解金融星球美妙的理论，却忽视了地球纷繁杂乱的过去。而且简单说来，这就是长期资本管理公司为什么最终以短期资本管理不善而告终的原因。

对冲基金的双刃剑

可以假定，在长期资本管理公司遭遇灾难性失败之后，计量对冲基金将退出金融舞台。毕竟，长期资本管理公司虽然失败，但它并没有什么异常之处。1989 年至 1996 年成立的 1 308 家对冲基金，到这一时期结束时，超过

1/3（36.7%）已不复存在。对冲基金在此期间的平均寿命只有 40 个月。然而，根本性的颠覆已经发生了。在过去的 10 年中，各类对冲基金的数量及其管理的资产总额并没有下降，而是呈现出爆炸式增长。据对冲基金研究机构称，1990 年有 600 多家对冲基金，管理的资产约为 390 亿美元。到 2000 年有 3 873 基金，管理的资产约为 4 900 亿美元。到 2000 年有 3 873 家对冲基金，管理的资产约为 4 900 亿美元。最新的数据（2008 年第一季度）估计对冲基金总数达 7 601 家，管理的资产约为 1.9 万亿美元。自 1998 年以来，大量资金被投入对冲基金（以及由若干公司组合成的“基金的基金”）。对冲基金曾经是“高净值”的个人和投资银行的蜜饯，而现在它吸引的主要是养老基金和大学捐赠管理基金。这种趋势更加突出，因为自然减员率仍然很高：1996 年发表公告的 600 名基金会，到 2004 年年底只剩下 1/4。2006 年，717 家停止交易；2007 年的前 9 个月，有 409 家停止交易。人们没有认识到，大量的对冲基金只是消失了，未能迎合投资者的期望。

对冲基金总数膨胀的最明确解释是，与其他低波动性和弱相关性的投资工具相比，对冲基金是业绩表现相对较好的资产类型。但是，根据对冲基金研究机构的说法，对冲基金的回报率从 20 世纪 90 年代的 18%一直下降到 2000~2006 年的 7.5%。此外，有越来越多的人怀疑，对冲基金的回报真正体现了“阿尔法”（资产管理技巧），而不是“贝塔”（采用恰当的指数可以捕捉到一般市场走势）。还有一种解释是，对冲基金的存在能够以独特的、有诱惑力的方式让其经理们富得流油。2007 年，索罗斯赚了 29 亿美元，排在城堡投资集团总裁肯 · 格里芬和文艺复兴科技公司的詹姆斯 · 西蒙斯之前，不过位列从次级抵押贷款赌注中获得惊人的 37 亿美元的约翰 · 保尔森之后。正如约翰·凯指出的，如果沃伦·巴菲特按照"2%和20%"[①]的标准向伯克希尔·哈撒韦公司的投资者收费，那么在过去的42年里，在他的公司为股东所赚取的620亿美元中，其中有570亿美元归他所有。当然，索罗斯、格里芬和西蒙斯是特殊的基金经理（虽然肯定不会远远超过巴菲特）。这就解释了为什么他们拥有卓越业绩的基金在过去的10年里数量大增的原因。今天，大约有390个基金所管理的资产超过10亿美元。前100家对冲基金现在所管理的资产占所有对冲基金资产的75%，仅前10家对冲基金管理的资产就有3 240亿美元。但是，一个智力平庸的骗子也有可能采用最简单的策略，通过设立一家对冲基金来赚取大量钱财，从易受骗的投资者那里吸纳1亿美元：

1. 他用1亿美元购入收益率为4%的一年期国债。

2. 如果在来年标准普尔500指数下降超过20%，他的1亿美元的备兑期权将会被支付。

3. 他花费1 000万美元（来自期权的出售）购买一些国债，再出售另外10万美元期权，净赚100万美元。

4. 然后，他去度长假。

5. 在这一年年底标准普尔500指数不会下降20%的概率是90%，所以期权持有者不会亏损。

6. 他的收入中，1 100万美元来自期权的出售，还有1.1亿美元短期国债4%的收益（去除费用开支的15.4%的可观回报）。

7. 他收取所管理基金2%（200万美元）的费用和20%利润回报，

① 收取2%的管理费用，以及私人股本和对冲基金业内通行的20%业绩提成。——译者注

例如4%的基准率，这样毛收入就超过400万美元。

8.该基金将在此基础上（标准普尔500指数不会下降20%的概率为60%）平稳运行超过5年，这样他能赚1 500万美元，即使没有新的资金进入基金，没有利润水平达到他的目标。

长期资本管理公司的危机，今天还会重演吗？10年——也就是在这个时候以这样的规模，涉及如此多的此类虚假的对冲基金，仅仅因为规模太大而不得不救吗？西方世界的银行现在比它们在1998年更加容易受对冲基金的影响，这与违约风险相关吗？[①]如果是这样，那么这次谁来帮助它们摆脱困境？这些问题的答案并不在另一个星球上，而是在这个星球上。

“中美国”

对许多人来说，那段古老的金融史如同旧中国的历史，一去不复返了。市场的记忆是短暂的。今天许多年轻的交易员甚至没有经历过1997~1998年的亚洲金融危机。这些在2000年后进入金融市场的年轻人度过了振奋人心的7年。这7年中，股票市场在世界各地蓬勃发展。债券市场、商品市场和金融衍生工具市场一片繁荣。事实上，所有的资产市场都如此——更不用提从波尔多葡萄酒到豪华游艇这些获利颇丰的市场。但是，经济繁荣的年代也是诡秘的年代。在市场上扬时期，短期利率上升，贸易失衡突出，政治风险不断高涨——特别是在经济领域具有重要意义的石油出口地区。这其中看似

① 由贝尔斯登和高盛公司经营的对冲基金发布的亏损公告，标志着2007年夏季信贷紧缩的到来，这肯定不是巧合。

矛盾的关键因素在中国。

重庆深入中国的心脏地带，位于浩瀚的长江岸边绵延一千多英里的沿岸是许多西方人曾光顾过的工业园区。重庆市的3 200万居民像香港人和上海人一样，沉湎于今天的经济奇迹。从某个层面来讲，重庆急速的工业化和城市化是中国经济最新、最伟大的壮举。30座大桥，10条轻轨铁路，还有不计其数的摩天大楼耸立在烟幕中。然而，重庆的崛起也是私营企业自由发展的结果。

从各个角度来看，吴亚军都是中国新富阶层的典范。作为重庆市房地产开发商的领军人物，她是中国最富有的女性之一，身家超过90亿美元——与一个世纪前那些跑到香港追寻财富的苏格兰人形成鲜明对比。我们再以尹明善为例。在中国经济开放之后，他在20世纪90年代初期发现了自己的真正使命。在短短15年之后，他的业务规模已达9亿美元。2007年，他的力帆公司售出的摩托车和发动机超过150万台，现在他的产品正出口到美国和欧洲。吴女士和尹先生只是中国众多百万富翁（身家超过34.5万美元）中的两个代表。

中国已经远离了过去的旧时代。到目前为止，这个世界上增长最快的经济体也在设法避免其他新兴市场出现的周期性危机。中国在1994年人民币贬值，在整个经济改革时期始终保持资本管制，没有受到1997~1998年货币危机的影响。中国人在吸引外资的时候坚持要采用直接投资的形式。这就是说，与许多其他新兴市场从西方银行贷款为其工业发展提供资金不同，中国要求外国人到中国工业园区来投资设厂——庞大的整体资产在危机中并不容易被迁走。不过，重要的是中国大部分的投资一直来自于他们自身的储蓄（以及散居在海外的华人）。由于对多年来的信贷不稳定保持警惕，他们也不习惯于西方所拥有的这一套信贷工具。中国家庭的储蓄在其不断增长的收入中达到了异常高的比例，而美国家庭最近几年的储蓄几乎为零，与之形成鲜明对比。中国企业将其增长的利润进行储蓄的比例甚至更大。中国的储蓄如此庞大，以至于在21世纪首次出现了资本流动不是从西方流向东方，而是从东方流到西方。这是一股强劲的流动。2007年，美国需要从世界各地借款约8 000亿美元，也就是每个工作日需40多亿美元。相比之下，中国经常项目顺差2 620亿美元，相当于美国赤字的1/4多。中国盈余的很大一部分最终借给了美国。实际上，中国已经成为美国的财东。

乍一看，似乎奇怪。今天美国人均年收入超过4.4万美元。而尽管中国出现了像吴亚军和尹明善这样的富人，但普通中国人的年均收入还不到2 000美元。为什么后者会借钱给要比其富有23倍的前者？答案就是，中国利用其庞大的人口优势，通过出口制成品，满足贪得无厌、挥金如土的美国消费者。为了确保这些出口商品无可匹敌的低廉，中国不得不在国际市场上——亚洲货币挂钩体系的一部分（也就是一些评论家称为“布雷顿森林体系第二”）购进数十亿美元，以应对人民币兑美元升值的倾向。2006年，中国持有的美元突破万亿大关（值得注意的是，中国外汇储备净增加，几乎完全与美国国债和政府机构债券的净发行相匹配）。与此同时，从美国的角度来看，让近年来的美好时光不断延续下去的最好方式，就是输入廉价的中国商品。此外，通过把制造业外包给中国，美国公司也能够获益于中国廉价的劳动力。而且，重要的是，通过把数十亿美元的债券出售给中国人民银行，美国一直能够享有显著的低利率，而原本并非如此。

我们欢呼这两个国家组成的共生体“中美国”——中国加上美国——两国拥有的国土面积占世界陆地面积的1/10以上，人口占世界人口的1/4，经济产量占世界经济的1/3，在过去的8年里超过全球经济增长的一半以上。

一时间，这场“婚姻”似乎珠联璧合。中美国东部区的人们在储蓄，而中美国西部区的人们去消费。中国进口压低了美国通货膨胀率，中国人的储蓄压低了美国利率，中国的劳动力压低了美国的工资成本。因此，借贷成本非常低廉，公司经营获利颇丰。由于中美国的出现，全球实际利率，也就是借贷成本扣除通货膨胀因素后，下跌了 1/3 以上，低于其过去 15 年的平均水平。由于中美国的出现，美国企业利润在 2006 年增幅高于国内生产总值平均份额。但是，中美国也存在一个意想不到的困难。中国越是愿意给美国放贷，美国人越是愿意向中国借钱。换言之，中美国是银行贷款、债券发行、新兴衍生工具合约激增的首要原因，而这些在 2000 年以后是有目共睹的，它也是对冲基金数量膨胀的首要原因，是私募股权能够为杠杆收购胡乱融资的首要原因。中美国，或者正如本 · 伯南克所言的亚洲“储蓄过剩”，是 2006 年美国抵押贷款市场现金泛滥的根本原因。即使没有收入、没有工作、没有资产，你也能获得百分之百的抵押贷款。

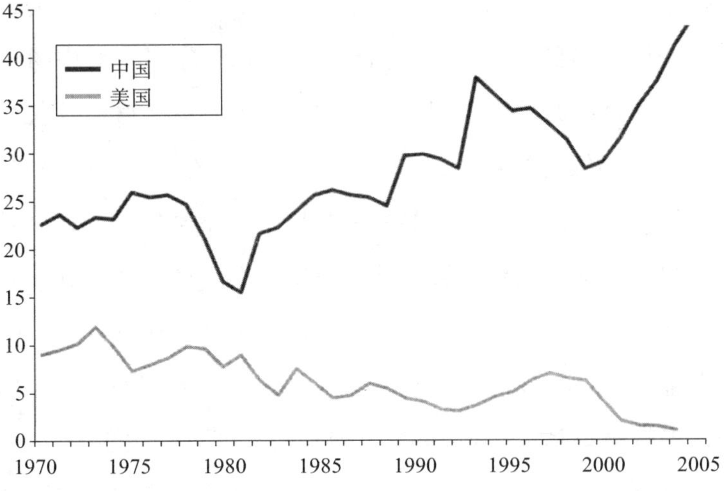

中美两国国民净储蓄占国民总收入的百分比（1970~2006 年）

正如我们所知，2007年的次级抵押贷款危机并非如此难以预料。比较难预测的是，在美国自己本土的新兴市场上，由一连串的抵押贷款违约所造成的恐慌，引发整个西方金融体系发生金融地震的方式。只有少数人才理解，抵押贷款违约将破坏新颖的如债务担保权证之类的资产支持工具的价值。只有少数人才看到，随着损失规模猛增，同业拆借的确陷入停顿，而短期商业票据和公司债券发行商索取的利息将上扬，导致各类私营部门借款人遭受痛苦的折磨。只有少数人才预见到，这种信贷紧缩将导致英国银行自1866年以来首次遭受挤兑，并最终被国有化。回到2007年7月，在这场麻烦开始之前，一家美国对冲基金经理曾对我以7：1打赌，美国在未来5年不会有经济衰退。“我敢打赌，世界末日不会到来。”6个月后他承认：“我赌输了。”当然，到2008年5月底，美国经济衰退似乎已经开始。但是，世界的末日呢?

诚然，要说中国（更不用说金砖四国其他成员）在2008年5月完全没有受到美国经济衰退的影响，这似乎不太可能。美国仍然是中国最大的贸易伙伴，约占中国出口的1/5。另一方面，最近几年净出口对中国经济增长的重要性已显著下降。此外，中国的外汇储备使北京处于强势地位，有能力为处于困境中的美国银行提供资本注入。对冲基金的崛起只是1998年后全球金融调整故事中的一部分，更重要的是主权财富基金的崛起，这是由那些拥有大量贸易盈余的国家创建的管理其所积累的财富的实体。到2007年年底，主权财富基金管理下的资金约2.6万亿美元，超过了几乎世界上所有对冲基金管理的资金总和，与政府养老基金和中央银行储备相差无几。据摩根士丹利的预测，主权财富基金在15年内所拥有的资产可能达27万亿美元，超过全球金融资产总数的9%。早在2007年，亚洲和中东主权财富基金已经投资于西方金融公司，其中包括巴克莱、贝尔斯登、花旗集团、美林、摩根士丹利、瑞银和私募公司黑石集团及凯雷。一时间，好像主权财富基金可能出手全面拯救西方金融，金融史上的角色发生了根本性的转换。对于被索罗斯贬为“市场原教旨主义”的拥护者来说，这是异常痛苦的现实：在最新的这场危机中，最大的赢家是国有实体①。

虽然这个看似典雅，完美结合的中美国有存在的理由，但是美国危机的解决方案并没有出现。原因很简单，即中国初次进军美国金融类股起不到多大的作用②。中国有无可非议的理由担心西方银行最糟糕的日子也许还没有到来，尤其要考虑到美国经济衰退对名义价值为62万亿美元的信贷违约掉期余额的影响。但是，中美国内部的核心存在着可以探测到的政治紧张局势。一段时间以来，美国国会对中国的竞争和“操纵”货币汇率的关注不断增加，美国经济衰退越厉害，对中国的抱怨声就可能越大。然而，自2007年8月美国货币松动以来，联邦基金和贴现率骤减，各种标售和放贷“工具”将1 500亿美元注入银行系统，并为J · P · 摩根收购贝尔斯登承保，这些构成了操纵汇率的美国版本。自从美国危机爆发以来，美元与其主要贸易伙伴的汇率已贬值约25%，其中对人民币汇率贬值9%。因为几乎所有的商品市场需求和供给压力正好同步发生，其结果就是粮食、燃料和原材料价格

---

① 实际上，一些主权财富基金的发展历史相对较长。科威特投资局成立于1953年，新加坡淡马锡成立于1974年，阿拉伯联合酋长国阿布扎比投资局成立于1976年，新加坡政府投资公司成立于1981年。

② 2007年12月，中国投资有限责任公司对摩根士丹利投资50亿美元以换取其9.9%的股份。中国投资有限责任公司董事长楼继伟把机会比做是出现在农夫面前的一只兔子。“如果我们看到一只大肥兔，”他说，“我们肯定会抓住它。”但他补充说：“也许会有人觉得，我们才是被摩根士丹利逮住的那只兔子。”（指的是摩根士丹利的股票价格随后一路下滑。）

显著暴涨。商品价格上涨加剧了中国通货膨胀压力，需要实行价格管制和出口禁令，并鼓励竞争非洲和其他地区的自然资源，而这一切在西方看来，不啻为令人不安的潜在发展趋势。也许，正如其名称一直想要暗示的，中美国只不过是一种幻想，是古代传说中的一种怪兽：狮头，羊身，龙尾。

细细想来，我们仿佛又回到了从前。100 年前，也就是全球化的第一个时代，许多投资者认为世界金融中心英国和欧洲大陆最具活力的工业经济体有类似的共生关系，这个经济体就是德国经济。那时，如同今天一样，共生和对抗之间的界限分明。什么能触发像在 1914 年那样的另一场全球化的崩溃？答案显而易见，就是美国和中国政治关系的恶化——无论是在贸易、中国台湾、中国西藏或其他一些潜在的问题上。这种情形似乎让人难以置信，然而，追溯往昔，很容易看到未来的历史学家如何构建合理的因果关系链来解释这种事态的变化。“战争罪行”主张者指责更自信的中国，悲叹疲软的美国巨头无所作为。国际关系学者无疑将战争的系统性起源归咎于自由贸易的崩溃、自然资源的争夺或文明的冲突。用历史措辞来解释，一场大的战火危机如同在 1914 年那样，似乎有可能在我们的时代燃起。有些人甚至鼓噪说，商品价格在 2003~2008 年期间的飙升，反映了对即将到来的无意识的市场预期。

真正发生的大危机难以超越今天的银行管理者、基金经理和交易员现存的记忆。

一个重要的历史教训是，即使在经济全球化更先进、英语帝国的霸权地位似乎相当安全的时候，大的战争也有可能爆发。第二个重要的教训是，世界没有重大冲突的日子越长久，就越难想象这是一个怎样的世界（而且，也许更容易开始产生冲突）。第三个，也是最后的教训是，一场打击自满投资者的危机要比打击历经磨炼的投资者所引发的破坏更大。正如我们反复看到的那样，真正发生的大危机难以超越今天的银行管理者、基金经理和交易员现存的记忆。华尔街首席执行官的平均职业生涯刚刚超过25年，这意味着那些对美国银行体系的亲历回忆不会退回到1983年以前——也就是石油和黄金价格开始暴涨后的10年。单单这一事实本身，就为研究金融历史提供了强有力的佐证。

THE ASCENT OF MONEY

后记

货币的由来

今天的金融界是4 000年经济演绎的结果。明晰债务人与债权人关系的货币，成为银行与清算中心不断扩大借贷规模的根源。从13世纪开始，政府债券把利息支付流证券化，而债券市场则展示了对证券交易与估价的公开市场进行管制的好处。从17世纪开始，企业股票可以采用与政府债券类似的方式购买和出售。从18世纪开始，先是保险基金，然后是养老基金利用规模经济和平均法则提供金融保护，以避免可预测的风险。从19世纪开始，期货和期权提供了更专业、更先进的工具——金融衍生工具。从20世纪开始，出于政治原因，一些家庭被鼓动增加杠杆工具的利用，使他们的投资组合有利于房地产市场的发展。

所有这些机构创新的经济联合体，包括银行、债券市场、股票市场、保险以及财产所有民主制，从长远来看表现更为出色，因为金融中介在资源配置方面更有效。基于这种原因，西方金融模式先是通过帝国主义，然后通过全球化在世界各地得到广泛传播。从古老的美索不达米亚到当今的中国，简而言之，货币一直是推动人类进步的力量：这种金融创新、金融中介和金融一体化的复杂进程，与科技的进步，法律的传播，为人类摆脱枯燥的自给自足的农业和痛苦的“马尔萨斯陷阱”①，发挥着同等重要的作用。用美联储理事弗雷德里克·米什金的话来说，“金融体系是经济的神经……它在资金分配方面充当了协调机制，它是经济活动的命脉，其最大的用途在于企业和家庭。如果资本使用不当或者根本不流通，那么经济运行将效率低下，经济增长率最终将很低”。

然而，货币的发展不可能是一帆风顺的。相反，金融历史犹如乘坐过山车，跌宕起伏，从泡沫到破灭，从狂热到恐慌，从震动到崩溃。一项对1870年以来各国国内生产总值与消费的现有数据进行的最新研究表明，在过去的148次危机中，一个国家的国内生产总值累计下降了至少10%，其中消费在87次危机中蒙受了类似规模的下降，这意味着金融灾害发生的概率每年约为3.6%。即使在今天，尽管我们的金融机构和金融工具前所未有的复杂，但这个星球的金融仍然脆弱如昔，仍有可能发生以往发生过的危机。就我们所有的聪明才智来看，我们注定要被“随机性所愚弄”，注定要为“黑天鹅”的出现而惊讶。我们甚至有可能要经历几十年“超级泡沫”所引发的通货紧缩。

这样说的根本原因有三个。首先，未来或者说“期货”存在太多的可能性，因为相对于可预测的风险而言，从来都没有一个可确定的未来。弗兰克·奈特早在1921年就认为：“在某种意义上，我们必须将‘不确定性’与我们熟悉的风险概念完全区别开来，但这两者却从未被严格地区别

① 据马尔萨斯论证，人口增长的速度比食物增长的速度快，因此如果人口数量超过承载这些人口的食物（资源）数量，社会就会出现混乱。——编者注

过……可度量的不确定性，或准确称之为‘风险’……与不可度量的不确定性是如此不同，以致可度量的不确定性实际上根本不能称其为不确定性。”简单地说，在生活中发生的多数事件并不像玩掷骰子游戏。“一次又一次将要发生的事件是完全独特的，以至于根本没有其他实例或者没有足够数量的可以罗列的实例，能够为任何真实概率的任何有价值的推论提供一个基础……”凯恩斯在1937年精辟地表达了同样的观点，他在回应对其《货币通论》的批评时所写的《论“不确定性”知识》一文中说：

> ……我的意思是，不仅仅要把已知一定要发生的事件与可能会发生的事件区分开来。从这个意义上讲，轮盘游戏不容易受到不确定性的影响……人的预期寿命也多少有些不确定，甚至天气变化也多少有些不确定。我使用这种措辞的意思是说，欧洲战争的前景是不确定的，或者……20年之后的利率……不管怎样，所有这些都没有在科学基础上形成任何可计算的概率。我们对此一无所知。①

凯恩斯接着假设，投资者会尝试“在这种情况下以这样的行为方式，去挽回我们作为理性的经济人的面子”：

> 1. 我们认为，迄今为止与实实在在地审视过去的经验相比，现在对未来的指导作用实用性更强。换句话说，我们在很大程度上忽略了未来变化的前景，我们对其实际特征一无所知。
>
> 2. 我们认为，现有的价格中所表达的观点与现有生产的特点，都基

① 正如彼得·伯恩斯坦所说：“我们从过去收集数据……过去的数据……构成了一系列事件，而不是一套独立的意见，这是概率法则的需求。历史只是为我们提供了一种样本……”

于对未来前景正确总结的基础之上……

3. 我们知道，我们自己个人的判断是毫无价值的，或许是为了更好地了解情况，我们努力求助于世界其他地区的判断。也就是说，我们尽力使自己的行为与大多数人或普通人的一致。

尽管凯恩斯并未准确描述出投资者的行为，但他思考的方法是正确的。因为个人的启发式偏差对金融市场波动的产生发挥了至关重要的作用，这一点没有问题。

人类的行为模式是我们提出金融体系固有的不稳定性的第二个理由。正如我们已经看到的，所有金融机构完全受我们从兴奋到失望的固有意向的摆布；我们时常无法保护自己免受“尾部风险”的侵袭；我们永远不会从历史中吸取经验教训。丹尼尔·卡尼曼与阿莫斯·特沃斯基通过一系列的实验证明，人们在面对简单的金融选择时，往往会产生错估概率的倾向。首先，他们给组建的样本组每组1 000以色列镑[①]。然后，他们让每个组在两个选择中进行选择：A. 有50%的机会赢得额外的1 000以色列镑；B. 有100%的机会赢得额外的500以色列镑。结果只有16%的组选择了A，其他组（84%）则选择了B。接下来，他们要求相同的样本组，设想每组在拿到2 000以色列镑后，他们又面临选择：C. 有50%的机会要丧失1 000以色列镑；D. 有100%的机会要丧失500以色列镑。这一次，大多数（69%）选择了C，只有31%选择了D。然而，从他们获得的回报来看，这两个问题是相同的。在这两种情况下，你都有50%的机会去最终获得2 000以色列镑（A和C），或者最终必然得到1 500以色列镑（B和D）。在此次和其他的实验

① 以色列镑为以色列在1948~1980年所使用的货币，以色列现货币为谢克尔。——编者注

中，卡尼曼与特沃斯基验证了一个惊人的不对称性现象：人们在面临获得的时候规避风险，而在面临损失的时候偏爱风险。人们对损失的估价高出得到相同收益估价的2.5倍。

这种“不变性失误”只是诸多启发式偏差（扭曲的思维或学习方式）之一，把现实的人从新古典主义经济理论中的同质经济人（曾推定其基于所有有效信息与预期效用能做出理性决策）区分出来。还有一些实验表明，我们很容易屈服于这种认知陷阱：

1. 可获得性偏差，使我们的决策基于我们记忆中更容易获取的有效信息，而不是基于我们真正需要的信息；

2. 后见之明偏差，使我们在事件发生之后（事后）比在事件发生之前（事先）认为事件发生的可能性更高；

3. 归纳问题，使我们在不充分信息基础上，形成一般规则；

4. 合取谬误（或选言推理），意味着我们往往高估概率，即认为多数将发生的概率是90%，而低估了至少有一项将发生的概率是10%；

5. 确认偏差，使我们倾向于为原始假设寻找有利证据，而不是在有证据证明其不成立时作出修改；

6. 污染影响，即我们允许无关但直接的信息影响决策；

7. 情绪启发式，即先入为主的价值判断干扰我们对成本和效益的评估；

8. 范围忽视，妨碍我们相应调整自己愿意做出的牺牲行为，以避免不同数量级的危害；

9. 过度自信校准，会使我们低估置信区间内我们的稳健估计（例如，把“最佳方案”与“最有可能”混为一谈）；

10. 旁观者的冷漠，会使处在群体中的我们倾向于放弃个体责任。

如果你仍怀疑人类会犯这些基本的错误，问问自己以下的问题：网球球拍和网球价格总额为 1.10 英镑，球拍要比网球贵 1 英镑，那么，网球是多少钱？错误的答案就是——大约每两个人就会有一个脱口而出：10 便士。正确的答案是 5 便士，因为只有当网球球拍是 1.05 英镑，而网球是 5 便士时，才满足条件。

如果有什么能彻底改变我们对金融市场运作方式的理解，那肯定是新兴的行为金融学。我不清楚产生于有效市场假说的所有研究成果在多大程度上经受得住这一挑战。那些相信“群众的智慧”的人，只不过是相信一大批人要比少数所谓的专家，更有可能作出正确的判断。不过，我对此不敢恭维。一则老笑话说，“宏观经济学家在过去的 5 次衰退中成功地预测了 9 次”，但这与其说是笑话，倒不如说它指出了经济预测困难的真相。与此同时，那些认真学习人类心理学的学生看到的将不仅是来自一大批人的智慧，还将看到来自一大批人的疯狂。一个恰当的例子就是，2007 年上半年，投资者中普遍存在一种错觉，即重要的流动性危机可能不会发生。埃利泽 · 尤德考斯基对此有一段精辟的论断：

人们可能会过于自信、过于乐观。他们可能过于关注有关未来的具体方案，却忽视了所有其他因素。他们的记忆中，可能对过去没有一丝残留（流动性危机）。他们可能会高估过去的可预测性，因而低估了未来可能发生的意外。如果没有事后的反思，他们就不可能意识到应对（流动性危机）的困难。他们可能更喜欢……具有较高回报可能性的赌博，却忽视了风险的存在。他们可能把技术带来好处的正面信息（例如债券保险）与技术带来风险的负面信息混为一谈。他们可能被电影所毒害——电影中金融体系最终将得到拯救……流动性危机极其不乐观的前景可能刺激他们寻求流动性不会枯竭的论据，而不是同样疯狂地去寻找流动性将枯竭的原因。具体而言，如果问题是“为什么没有更多人采取一些措施”，可能的情形就是，提问的人转动眼珠环顾四周，看看周围其他人的反应……同时试图流露出沉着冷静的、自己不包括在“更多人”之中的神情。

我们大部分的认知扭曲是进化的结果。照此推理，金融历史发展路径不规则的第三个原因，也与进化论有关。一般认为，金融具有达尔文进化论的特性。“适者生存”是雄心勃勃的交易员喜欢用的词语。投资银行喜欢举办“卓越的演变”之类主题的会议。美国 2007 年的危机增加了此类语言使用的频率。2007 年下半年，并非只有美国助理财政部部长瑞恩才谈论金融灭绝的浪潮。麻省理工学院金融工程实验室主任罗闻全，是努力重建适应性的市场体系概念的领军人物，他对金融服务发展的长期历史性分析也表明，进化的力量不仅存在于自然界，也同样存在于金融界。

当然，达尔文式的进化过程可能在经济中发挥作用这一观点并不新鲜。演化经济学实际上是一门行之有效的分学科，在过去 16 年里有自己的专业期刊。早在 1898 年，托斯丹 · 凡勃伦首先提出了这么一个问题：“为什么经济学不是一门演化学呢？”（暗示经济学应该是演化学。）约瑟夫 · 熊彼特在他的论著《资本主义、社会主义与民主》中，有一段名言，描述了工业资本主义的“进化过程”同样适用于金融领域：

> 资本主义过程的这种进化特色不仅在于这样一个事实，即经济生活是在一个变动着的社会环境和自然环境之中进行的，而且在于通过它的变动又改变了经济活动的根据。这一事实是重要的，这种变动（战争、革命等）又限定了产业变革的条件，但是它们并不是经济活动的首要推动者。这种进化的特色并不是人口和资本的准自动增加或在货币制度方面所耍的什么把戏（对于这些把戏，上面所说的那些话也完全适用）。开动资本主义发动机并使它继续运作的基本推动力，来自新消费品、新生产方式或运输方法、新市场、资本主义企业所创造的产业组织的新形式……国内国外新市场的开辟，从手工业工厂到美国钢铁公司那样规模企业的组织上的发展，说明了这种产业上的突变过程——如果我可以用这个生物学术语的话——它不断地从内部使这个经济结构革命化，不断毁灭旧的结构，又不断创造新的结构，这是一个创造性的破坏过程。

最新研究的重点是，这种破坏对现代经济的伤害究竟有多大。每年大约有1/10的美国公司消失。确切地说，1989~1997年，美国总共有573万家公司，其中平均每年有61.1万家公司倒闭。应该指出的是，10%的死亡率是平均数。在一些经济部门，公司死亡率可能高达20%，特别是在经济不景气的年代（如1989年储蓄和贷款协会危机高峰期哥伦比亚区的金融业）。根据英国贸易与工业部的说法，30%的增值税登记的公司3年后消失了。即使在它们生存的头几年，这些公司的日子过得不错，但大多数公司最终还是失败了。1912年世界上的100家大公司，到1995年有29家破产、48家消失，只有19家仍然位于世界100家大公司之列。鉴于银行和股票市场主要是为公司提供融资帮助的，对金融领域出现创造性破坏的类似模式，我们不应感到惊讶，我们已经注意到对冲基金带来的高损耗率（更多的银行并没有倒闭的唯一原因，正如我们将看到的，是因为其直接或间接受到了政府的保护）。

金融界与一个真正的进化系统的共同特点是什么？对此，有6点需要牢记在心：

“基因”，也就是说，某些商业惯例如同生物学中的基因，发挥着同样的作用，允许信息存储在“组织记忆”中，并从个体传递到个体或者从公司传递到新组建的公司。

自发“突变”的潜力，在经济领域，通常是指技术创新，但并非永远如此。

物种资源内部个体之间的竞争，其长寿和激增的结果，决定了哪些商业惯例将存在。

自然选择机制，即通过市场配置资本和人力资源，以及万一表现不佳而死亡的可能性，也就是说，“差别生存”。

物种范围，即通过创建全新的金融机构“物种”，保持物种的多样性。

灭绝范围，有些物种全部消亡了。

金融历史基本上是组织突变和自然选择的过程。随机“漂移”（创新/突变，不是由于自然选择，而只是发生）和“流动”（创新/突变所造成的，比如中国银行采纳了美国的商业惯例）在发挥作用。当不同的金融物种在一起运作和相互适应时（如对冲基金和它们的主要经纪人），也可能存在“共同进化”。但是，市场选择的是主要驱动力。金融生物体为有限的资源而互相展开竞争。在某些时候、某些地方，某些物种可能占据主导地位。但竞争对手的创新或者出现全新的物种，阻止了任何永久的等级制度或单一经营的可能。一般说来，这就是“适者生存”法则的应用。带有善于自我复制和自我延续“自私基因”的机构，也往往能够长久生存、不断激增。

请注意，这一切的发生，不能归结于完美有机体的演化。因为涉及进化过程对初始条件的敏感性，如果恰好发生在合适的地点、合适的时间，“足够好”的突变将占据优势地位。也就是说，最初的微弱优势，也许可以转化为长期的统治地位，但不一定是最佳的。还有一点值得铭记的是，不同于过去的认识（特别是对赫伯特 · 斯宾塞的追随者而言），自然界中的进化并不总是进步的。原始的金融生存形式如高利贷不应当被遗忘，因为微观原核生物仍然占地球物种的多数。演化的复杂性不仅保护生物体或者公司免于灭绝，而且挽救了大多数动物和植物物种的生命。

诚然，进化类推并非十全十美。当自然界里一种生物摄取另一种生物时，它只是吞食而已；而在金融服务界，并购可能直接导致基因突变。在金融生物体中，不存在相对应的动物世界中有性繁殖的作用（虽然动物世界中的一些通俗语言往往用来形容某些种类的金融交易）。大多数金融突变是蓄意的、有意识的创新，而不是随机变异。事实上，由于公司能够在其生存空间适应周围环境的变化——进行金融演化（如同文化演进一样），因而可能更具拉马克遗传基因理论而非达尔文生物进化论的特性。①不过，与我们所

① 达尔文生物进化论强调的是环境推动生物体演化的过程，这个过程是连续的渐进性演变，由机会来支配，是自然选择的结果。而拉马克遗传基因理论强调的是生物体拉动自身演化的过程，这个过程是连续的或者是非连续的，由生物体控制、指导，是有目的的。企业作为由人所组成的智慧体，在激烈竞争和迅速变化的市场经济环境下，能够在信息不对称的环境中，不断采取新对策来主动适应环境的变化，因此，企业的演化过程是企业与环境间无休止的动态博弈过程，而不只是达尔文式的“随机变异，自然选择”过程。——译者注

拥有的其他工具相比，进化论肯定为理解金融的变化提供了更好的模型。

90年前，德国社会主义者鲁道夫·希法亭预言有一种必然趋势——所有权将更多地集中在他所说的金融资本上。从成功幸存的大公司角度来看，有关金融发展的传统观点确实验证了这种进程。在花旗集团的官方“家谱”中，人们会发现，众多小企业（可以追溯到成立于1812年的纽约城市银行）随着时间的推移而聚集在共同的“主干”（也就是当今的大集团）上。然而，从长远来看，认为金融演化始于共同的主干恰恰是一种错误的思维方式。主干时常向外扩张成为银行的新物种，其他金融机构也时常发生演化。事实上，一家专业公司在发展过程中成功地吃掉小企业，其实无关紧要。在长期的进化过程中，动物吃掉对方，并不是进化突变与新的物种出现的驱动力。问题是，规模经济和范围经济并不总是金融历史的推动力。真正的驱动力是物种形成的过程，也就是完全新型公司的创建，以及“创造性破坏”经常性发生的过程，即劣势企业的消亡。

以商业银行的零售业务为例，这里仍然存在不少“生物多样性”。虽然有花旗集团和美国银行这样的巨头，但是在北美和一些欧洲市场，仍存在相对分散的银行零售业务部门。随着银行间高水平的整合（尤其是在20世纪80年代储贷协会危机之后），大多数金融机构转为股东所有，银行部门的合作一直是最近几年最大的变化。在私有化浪潮席卷全球的时候（尽管北岩银行的国有化表明，物种可能会东山再起），发达国家唯一濒临灭绝的物种就是国有银行。在其他方面，物种形成、新型金融机构的激增，正是我们期待真正的进化系统发生的故事。许多新的“单线”（mono-line）金融服务公司已经出现，特别是在消费金融领域（例如，美国第一资本集团）。为了应对私人银行市场，一些新的“精品店”出现。直接银行业务（通过电话和互联网）是另一种相对较新的日益增加的现象。同样，在投资银行业务领域中已经形成巨头，如对冲基金和私募股权这些新兴和敏捷的物种，已经迅速发展壮大起来。而且，正如我们在第六章所看到的，由于制成品和能源的出口，迅速累积的硬通货储备正在造就新一代主权财富基金。

不仅仅是新形式的金融公司发展壮大，新形式的金融资产和金融服务业也得到了发展。近年来，由于住房抵押贷款和其他资产支持证券的出现，投资者的胃口急剧膨胀。金融衍生工具的使用也大大增加，其中大部分买卖是在预定的一对一基础上的“柜台交易”，而不是通过公开交易——虽然金融衍生工具的卖家从中有利可图，但这种趋势可能会带来不愉快和意想不到的后果，因为这些工具缺乏标准化，一旦发生危机，容易引起法律纠纷。

从进化的意义上讲，金融服务部门似乎已经度过了20年的“寒武纪大爆炸”——现有的物种欣欣向荣，新生的物种数量攀升。与自然界一样，大型物种的存在并不排除演化的进行和小型物种的继续生存。规模并不代表一切，自然界如此，金融界亦如此。事实上，真正的困难在于，公有企业由于规模更庞大、更复杂，其规模的不经济与官僚主义相联系，压力与发布季度公告相联系，这就为新形式的私营公司创造了机会。在进化过程中，重要的不是你的规模，也不是（超过了一定程度的）你的复杂性。所有这一切的问题就是，你要善于生存，善于复制你的基因。金融同样要善于创造收益率，造就采用类似商业模式的模仿者。

在金融界中，突变和物种形成通常根据环境和竞争来进化，自然选择决定哪些新特性会得到普遍传播。有时，如同在自然界，进化过程也会受到重大破坏，其表现形式为地缘政治冲击和金融危机。当然，这种区别在于，巨大的小行星的冲击（在白垩纪末期，85%的物种因此灭绝）是外来的冲击，而金融危机是金融体系内生的危机。20 世纪 30 年代的大萧条和 70 年代的大通胀造成了“大规模灭绝”——比如 30 年代的银行恐慌、80 年代的储贷协会危机。

在我们目前的时代有可能发生类似的事情吗？当然可能。2007 年夏季信贷环境的急剧恶化，给许多对冲基金提出了尖锐的问题，使这些基金容易面临投资者的赎回。但是，最近这次信贷紧缩一个更重要的特点，在于各银行和保险公司所承受的压力。资产支持证券和其他形式的风险债务损失估计可能会超过 1 万亿美元。在撰写本书时（2008 年 5 月），大约 3 180 亿美元的减记（预定损失）得到确认，这意味着 6 000 多亿美元的损失还没有浮出水面。自金融危机爆发以来，金融机构已经新注资 2 250 亿美元，缺口不到 1 000 亿美元。因为银行规定的不变资本资产比率不到 10%，这意味着资产负债表可能需要缩水达 1 万亿美元。但是，所谓的资产负债表外的实体“影子银行系统”如结构投资工具和管道工具的崩溃，使得这种收缩几乎是不可能的。

西方主要银行能否在没有进行根本变革的情况下去满足国际协议[①]资本充足率的管理，把握自己的发展方向，渡过这次危机，还有待观察。举例来说，欧洲目前银行平均资本占资产的比例不足 10%，而 20 世纪初这一比例

① 根据 1988 年签署的旧《巴塞尔资本协议》(Basel I)，银行资产按照信贷风险、风险权重，被划分为从 0（例如本国政府债券）到 100%（公司债券）5 个风险档次。各国银行必须持有的资本要相当于其 8%的风险加权资产。2004 年首次出版颁布并逐步为世界各地所接受的新《巴塞尔资本协议》(Basel II)，提出了更为复杂的规定，对信贷风险、操作风险和市场风险进行了区分，其中最后一项是授权使用风险价值模型。具有讽刺意义的是，就 2007 年 8 月而言，流动性风险与其他风险被归入“残余风险”的标题之下。这类规定不可避免地与所有银行必须最大限度地减少其资本从而提高其股本回报率的动机相冲突。

在25%左右。有些人认为，风险来源与资产负债管理相分离，可以更好地通过金融体系来分散风险，而2007年的危机显然让这种希望落空了。令人不可思议的是，这场危机的蔓延没有发生进一步的兼并和收购（例如强势企业吞噬弱势企业）。债券保险公司似乎注定要消失。相反，一些对冲基金很可能会因为波动的回归而茁壮成长①。新形式的金融机构也很可能在危机之后涌现出来。正如罗闻全指出的："随着市场中的森林火灾被扑灭，我们可能会看到，接踵而来的是难以置信的植物群和动物群的崛起。"

自然界与金融界之间还存在着一个重大区别。生物进化发生在自然环境中，其变化基本上是随机的（理查德·道金斯的"盲人钟表匠"形象便由此而来），而金融服务领域的进化发生在监管框架之内，用站在达尔文对立面的创世论者的话来说，"智能设计"在其中发挥着作用。监管环境的突然变化与宏观经济环境的突变截然不同（后者类似于自然界中的环境变化），二者的区别在于，监管变化有内在因素，因为那些责任人通常由偷猎者变成猎场看守者，他们对私人领域运作方式有着很好的洞察力。不过，这种情况的实际影响与生物进化中的气候变化相同。新的规则和规定可能使原来的良好特性突然变得不利。例如，美国储蓄和贷款机构的兴衰，很大程度上就源于美国监管环境的变化。2007年危机之后，监管的变化可能带来无法预见的后果。

多数金融监管机构的意图都是维持金融服务领域的稳定性，从而保护作为银行服务对象的消费者和该行业所支撑的"实体"经济。非金融领域的企业对整体经济不具有这样系统的重要性，对消费者的生活也没有如此关键。

① 用罗闻全的话来说："对冲基金就是金融里的加拉帕戈斯群岛……创新率、进化率、竞争率、适应性、出生率和死亡率，所有这些进化范畴的现象，都在以相当快的速度发展着。"

主要金融机构倒闭会使零售客户的存款因此蒙受损失，这是任何监管者（和政客）都不惜一切代价希望避免的事件。自 2007 年 8 月以来，一个老问题再度露头：为银行解困的含蓄保证会鼓励银行承担过高的风险，这将造成多大的“道德风险”？可以断定，如果一家机构被认为具有大而不倒的效应，因而不会倒闭——即政治敏感性太高，或者其倒闭会拖垮许多其他公司的可能性太大，那么政府就会出手干预，以避免没有流动性，甚至无力偿还债务。不过，从进化论的角度来看，问题看起来略有不同。事实上，人们不太情愿将任何机构归入“大而不倒”的类别，因为如果没有偶尔发生的“创造性破坏”，进化过程可能会遭遇挫折。20 世纪 90 年代日本的经历，给立法者及监管者发出警告：如果业绩不佳、坏账没被注销的金融机构也能得到扶持，那么整个银行业领域可能成为经济的死角。

金融体系的每一次剧烈震荡，必然会造成重大损失。任其自生自灭，“自然选择”会迅速发挥作用，淘汰市场上最弱的组织——它们通常会被成功的公司所吞并。但是，大部分危机都会导致政府出台新的规则和管制，因为立法者和监管者急于稳定金融体系，急于保护消费者或者选民的利益。关键在于，过分严苛的预防性监管规定，不能也不应当消除金融机构灭亡的可能性。正如约瑟夫 · 熊彼特 70 年多前所写的：“这种经济系统不能没有彻底毁灭那些生存者的最终手段，这些生存者不可挽回地与那些没有希望的不适应环境的生存者联系在一起。”在他看来，创造性的破坏只不过意味着“那些不适合生存的公司”的消亡。

在撰写本书时，常常有人问我是否起了一个错误的书名。本书的书名似乎有些不合时宜的乐观语调（特别是对那些想起了雅各布 · 布朗诺夫斯基的《科学进化史》的读者来说），因为眼下通货膨胀上扬和商品资金外逃，似乎预示着诸如美元之类的法定货币的公众信心和购买力的真正下降。然而，读者到现在应该明晰，我们的金融体系从遥远的起源——美索不达米亚的放债人——一直到现在，跨越的历程有多么久远。在这一进程中，确实有伟大的逆转，也有收缩，甚至是濒临死亡边缘。但这一切甚至在最糟糕的时候，也不能永久妨碍我们的金融体系的发展。金融历史的发展轨迹呈现出犬齿状态，但无疑趋势是向上的。

我同样要对达尔文表示敬意，因为我从他的那本《物种起源》中得到启发，所以我所讲的内容是有根据的也是正在不断演绎着的。当我们从自动取款机提取钞票，或者把我们每月部分薪水投在债券和股票上，或为我们的汽车投保，或把我们的房屋再抵押出去，或放弃本土偏见转向新兴市场的时候，其实我们正从事的交易与历史先例相差无几。

我仍然比以往任何时候都更加相信，我们只有完全理解金融物种的起源，才能了解有关货币的基本事实，即并非如德国总统所抱怨的必须将金融市场“怪兽赶回原来的地方”。金融市场实际上就像人类的一面镜子，展示了我们每时每刻评价自己以及周遭世界资源的方式。

镜子清晰地映照出我们的丑态，这不是镜子的过错，因为它也能清晰地映照出我们的美丽。

致谢

虽然写作是一项个人行为，但是图书绝非一己之力可以完成。我要对下列机构的工作人员表示感谢：阿姆斯特丹历史博物馆、巴黎国家图书馆、伦敦大英博物馆、孟菲斯棉花交易所棉花博物馆、海牙荷兰国家档案馆、新奥尔良路易斯安那州立博物馆、佛罗伦萨市档案馆美第奇档案室、爱丁堡苏格兰国家档案馆、威尼斯国家图书馆、伦敦罗斯柴尔德档案馆，以及爱丁堡苏格兰遗孀档案馆。一些学者和馆员对我的援助请求给予了慷慨回应。我特别要感谢梅兰尼·阿斯佩、特立斯拉姆·克拉克、弗洛伦斯·格洛申、弗朗切斯科·桂第·布鲁斯科利、格雷格·拉姆博塞、瓦莱丽·莫尔、丽斯柏斯·特拉瑟、乔纳森·泰勒和罗德韦杰科·瓦格纳。此外，我还要感谢安德鲁尔·诺沃的宝贵研究援助。

我要特别感谢那些同意接受采访的金融专家，他们是：多明戈·卡瓦略、约瑟夫·迪法塔、约翰·鄂力克、肯尼思·格里芬、威廉·格罗斯、何塞·皮涅拉、罗斯柴尔德勋爵、洛希尔勋爵、理查德·斯克鲁格斯、乔治·索罗斯、乔治·斯蒂文森、卡门·贝拉斯科、保罗·沃尔克、莎朗·沃特金斯和罗伯特·佐利克。在与摩根士丹利和GLG公司活动的参与者的非正式交谈中，我也获益匪浅。

这是在大西洋两岸出版的企鹅出版集团的图书。本书很荣幸在纽约由安·高朵芙首次编辑出版。伦敦的西蒙·温德确保了本书通俗易懂。作为文稿编辑，米切尔·帕格的工作极为出色。我也要感谢理查德·杜吉德、露丝·史汀生、罗斯·格莱舍、艾利斯·道森、海伦·弗雷泽、斯特凡·麦格拉思、露丝·平柯尼和佩内洛普·沃格勒。

和我最近出版的三本书一样，本书最早源于电视连续剧脚本。我要感谢英国电视四台的朱琏·贝拉米、拉尔夫·李、凯文·李戈，尤其要感谢哈米什·迈库拉。我们不时感受到的压力总是富有创新力的。纽约13频道的斯蒂芬·瑟伽勒一直是重要的支持者。我要特别感谢由巴巴拉·班梯沃里奥领导的纽约13频道筹款小组所做的一切努力。无论是电视连续剧的摄制还是图书的出版，都离不开中美国媒体组成的特别小组成员：我们独一无二的摄影师德瓦德·奥克马，研究员罗莎琳德·本特利，临时摄影师沃恩·马修斯，不时灵光闪现的保罗·派瑞与罗纳德·范·德·斯潘科，助理制片人乔安纳·波茨，著作经理维维恩·斯第勒，著作协调人夏洛特·威尔金斯——当然不能遗忘的还有她的前任海达·阿敕博德。至于我的同事梅兰妮·方和安德瑞·潘尼克，无须多言，没有他们的帮助，本书就不可能问世。

在诸多帮助我们摄制电视连续剧的人群中，一些“修理工”不辞辛苦地提供了帮助。我要感谢塞尔希奥·巴利维、如德拉·巴纳吉、马蒂亚斯·日·萨·莫雷拉、马卡热纳·加利亚尔迪、劳伦斯·格兰特、胡安·哈灵顿、费尔南多·梅克伦堡、亚历山德拉·桑切斯、梯兹纳·唐塔罗、克哈里·特鲁普、塞巴斯田诺·温图罗和埃尔科·韦泽拉。我的朋友

查理斯 · 威尔逊确保了我的著作没有丧失水准。

非常幸运的是，我遇到了安德鲁 · 怀利这样世界上最佳的著作代理商，还有在英国电视界享有盛誉的苏 · 艾顿公司。我还要感谢安德鲁 · 怀利在伦敦和纽约办事处的詹姆斯 · 普伦以及所有其他工作人员。

一些历史学家、经济学家和金融从业者慷慨阅读了全部或部分手稿，或参与讨论了一些关键问题。我要感谢拉维 · 阿布德拉、埃文 · 卡梅隆 · 瓦、理查 · 卡蒂、拉斐尔 · 迪特拉、穆罕默德 · 法 · 埃里安、本杰明 · 弗里德曼、布里吉特 · 格兰维勒、劳伦斯 · 克里寇夫、罗伯茨 · 里坦、乔治 · 马努斯、伊万 · 穆克赫杰、格雷格 · 毕特斯、理查德 · 罗伯茨、艾曼纽 · 罗曼、威廉 · 西尔伯、安德烈 · 斯特恩、劳伦斯 · 萨默斯、理查德 · 西拉、纳西姆 · 塔莱卜、彼得 · 泰明和詹姆斯 · 施。毋庸多言，我会独自承担所有有关事实与论述的错误。

我在研究和撰写本书时，个人变动较大。如果没有三家学术机构的理解和支持，本书不可能完成。我要感谢牛津大学耶稣学院院长与研究人员，感谢奥里尔学院院长与研究人员，还要感谢包德连图书馆馆员。我要感谢斯坦福大学胡佛研究所所长约翰 · 雷森，感谢那里出色的工作人员，特别是杰夫 · 贝利士、威廉 · 波纳特、诺埃尔 · 克拉克、理查德 · 苏萨、西莱斯特 · 司徒、德博拉 · 范杜拉和丹 · 维赫尔米。提供帮助或鼓励完成这项工作的胡佛研究所的研究员还包括罗伯特 · 巴罗、史蒂芬 · 哈伯、阿尔文 · 拉布什卡和巴里 · 维恩格斯特。

我最应该感谢的是我的哈佛大学同事。如果要单独感谢哈佛大学历史系的每一位成员，需要花费太长时间，因此我这里写到的主要是那些直接促成这一项目的人员。查尔斯 · 梅尔一直是我灵感和友谊的源泉。吉姆 · 汉金斯为我在佛罗伦萨提供接待和帮助。我还要感谢戴维·阿米蒂奇、埃雷兹·马讷拉、厄聂斯特·梅和丹尼尔·萨金特（现在他去了伯克利），他们为跨学科的历史研究提供了完备的世界史背景。安德鲁·哥顿和他的继任者詹姆斯·科洛番博格以特殊的技巧和灵活性管理历史系。没有珍妮特·哈特和她的工作人员，管理、研究和教学中的三个转盘至少有一个会坠毁。

在欧洲研究中心，我一直很幸运地与这里的研究人员相处并分享他们的思想，其中包括：戴维·布莱克伯恩、帕特里夏·克雷格、保罗·德族司、帕特里斯·黑格南特、斯坦利·霍夫曼、玛雅·加萨诺夫、卡缇阿纳·欧路克、安娜·波皮勒、桑迪·瑟勒斯基、辛迪·斯卡奇、米歇尔·韦策尔和丹尼尔·兹博拉特。

尤其要指出的是，我的哈佛商学院同事在2006~2007年期间对我的帮助。首先也是最重要的是，我感谢院长杰·莱特在我的困难时期对我如此宽容。我同样感谢国际经济机构企业与政府部门中所有成员，尤其是在我困难时，对我不时缺席的容忍，特别是理查德·威特以及拉维·阿布德拉、劳拉·阿尔法罗、迭戈·科明、阿瑟·达姆利奇、拉斐尔·迪特拉、凯瑟琳·杜根、拉克希米·莱尔、诺埃尔·莫雷尔、戴维·摩斯、阿尔杜·穆萨奇奥、福日斯特·莱因哈特、朱里奥·罗特姆博格、黛伯拉·斯帕、贡纳尔·特朗布尔、路易斯·威尔斯和埃瑞克·沃克。雅克·普勒瑞狄在行政方面提供了重要帮助。

我还要感谢魏德海国际事务中心的史蒂芬·布罗姆菲尔德和他的同事们，贝尔佛科学与国际事务中心的格拉哈姆·艾利森以及每一个人，经济史研讨会的克劳迪亚·戈尔丁和其他参加者，罗维尔舍院的多萝西·奥斯汀、黛安娜 · 厄克和其他所有的常客。

最后，我感谢查理士河两岸所有的学者。我从他们众多的研究论文中，以及与他们无数次的正式和非正式的对话中，汲取到了许多知识，使我在哈佛的研究工作如此充满乐趣。

在本书的撰写过程中，我的妻子苏珊为摆脱各种不幸而抗争。对于她以及我们的孩子费利克斯、芙蕾雅和拉克兰来说，我欠他们甚多，我希望我能回报他们。

剑桥，马萨诸塞州

2008 年 6 月